틈새시간

이 저서는 2018년 대한민국 교육부와 한국연구재단의 지원을 받아 수행된 연구임 (NRF–
2018S1A6A3A03043497)

In The Meantime

틈새시간

사라 샤르마 지음 | 최영석 옮김

앨
ㄹㅍ

모빌리티인문학 Mobility Humanities

모빌리티인문학은 기차, 자동차, 비행기, 인터넷, 모바일 기기 등 모빌리티 테크놀로지의 발전에 따른 인간, 사물, 관계의 실재적·가상적 이동을 인간과 테크놀로지의 공-진화co-evolution라는 관점에서 사유하고, 모빌리티가 고도화됨에 따라 발생하는 현재와 미래의 문제들에 대한 해법을 인문학적 관점에서 제안함으로써 생명, 사유, 문화가 생동하는 인문-모빌리티 사회 형성에 기여하는 학문이다.

모빌리티는 기차, 자동차, 비행기, 인터넷, 모바일 기기 같은 모빌리티 테크놀로지에 기초한 사람, 사물, 정보의 이동과 이를 가능하게 하는 테크놀로지를 의미한다. 그리고 이에 수반하는 것으로서 공간(도시) 구성과 인구 배치의 변화, 노동과 자본의 변형, 권력 또는 통치성의 변용 등을 통칭하는 사회적 관계의 이동까지도 포함한다.

오늘날 모빌리티 테크놀로지는 인간, 사물, 관계의 이동에 시간적·공간적 제약을 거의 남겨 두지 않을 정도로 발전해 왔다. 개별 국가와 지역을 연결하는 항공로와 무선통신망의 구축은 사람, 물류, 데이터의 무제약적 이동 가능성을 증명하는 물질적 지표들이다. 특히 전 세계에 무료 인터넷을 보급하겠다는 구글Google의 프로젝트 룬Project Loon이 현실화되고 우주 유영과 화성 식민지 건설이 본격화될 경우 모빌리티는 지구라는 행성의 경계까지도 초월하게 될 것이다. 이 점에서 오늘날은 모빌리티 테크놀로지가 인간의 삶을 위한 단순한 조건이나 수단이 아닌 인간의 또 다른 본성이 된 시대, 즉 고-모빌리티high-mobilities 시대라고 말할 수 있다. 말하자면, 인간과 테크놀로지의 상호보완적·상호구성적 공-진화가 고도화된 시대인 것이다.

고-모빌리티 시대를 사유하기 위해서는 우선 과거 '영토'와 '정주' 중심 사유의 극복이 필요하다. 지난 시기 글로컬화, 탈중심화, 혼종화, 탈영토화, 액체화에 대한 주장은 글로벌과 로컬, 중심과 주변, 동질성과 이질성, 질서와 혼돈 같은 이분법에 기초한 영토주의 또는 정주주의 패러다임을 극복하려는 중요한 시도였다. 하지만 그 역시 모빌리티 테크놀로지의 의의를 적극적으로 사유하지 못했다는 점에서, 그와 동시에 모빌리티 테크놀로지를 단순한 수단으로 간주했다는 점에서 고-모빌리티 시대를 사유하는 데 한계를 지니고 있었다. 말하자면, 글로컬화, 탈중심화, 혼종화, 탈영토화, 액체화를 추동하는 실재적·물질적 행위자agency로서의 모빌리티 테크놀로지를 인문학적 사유의 대상으로서 충분히 고려하지 못했던 것이다. 게다가 첨단 웨어러블 기기에 의한 인간의 능력 향상과 인간과 기계의 경계 소멸을 추구하는 포스트-휴먼 프로젝트, 또한 사물인터넷과 사이버 물리 시스템 같은 첨단 모빌리티 테크놀로지에 기초한 스마트시티 건설은 오늘날 모빌리티 테크놀로지를 인간과 사회, 심지어는 자연의 본질적 요소로 만들고 있다. 이를 사유하기 위해서는 인문학 패러다임의 근본적 전환이 필요하다.

이에 건국대학교 모빌리티인문학 연구원은 '모빌리티' 개념으로 '영토'와 '정주'를 대체하는 동시에, 인간과 모빌리티 테크놀로지의 공-진화라는 관점에서 미래 세계를 설계할 사유 패러다임을 정립하려고 한다.

《틈새시간In the Meantime: Temporality and Cultural Politics》의 한국어판 서문을 쓰고 있는 지금, 코로나19가 유행한 지도 스무 개월이 넘었다. 나는 코로나 시대를 두고 논평하고 씨름하면서 지난 한 해를 보냈다. '코로나 시대Covid Time'라는 말에는 전 세계적인 전염병 창궐의 시기라는 뜻 말고도, 이 시기 동안 나타난 지역적이고 시간적인 삶의 변화라는 의미가 담겨 있다. 예컨대, 코로나 시대는 멈춰 있거나 느려졌다는 느낌을 가리키기도 한다. 《뉴욕타임스》는 의도치 않게 정적과 지루함 속에 갇혀 있는 사람들이 겪은 2021년의 새로운 시간 경험을 '쇠약languishing'이라고 명명했다.[*] 이 단어는 병에 걸릴까 봐 느끼는 두려움을 말하는 것이기도 하지만, 새로운 '정상'이 나타나거나 예전의 정상이 돌아올까 봐 느끼는 공포를 의미하기도 한

---

[*] Adam Grant, "There's a Name for the Blah You're Feeling: It's Called Languishing", *The New York Times*, July 29, 2021.

다. 코로나 시대에는 애도와 슬픔, 새로운 자유와 공허한 시간이 있다. 코로나 시대에는 바이러스를 피할 방도를 찾지 못한 취약계층이 다시 또 다른 취약계층이 된다. 코로나 시대는 무엇이든 앱으로 주문하고 문 앞으로 배달시키면서 안전을 위해 웅크리고 있는 것을 의미한다.

하지만 우리가 코로나 시대 속에서 잊지 말아야 할 것은, 이 전례 없는 시대에는 전례 없는 것이 없다는 사실이다. 사실, 우리가 코로나 시대에 살고 있다는 표현은 내가 주장해 온 시간정치와 잘 어울리지 않는다. 이 책에서 나는 불평등한 사회적 경험을 포착하게 해 줄 궁극적인 정치적 관계이자 렌즈로서의 시간성temporality 개념을 발전시키려고 했다. 시간과의 관계를 구조적 차이의 한 형태로 인식하면, 차이를 인종·계급·젠더·섹슈얼리티·능력 등의 분리된 개별 정체성 범주로 환원하는 시각을 거부하게 된다. 시간성은 언제나 이미 교차한다. 시간성은 언제나 이미 불균등하다. 시간은 어떤 유형의 새로운 기능이나 속성으로 균일하게 취급될 때 탈정치화될 위험이 있다. 공간(감옥의 시간), 인구(유색인종의 시간), 섹슈얼리티(퀴어의 시간), 기술(디지털의 시간), 시대epoch(속도의 문화) 등이 그러하며, 그 가장 최근의 사례가 팬데믹(코로나 시대)이다.

모든 사회적 시간은 타자들의 시간과 관계를 맺으면서 나타나고 구축되며 유지된다. 어떤 단일한 시대, 속도, 인구, 그리고 팬데믹에 얽매여 있는 것으로 이해되어서는 안 된다. 더욱이, 시간을 단일하게 파악하는 이 개념들은 사람, 기술, 국가에 기인하는 물질적인 효과를 가진 권력 담론들이다. 예를 들어, 역사적으로 시간은 차이를 갖는 다른 범주들 속의 한 요소로 간주되어 왔다. 이는 여성의 시간, 흑인의 시간, 멕시코인의 시간, 원주민의 시간처럼 시간을 정체성에 묶어 놓는다. 우리가 익히 보아 왔다시피, 타자를 시간 안팎에 배치하는 것은 백인, 자본주의, 가부장제, 식민주의의 시간질서를 유지하기 위한 사회통제 형식이다. 시간을 사람, 사물, 매체, 역사적 시기의 부록으로 취급하면, 시간질서의 배후에 있는 복잡성을 직시하지 못하게 된다. 이 책에서 주장하듯이, 시간성은 어떤 역사적 시기의 일반적인 감각이 아니라 특수한 정치경제적 맥락에서 구조화된 특수한 시간 경험이다.

사회의 근본적인 불확실성이 경험되는 방식은 관계적이지만, 공유되는 것은 아니다. 어떤 사람들은 편도선이 붓고 동맥이 막히는 식으로 불확실성을 겪으며, 이는 매 순간 시간의 흐름을 경험하는 방식을 바꿔 놓는다. 또 어떤 사람들에게, 불확실성은 시간을 통제하는 사업가가 되고 신자유주의적 행위를 하도록 몰아가는 것이다. 일과 삶의 균형에 매달리고, 정상적 재생산 질서를 계속 정상적으로 유지하도록 묶어 놓는 자본주의적 생산성 감각에 집착하게 만든다. 이때의 불확실성은 단일한 시간이라는 개념 속에서, 나 홀로 시간을 관리하고 제어할 수 있다는 상상 속에서 유지된다. 시간은 마구馬具를 채워서 몰고 다닐 수 있는 것이다.

할 일 목록을 작성해 두는 것이 무엇보다도 중요하다. 불확실성을 해소하는 가장 좋은 방법은 다른 이들의 노동력을 활용하는 것이다. 집을 청소하게 하고, 개를 산책시키고, 음식을 배달시킨다. 사회가 지닌 근본적인 불확실성은 아예 전면적으로 거부될 때가 많다. 거대 기술회사의 자본가들은 죽음이라는 문제를 해결해 줄 생명공학 연구에 투자한다. 하지만 확실한 것은 그들이 다른 사람들의 삶을 더 불확실하게 만들 것이라는 점이다. 불확실성은 어떤 상황을 선택하거나 선택하지 않는 문제가 아니다. 불확실하다거나 확실하다는 느낌은 인종차별적인 사회정책, 경찰의 잔인함, 긴축정책, 고착화된 차별적 제도, 젠더적 폭력 등과 관계된, 일상생활에서 겪는 시간적 차이와 조건의 한 형태다. 시간적 불평등의 존재는 평범하고 흔한 것이며, 전례 없거나 새로운 것이 아니다.

나는 대중적으로든 학문적으로든 속도문화와 시간의 가속에 매달리는 현상을 우려하면서 이 책을 썼다. 민주주의적인 삶에 빠른 자본주의와 디지털 속도가 침투해 들어오고 있다는 뻔한 비판은 아고라, 놀이공원, 공항 등 바로 그 민주적이고 시민적인 삶의 공간들에 만연해 있는, 깊숙하게 구조화된 시간정치를 제대로 해명해 주지 못한다. 사회적 구조는 다양하면서도 차별적이고 관계적인, 상호 결합된 시간성과 노동 형태로 구성되어 있다. 시간 층위에서 경험하는 새로운 사회적 불평등은 속도의 향상이 만들어 낸 것이 아니다. 속도라는 담론이 지닌 힘에 더 큰 책임이 있다. 속도는 어디에나 똑같이 나타나는 문화적 사실이 아니라 어떤 템포이며, 어떤 지배적 리듬이고, 빠르기도 하고 느리기도 한 다수적이고 관계적인 시간성들로 이루어져 있다. 대부분의 인구들은 시간 경험을 공유하는 것이 아니라, 자기 앞에 놓인 희미한 시간질서를 마주하게 된다.

토론토에 코로나 봉쇄 조치가 내려진 첫 몇 주 동안, 이 도시의 거리에는 큰 변화가 생겼다. 도시의 진면목을 가리던 겉치레가 떨어져 나갔다. 나는 모든 것에 걸친 권력-크로노그래피chronography〔권력관계의 핵심에서 시간이 어떻게 작동하는지를 탐사하는 방식〕가 처음으로 사람들의 눈에 드러나리라는 낙관적인 기대를 품었다. 지역

사회구조와 글로벌 정치경제를 구성하는 차별적이면서도 관계적인 시간성이 가시화될지도 모른다고 생각했던 것이다. 아침 저녁으로 거리를 메우던 차들이 사라졌다. 교통체증이 없어졌다. 비행기도 택시도 지하철의 긴 줄도 종적을 감추었다. 쓰레기통도 비어 있었다. 대신 거리에는 팬데믹의 흔적인 파란 비닐 장갑과 버려진 마스크가 여기저기 굴러다녔다. 음식을 배달하는 자동차와 자전거를 모는 사람들이 대충 만든 보호 장구로 얼굴을 감싸고 지나갔다. 이들 말고는 오가는 차량이 거의 없었다. 패스트푸드, 술, 대마초를 살 수 있고 송금이 가능한 상점 앞에는 긴 줄이 늘어섰다. 필수적인 일을 하는 노동자들과 그들의 노동은 더 이상 상업과 소비가 행인들의 시선을 사로잡지 않는 이 공간에서 새롭게 드러났다. 공공생활의 가능성을 창출하고 도시의 맥박이 뛰게 만들어 왔던 노동자들은 그들의 공헌을 가려 왔던 자본주의의 구름이 제거되자 비가시성을 탈피했다.

"우리 모두 함께 이겨냅시다." 코로나 시대의 인기 슬로건이다. 사람들은 노동에 주목했고, 사회의 최전선에서 이루어지는 꼭 필요한 노동이 처음으로 그 모습을 드러내는 듯했다. 그러나 잊지 말아야 할 것은 팬데믹이 최전선의 필수적인 노동을 새롭게 바꿔 놓은 것은 아니라는 사실이다. 그렇지만 '코로나 시대'는 새로운 시간적 질서이자 새로운 속도를 설명해 줄 새로운 도구로 등장했다. 코로나 시대는 물질적인 효과를 지니는 강력한 시간 담론으로 자리잡고 있다. 모든 사람들이 위기에 노출되었다는 사실은 새로운 면죄부가 되었다. 의료 서비스에서 소외되고 정신건강을 돌보기 어려운 이들, 그리고 사회적 거리두기를 제대로 할 수 없는 사람들은 더 심화된 불평등에 노출되었다. 음식을 주문하고 빈곤한 인력을 활용하면 다른 사람들을 집단적으로 돌보는 일보다 안전해질 것이다. 코로나 시대는 얄팍하고 자본주의적인 시간관리 인프라에 기댄다. 시간정치의 관점에서 볼 때, 팬데믹은 새로운 보편적 시간 경험이 아니라 다가오는 코로나 시대의 시간질서에 맞춰 재보정recalibration을 하라는 초대장이었다.

이 책은 우리가 무엇보다 주목해야 하는 것은 획일적인 속도가 아니라 재보정을 향한 기대감이라고 주장한다. 재보정이란 지배적 시간질서 아래에서 자신의 시간을 통제하는 법, 즉 시간을 다루는 법을 배우는 것이다. 달리 말하자면, 시간의 정치는 삶의 속도가 아니라 재보정으로의 초대와 기대에 결부되어 있다. 이 재보정으로의 초대와 기대는 사회적 구조에 스며들어 다양한 제도, 사회적 관계,

노동 배치에 따라 달라지는 여러 인구 집단들에게 서로 다른 방식으로 영향을 끼친다. 재보정은 개인과 사회집단이 그 신체를, 또 미래나 현재에 대한 감각을 외부의 관계들과 동기화하는 여러 가지 방식을 가리킨다. 외부의 관계들이란 사회통제의 크로노미터chronometer〔정밀 시계〕들이다. 그것은 다른 사람이거나 속도이거나 기술이나 제도일 수도, 이데올로기일 수도 있다. 시간적 주체의 하루에는 타인의 시간에 맞춰 동기화하거나 타인의 시간을 자신에게 동기화하게 하는 자아의 테크놀로지와 노동 형태가 포함된다. 한 개인의 시간이 갖는 의미는 대부분 제도적 배치와 타인의 시간, 즉 다른 시간성에 따라 구조화되고 통제된다.

비판적 시간 연구의 과제는 어디서나 똑같은 시간 변화에 초점을 맞추는 것이 아니라 사회통제의 새로운 크로노미터들을 찾아내고 견제하는 것이다. 크로노미터는 시계를 가리키는 말이지만, 나는 이 용어를 '시계처럼 작동하면서 사람들이 어떻게 살아가야 하는지를 지시하는 어떤 것'이라는 의미로 사용했다. 이데올로기, 기술, 정치체제 등의 다양한 권력구조가 사람들이 살아갈 방법을 알려 주는 크로노미터로서 어떻게 작동하는지를 따져 보려고 한 것이다. 이를 테면, 우리는 본질적이고 생물학적인 여성의 시간이 아니라, 사회적 재생산의 노동을 깎아내리면서도 상찬하는 가부장제의 시간 논리에 주목해야 한다. 팬데믹 동안에 가부장제적 시간은 어떻게 유지되었을까? 예를 들어, 백인성whiteness은 텔레비전 쇼나 교수진에 흑인이나 히스패닉을 충원하는 것으로 해결되는 문제가 아니다. 백인성의 시간 논리에 주목하면 이 문제는 더 뿌리 깊다는 사실이 드러난다. 백인성의 시간 논리는 흑인들이 여러 속도로 죽음에 계속 노출되는 의료 체계나 교통 정거장에서 나타난다. 전 세계의 도시에서 코로나 통행금지 기간 동안 경찰의 감시에 걸려드는 노동을 해야만 했던 이들은 누구일까? 코로나 안전 수칙은 얼마나 이성애중심적이며 인종차별적이고 계급적이었는가? 핵가족 중심의 거리두기나 가족의 시간이라는 규범적 개념은 어떻게 '이 코로나 시대'라는 개념 이전에 자리잡고 있었는가?

새롭고 전례 없는 시간의 출현보다 더 중요한 것은 사회구조 전체에 스며든 모든 동기화와 재보정의 관계들이다. 어떤 이들에게는 타자의 시간에 맞춰 재보정하는 것이 노동, 정체성, 생계의 중요한 조건이다. 결과적으로, 일상생활의 정상적 시간질서 내에서 살아남기 위해서라도 특정한 시간적 체제와 전략적 배치를 따라야 한다. 시간질서 바깥에 있는 자가 코로나 시대를 맞이했다면, 시간 바깥에 있다는 상황은 더 악화될 뿐이다.

나는 이 책을 쓰기 시작했을 때, '공간적 전환spatial turn'의 영향을 받은 지리학, 역사학, 철학, 미디어 연구, 인류학 등의 분야에도 일종의 '시간적 전환'이 존재하지 않는다는 사실을 발견하고 무척 놀랐다. 문화이론은 확대, 확장, 식민지화, 투옥, 추방, 감금, 포함, 제외 등에 따라 권력 속에서 공간이 어떻게 중첩되는지에만 관심을 쏟았다. 나는 이 공간화된 권력 형태가 시간적 권력 형태를 수반하고 있다는 사실을 밝히고자 오랫동안 노력해 왔다. 이제 시간적 전회轉回가 일어나고 있지만, 시간정치에 대한 관심은 아직 부족하다. 아직 제대로 자리잡지 못한 비판적 인종 이론, 테크노사이언스 페미니즘, 신물질주의는 모두 사회통제의 새로운 크로노미터를 찾으려고 노력 중이다. 이 이론들의 관점은 시간의 회복을 요구하는 시간정치와 밀접한 관계가 있다. 시간의 회복은 이용할 만한 확실성을 확보하기 위한 것이 아니라, 이성애중심적이고 백인중심적이며 생산성을 강조하는 자본주의적 권력 체제의 명령을 거부하기 위한 것이다. 시간의 회복은 시간을 되돌리려는 것이 아니라 지배적 시간질서의 바깥에 존재할 방법을 모색하는 것이다. 시간의 회복은 새로운 시간질서를 만들어 내거나 새로운 보편적 시간 체제를 찾아내려는 것이 아니다. 오히려, 사회통제의 크로노미터들을 계속 확인하고, 이 크로노미터들이 잘 작동하는 이유를 탐사하고, 투쟁하거나 즐겁게 피해 나갈 방법을 알아내려는 것이다.

2021년 9월

사라 샤르마

차례

감사의 말

나는 《틈새시간》이 슬로북 운동의 첫 번째 책이라는 농담을 혼자 중얼거리곤 했다. 오랜 시간을 들여서 글을 썼다. 글쓰기의 우울 속에서 헤매면서 감사의 말을 쓰는 이 순간을 그려 볼 때가 많았다. 마침내 이 문장들을 쓰기 시작하자 아카데미상을 받는 기분이 든다. 이 기분 그대로 계속 써 내려가 보겠다.

이 책의 페이지마다 여러 장소와 여행의 시간이 숨어 있다. 많은 사람들이, 또 길에서 마주친 이들이 이 책을 지금의 모습으로 만들어 주었다. 나는 요크대학과 토론토 라이어슨대학의 공동 프로그램인 '커뮤니케이션과 문화'로 박사과정을 밟던 시기에 이 책의 아이디어를 떠올렸다. 조디 벌랜드는 정말 훌륭한 조언자였다. 영감을 주는 사람과 함께하는 것만큼 좋은 일은 없다. 무엇을 어떻게 조사해야 하는지, 또 오가며 마주친 사람들과 어떤 식으로 대화해야 하는지를 가르쳐 준 분이다. 요크대학의 여러 멘토, 교수, 동료들에게 감사하고 싶다. 특히 가넬리 랭글로이, 태너 멀리스, 스콧 우젤먼의 학문적 동지애와 우정에 감사를 표한다. 나의 토론토 패밀리, 삶의 갈피를 잡지 못할 때마다 길을 알려 준 천재들, 옆구리가 찢어지도록 웃게 해 주는 사람들인 마이크 비커튼, 사라 찬, 스티븐 길버트, 에린 맥킨, 사라 마르텔, 레베카 모리어, 닉 테일러, 마크 케네스 우즈에게도 감사한다.

　나는 2006년 노스캐롤라이나대학교의 채플힐로 옮긴 이후 본격적으로 이 책을 썼다. 나의 학문적 고향인 커뮤니케이션 학과는 연구하고 가르칠 최상의 환경을 제공해 주었다. 창의적이고 치열한 연구 환경을 조성해 준 동료들에게 깊은 감사를 표한다. 멘토이자 친구인 로렌스 그로스버그는 내 연구를 돕고 편안한 상태를 유지하도록 애써 주었다. 같은 캐나다인이자 테크놀로지 연구를 함께 강의한 켄 힐리스는 존경 받아 마땅한 멘토였다. 특히 대뉴어 심사 시기와 이 책의 출판 기간에 여러모로 애써 주신 데니스 멈비 학과장께 감사 드린다. 크고 작은 모든 일이 잘 진행되도록 도와준 캐롤 블레어와 델라 폴록에게도 특별한 감사를 표한다. 나와 같은 시기에 빙엄홀에서 시작한 크리스찬 룬드버그를 따로 언급하지 않을 수 없다. 대화가 난해한 정신분석학으로 옮겨 갔을 때조차도 내게는 너무나 소중한 시간이었다. 노스캐롤라이나에 처음 갔을 때 환대해 준 프란체스카 탈란티와 그레고리 플랙스먼에게 감사 드린다.

　나는 스프레이 랜들리 펠로우십과 소장 교수 지원 기금을 통해 노스캐롤라이나대학에서 재정적인 지원을 받았다. 또한 예술과 인문학 연구소도 한 학기 동안 펠로우십으로 지원해 주었다. 특히 하이드 가족의 펠로우십에 대해 감사 드린다. 활발한 주례 모임을 운영해 준 줄리아 우드와 놀라운 통찰력이 담긴 피드백을 제공해 준 아메리칸 스터디의 팀 마에게도 고마움을 표하고 싶다.

　대학원생 제자들은 이 책의 중요한 아이디어들이 구체화되도록 도와주었다. 내 학문 활동에서 그 무엇하고도 바꿀 수 없는 가장 소중한 존재들이다. 처음으로 박사논문을 지도했던 그랜트 볼머에게 큰 감사를 표한다. 그는 5년 동안 이 책의 내용을 두고 나와 의견을 나누었다. 함께 일하고 생각한 모든 시간이 특별했다. 이 책에 실린 모든 이미지들을 처리해 주고 내가 기계를 제대로 다루지 못해 쩔쩔맬 때도 아무렇지 않은 표정을 유지해 준 네이선 테일러에게 감사를 표한다. 이 책을 쓰는 동안 나의 다른 지도 학생들도 내 생각을 다듬도록 도왔고 무수히 많은 문제를 제기해 주었다. 아담 로팅하우스, 아몬드 타운즈, 그로버 웨먼도 그런 학생들이지만 여기서 언급하지 못한 여러 학생들과의 대화도 너무나 유익했다. 잊을 수 없는 많은 학생들이 이 책을 쓴 지난 6년 동안 '시간과 공간의 정치' 대학원 세미나를 거쳐 갔다. 조시 스미커, 데이비드 테리, 신두 자고렌, 브렛 리스잭, 댄 수트코, 킨 츠 청, 캐리 하딘, 브라이언 영, 제이드 데이비스, 브라이언 베렌샤우젠, 칼럼 마테슨, 커트 젬리카는 모두 놀라운 학문적 작업을 진행 중이다. 이들을 주목할 것!

　이 책을 쓰는 과정에서 만난 여러 사람들에게 감사 드린다. 그들의 질문, 논평, 답변, 밤늦도록 나눈 대화, 링크와 사진을 담아 보내 준 이메일은 이 책 속에 빼곡하게 담겨 있다. 비즈니스 여행에 대해 알려 주고 이 책 전체 구성에 영감을 준 론 챈에게도 감사 드린다.

퇴고를 도와준 케이트 마달레나에게 특별한 감사를 드린다. 나중에야 큰 영향을 받았다는 것을 깨닫게 되는 멘토들도 있다. 노스 밴쿠버의 카필라노대학에서 정치이론을 가르쳐 주신 폴 마이어 교수께 감사 드린다. 그곳을 떠나 런던에서 석사학위를 따라고 강하게 주장해 주신 덕분에 나는 공항, 버스 정류장, 기차역, 비자 및 출입국 관리소에서 기다리며 보내는 삶을 시작하게 되었다. 이 책에서 탐구한 생각들은 바로 그 장소들 덕분에 가능했다. 2004년 모빌리티와 공간에 관한 '크로스로드 인 컬처 스터디'에서 우연히 함께 패널을 맡았던 제임스 헤이에게 감사를 표하고 싶다. 이 경험은 내가 하고 있는 작업을 새로운 눈으로 바라보게 해 주었다. 그가 내 생각을 일찍부터 흔쾌히 지지해 준 덕분에 결과가 아주 딜라졌다. 그는 켄 위소커와 이야기를 나눠 보라고 권해 주기도 했다.

듀크대학 출판부의 켄 위소커가 이 책이 나올 수 있다고 믿어 주지 않았다면 출판은 불가능했을 것이다. 내가 낙담했을 때에도 그는 용기를 북돋워 주었다. 익명의 조언자들을 찾아 이 계획의 여러 단계마다 귀중한 통찰과 조언을 접하게 해 준 그의 배려에 감사 드린다. 원고를 검토해 준 엘리자베스 알트와 사라 레오네의 유머 감각과 친절한 배려에도 고마움을 표하고 싶다.

글을 쓸 수 있게끔 꾸준히 보살펴 준 분들은 연구자로서 내 삶의 일부이다. 가족에게도 고맙다고 말하고 싶다. 나의 어머니 아샤는 이 책 전체에 걸쳐 영감을 불어넣어 주었고, 아마도 다음 책도 마찬가지일 것이다. 밴쿠버에서 여름을 보내며 글을 쓸 동안에 어머니는 해리와 함께 육아를 도맡아 주셨다. 나의 아버지 빌은 실수를 줄이는 계획의 중요성을 알려 주셨다. 여동생 세레나는 최고의 말동무다. 이네케, 수, 스콧의 도움에도 감사한다.

마지막으로, 이 책은 제레미 팩커 덕분에 세상에 나왔다. 어디서부터 말을 꺼내야 할까? 그는 이 책을 누구보다도 잘 아는 사람이다. 아침마다 작은 모험들을 마련해서 자일라를 재빠르게 데려가 주었기에 나는 글을 쓸 수 있었다. 그에게 감사 드린다. 그는 어디에도 없는 훌륭한 아빠다. 하지만 무엇보다도 끝없이 이어지는 대화가, 열정적이면서도 영리한 그의 영혼이, 그리고 나와 함께 여행하는 사람이 되어 주었다는 사실이 내게는 너무나도 고맙다.

제레미 팩커와 우리의 두 메트로놈,

자일라 샨티와 달리아 라이에게.

시간성의 재인식

: 속도와 시간의 문화정치

여러 방향으로 달리던 차량들은 도쿄 시부야역 바깥의 교차로에서 한꺼번에 멈추고, 수많은 인파가 지나갈 때까지 기다린다(그림 1·그림 2 참조). 한 번에 수천 명의 사람들이 이 건널목을 건넌다. 거리 아래에서는 매일 250만 명의 사람들이 지하철로 이동한다. 지하에는 길이가 1마일에 달하는 쇼핑상업지구인 시부친코가 있다. 시부야역이 교통을 위한 장소라면, 고급 부티크와 최신 유행 상품들로 가득 찬 공간인 시부친코는 상업을 위한 장소다. 시부야 교차로는 세계 어느 도시 거리 못지않게 활기차다.

시부야가 과잉연결 상태라는 표현은 과장이 아니다. 구석구석마다 감시 카메라가 맴돈다. 끊임없이 바뀌며 번쩍이는 네온 디스플레이는 어느 방향에서든 군중들을 흥분시키면서 수직 공간의 도시 파노라마로 사람들의 시선을 끌어들인다. 고층 건물들의 정면을 뒤덮으며 시각적 스펙터클이 펼쳐진다.

비디오그래퍼와 저널리스트들은 하루 종일 이곳에 상주하면서 최신 트렌드를 찾고, 지나가는 사람들을 인터뷰하고, 현장에서 사진과 영상을 편집한 다음, 머리 위 미디어 디스플레이로 즉시 내보낸다. 모든 것이 끊임없이 업데이트되고, 거리의 군중은 화면에 등장했다가 몇 분 후에 다시 나타난다. 유행은 거리의 반대편에 도달하기도 전에 뒤떨어진다. 시부야는 정보에 따라 변화한다. 상품, 사람, 돈, 상식, 광고가 끝없는 흐름으로 순환한다. 사람들은 머리 위의 화면을 올려다보거나, 건널목에 서 있는 동안 손에 든 화면을 내려다보면서 능숙하게 문자를 보낸다. 다른 사람들은 귀에 전화기를 대

그림 1 시부야 교차로의 스카이라인

그림 2 비 내리는 시부야 교차로(제레미 팩커의 사진)

고 있다. 시부야는 세계 어느 곳보다 휴대폰을 많이 쓰는 곳이라고
한다.[1]

　게이머, 게임 개발자, 얼리어답터, 패셔니스타, 대중문화 애호가,
광고주, 소프트웨어 엔지니어와 같은 새로운 정보경제의 구성원들
에게, 시부야에서의 삶의 속도는 무한한 가능성으로 가득 찬 순수
한 마법일 것이다. 사이버 유토피아를 찬양하는 하워드 라인골드
Howard Rheingold는 시부야야말로 휴대폰과 문자메시지가 불러온 기
술혁명의 증좌라고 주장한다.[2] 시부야는 창의적이고, 에너지가 넘
치고, 첨단기술에 익숙하며, 진취적인 사람들이 모여 사는 미래를
의미한다. 사람과 자본은 제약 없이 유동하면서 아무런 방해를 받
지 않는데다가 형태마저 거의 없어 보인다. 시부야는 네트워크화하
고 창조적인 인류가 마주한 기술과 상업의 진화를 상징한다. 시부
야에서는, 시장이 소비자의 끊임없는 요구를 즉각 만족시켜 준다.

　세계화와 테크놀로지를 비판하는 이론가들에게 시부야는 훨씬
더 암울한 상징이다. 폴 비릴리오Paul Virilio가 말하는 "과다노출 도시
overexposed city"는 광고판, 네온 조명, 그리고 감시 카메라라는 비장
소적인 스펙터클이 물리적인 건축물을 대체하는 곳이다.[3] 건널목은
실시간 전송과 통신으로 가득 차 있다. 심지어 건물들도 스크린이
고, 이 커뮤니케이션의 내용은 상품이다. 시부야의 거대한 소비 스
펙터클은 공공공간의 정치적 잠재력을 조롱한다. 비릴리오에 따르
면, 공간이 시간에 잡아먹힐 때 민주주의는 실패한다. "오늘날 우리
는 신의 세 가지 속성, 편재성, 순간성, 즉각성을 성취했다. 즉, 전지

전능해졌다. 이것은 더 이상 민주주의가 아니라 폭정이다."⁴ 비릴리오 식으로 보자면, 시부야에는 사이보그-소비자-시민들이 가득하다. 이들은 바라보고 관찰되면서 접속하고 접속을 풀고 모든 것을 소비하고 소비된다. 사람들은 시부야를 유지시키고, 시부야는 사람들을 시스템에 연결한다. 일상화한 감시는 모든 것을 한눈에 관찰할 수 있는 흥미로운 패션쇼에서 즐겁게 경험된다. 언제라도 전시될 수 있으니 멋지게 차려 입어야 한다. 군중들은 정보를 얻기도 하지만, 그들 자신이 정보이기도 하다. 초자본주의의 새로운 국면을 두려워하는 사람들에게, 시부야는 빠르게 변화하는 모바일 정보 자본주의의 새로운 신들을, 이를테면 노키아와 소니를, 그리고 사람들이 무게 없는 데이터가 되도록 만드는 자들의 능력을 확실하게 보여주는 곳이다.

좀 더 비유적인 건널목, 즉 사상의 교차로에서 우리는 라인골드 Howard Rheingold〔가상공동체The Virtual Community라는 개념을 만든 미래학자〕나 패셔니스타들과 함께 유토피아로도 향할 수 있고, 비릴리오와 같은 이론가들과 같이 디스토피아로도 갈 수 있다. 그러나 글로벌 자본주의가 주도하는 더 복합적인 시간과 공간의 정치를 통찰하는 것도 이 교차로를 건너는 또 다른 방법이다. 그리고 이는 시간 속 권력의 관계에 대한 인식이다. 나는 이 개념을 시간성temporality*이라고 부

<small>* 시간성Temporality; the Temporal은 이 책의 핵심 개념으로, 공간space과 대조를 이룰 뿐만</small>

른다. 시부야에는 상호의존적이고 관계적인 여러 시간성들이 함께 얽혀 있다. 사람들은 시부야에서 놀고 쇼핑하지만, 일을 하기도 한다. 시부야의 군중들은 다른 때나 다른 날에는 변화하고 이동한다. 명품 소비자, 바겐세일 사냥꾼, 샐러리맨, 하라주쿠 걸, 취객, 고등학생, 실업자, 소매상, 건설 노동자, 청소부, 관광객, 택시 운전사, 교통경찰, 배달차, 개인 운전사, 넝마주이, 통근자들이 서로 다른 시간에 그 공간을 지배한다. 새벽 5시쯤, 초과근무 후에 밤새 술을 마신 샐러리맨들(근처의 작은 캡슐호텔에서 두세 시간 잠을 자게 될)은 천천히 비틀거리며 건널목을 가로지른다. 불과 두 시간 후에는 깔끔하게 정장을 차려입은 샐러리맨들이 빠르고 단호한 걸음걸이로 지나간다. 이 두 집단은 어제와 오늘을 분명하게 나눠 준다. 몇 시간 후 빗자루와 걸레를 들고 청소부들이 나타난다. 아침이 지나면 거리는 일시적으로 텅 비고, 가게들은 문을 열고, 책가방을 든 학생들과 엄마들이 모습을 드러낸다. 오후 늦게부터 밤늦게까지는 관광객, 술 주정뱅이, 오타쿠, 노숙자들이 등장한다. 시부야를 굽어보는 호텔에서 바라보면 훨씬 더 복잡한 시간의 다양성을 느낄 수 있다. 건물

아니라, 차등적 권력관계를 전면화한다는 점에서 시간time과도 다른 의미를 갖는다. 예컨대 이 책의 2장에서 분석하는 야간 운행을 하는 택시 기사의 시간성은 택시라는 공간에 제한된 분석으로는 파악하기 어려우며, 낮이라는 '정상적' 시간과는 다른 틈새시간 속에 있는(in the meantime) 것으로서 정상적 시간을 보완하고 지원하는 역할을 맡는다. 푸코 식으로 말하자면, 택시 기사의 시간성은 생명관리정치적 투자biopolitical investment가 거의 이루어지지 않는 대상이다.

들의 꼭대기에는 담배를 피우거나, 음식을 먹거나, 운동하면서 시간을 보내는 직장인들이 가득 차 있다. 어떤 건물에는 테니스 코트가 있고, 다른 건물에는 유니폼 차림의 근로자들이 천천히 움직이는 임시 트랙이 있다.

나는 시부야에 2주 동안 머물면서 시간적·물질적·기술적·문화적 뒤엉킴 속에서 어떤 가닥들을 풀어낼 수 있는지 알아보았다. 며칠 동안 관찰한 결과, 나는 매일 같은 시간에 나타나는 동일한 사람들을 알아보게 되었다. 시부야는 속도나 스펙터클이나 다가오는 기술혁명과는 거리가 멀었다. 시부야에서 움직이는 사람들은 다 함께 빠르게 건너가지만, 여전히 서로 구별된다. 그들은 다양하고 불평등하게 구성되는 서로 다른 형태의 노동을 보여 준다. 교차로 건널목의 사람들은 시부야 속 삶의 속도가 아니라 사회적 공간을 구성하는 서로 다른 시간적 일정들을 드러낸다. 무작위가 아니라 시간적 질서에 따라 모인 수많은 사람들이 교차로를 지난다. 이들은 더 큰 시간의 격자망에 맞추어, 시간과 건널목을 서로 다르게 경험하고 살아간다.

21세기 초, 여러 분야에서 엇비슷한 질문들이 제기되었다. 가속화와 신속한 자본 이동을 가능하게 한 기술들이 전 세계의 민주주의에 미치는 영향을 탐구하려는 시도들이었다. 나는 이 비판적 접근들을 **속도이론**speed theory이라고 부른다. 1970년대에 처음으로 속도에 주목한 프랑스의 비릴리오는 여전히 이 분야에서 가장 유명한 인물이다.[5] 거칠고 예언적인 비릴리오의 뒤를 따라 미디어 연구,

문화지리학, 정치이론, 사회학, 비평이론, 문화학 등 많은 분야에서 속도 연구가 나타났다. 다양한 영역에서 속도의 문화는 24/7 자본주의24/7 capitalism(조너선 크래리Jonathan Crary), 크로노스코픽 사회chronoscopic society(로버트 하산Robert Hassan), 빠른 자본fast capital(벤 아거Ben Agger), 생명관리정치 생산의 새로운 시간성new temporalities of biopolitical production(마이클 하트와 안토니오 네그리Michael Hardt and Antonio Negri), 가속의 문화culture of acceleration(존 톰린슨John Tomlinson), 크로노디스토피아chronodystopia(존 아미티지, 조앤 로버츠John Armitage and Joanne Roberts), 초현대적 시간hypermodern times(질 리포베츠키Gilles Lipovetsky), 액체 근대liquid times(지그문트 바우만Zygmunt Bauman) 등의 용어로 표현된다.[6]

물론, 새 밀레니엄 들어서 처음으로 속도가 중요한 질문의 대상이 된 것은 아니다. 자본의 역사는 여러 기술의 등장과, 또 그 기술들이 낳은 시공간적 결과와 거의 일치한다. 언급한 연구들은 이 역사에 대한 사유의 일부다. 자본의 역사는 틱, 톡, 나노초, 광년 등의 시간적 요구가 시계, 기차, 전신기, 여타 글로벌 메트로놈metronome을 만들어 낸 역사이기도 하다.[7] 속도를 높이면 예술적 움직임뿐만 아니라 새로운 문화적 상상력이 생겨난다.[8] 미디어 이론에서는 기술 속도의 변화가 어떻게 완전히 새로운 사회 현실을 낳았는지를 탐구해 왔다. 1970년대에, 마셜 매클루언Marshall Mcluhan은 모든 인류가 '지구촌'으로 접속하고 조화를 이룰 때 전자통신 속도가 그 절정에 이를 것이라는 유명한 예언을 했다.[9] 우리가 24/7, 상시 접속 상태always-on, 계속 활동 중on-the-go인 세계에 살고 있다는 사실은 세계화, 미디어, 민주주의에 대한 많은 비판적인 분석의 출발점이다.

속도이론가들이 주목하는 속도문화의 요소들은 이론가에 따라 다양하지만, 이들이 공유하는 정서도 있다. 새로운 기술과 예전보다 더 빠르게 이동하는 자본은 심각한 정치적·사회적 결과를 예고한다는 생각이다. 매클루언을 비롯한 사이버 유토피아주의자들과는 달리, 속도이론가들은 사람들을 연결하는 빠른 속도 기술의 자유로운 잠재력에 그다지 관심이 없다. 대신에, 현대의 속도이론가들은 속도문화가 민주주의를 저해할 가능성을 염려한다. 그들의 이야기에는 비슷한 경고가 담겨 있다. 속도는 글로벌 자본, 실시간 통신 기술, 군사기술, 그리고 신체 과학 연구 등이 서로를 강화하는 복합체의 강력한 부산물이다. 민주적 심의는 즉각적인 의사소통으로, 정치적 상호작용은 금전 거래로, 정치의 명백하고 '진정한' 근거인 공간은 속도로, 즉 비릴리오가 말하는 '실시간의 폭정tyranny of real-time'으로 대체된다.[10]

속도이론가들은 시간정치chronopolitics(시간에 기반을 둔 정치)가 지정학geopolitics(공간에 기반을 둔 정치)을 대체하고 있다고 경고한다. 시간이 공간을 밀어내는 것은 정치의 근간을 해체할 뿐만 아니라 정치적 공론장에 불리한 시간적 존재 방식을 만들어 낸다는 것이다. 더욱이, 이론가들은 시공간적 양극화가 평등한 세계를 조성하기보다는 시민을 시간적 이분법으로 나눈다고 본다. 시간정치적 삶에는 시간적인 양극이 존재한다. 빠른 계급과 느린 계급(비릴리오), 관광객과 방랑자(바우만), 크로노토피아와 크로노디스토피아(아미티지와 로버츠), 그리고 시간 부유층과 시간 빈곤자(제레미 리프킨).[11] 이 두 시간적 계급은 서로 만나지 않으면서 멀리 떠 있는 배들과 같다.

이 책에서는 속도이론가들이 일상생활의 가속이나 시간적 차이를 너무 단순하게 설명해 왔다고 주장한다. 속도이론가들은 우리 모두가 새로운 유토피아에 살고 있다고 믿기를 바라는 마케터나 다국적기업들의 주장을 모방했다는 비판을 받아 왔다.[12] 그러나 이 이론들은 거칠고 예언적이더라도 주목받을 만하다. 빠른 시대fast times라는 말은 이론 상의 가정에 불과한 것이 아니다. 우리 문화 속에 완전히 자리잡지는 않았더라도 이 개념은 상식으로 받아들여진다. 그러나 이 모든 시간 관련 논의들에서 살아 있는 시간의 복잡성은 부재한다. 속도이론에서도, 디지털 시대의 '신성한 보호막' 역할을 한다는 이유로 속도이론을 비판한 사람들도 이 문제를 중요하게 다루지 않았다.[13] 차이를 낳는 살아 있는 시간에 대한 인식은 더 빨라지는 삶에 대한 일상적인 논의에서도 무시된다. 놀라운 일은 아니다. 사회를 비판할 때도 시간 부족은 개인적인 문제로 치부된다.

속도이론은 의심할 여지 없이 마르크스가 말한 노동시간 측정, 가치 생산, 사회적 필요 시간socially necessary time이라는 정식에 빚진 바가 많다.[14] 또한 속도이론은 E. P. 톰슨의 〈시간, 노동, 산업자본주의 Time, Work and Industrial Capitalism〉와도 관계 깊다. 톰슨은 정부, 군대, 자본주의 이해관계가 낳은 새로운 시간 측정이 인간 사회의 집단 지혜가 만들어 낸 집단적 시간 인식을 대체했다고 주장했다.[15] 마르크스는 시간의 측정과 자본주의적 시간 틀이 초래한 변화, 즉 시간에 의한 공간의 소멸이라는 인식의 토대를 제공했다. 마르크스와 톰슨은 둘 다 노동자의 개인 시간을 줄이거나, 노동시간을 설정하거나, 시간을 교묘하게 관리하거나, 아동 노동자의 연령 제한을 조절함으로써 자본이 어떻게 노동자에게서 시간을 강탈하는지를 숙고하였다.

그러나 속도 향상과 시공간 압축을 다루는 요즈음의 연구들에서는 더 이상 노동자나 특정 종속 집단을 중심에 두지 않는다. 이제 그 주인공은 갑자기 시간이 모자라게 된 일반 개인, 일상적 주체다. 유비쿼터스 기술이 만들어 낸 노동과 생활의 불안한 조건을 다루는 것도 현대의 삶을 분석할 때 중요한 대목이겠으나, 이 분석에서도 시간의 불균등한 문화정치는 주목받지 못한다. 사실, 차별적인 시간을 무시하는 태도는 시간적 관계의 불평등성을 악화시킨다. 복수의 시간성에 주목하지 않는다면, 속도 비판에서 가치 있게 여기는 주체라고 해도 결국 빠른 속도를 현실이라고 손쉽게 받아들이는 주체에 불과하다. 내일이면 버려질 새로운 전자기기의 소비자, 어느 공항에 있는지도 기억하지 못하는 제트기 승객, 혼란스러운 포스트모던 이론가, 24시간/7일 내내 블랙베리 단말기에 매달리는 피곤하고 과로에 지친 학자가 바로 그런 주체들이다.

자본의 역사와 사회통제의 역사를 돌이켜 보면, 그 중심에는 제국과 문명회가 만들어 낸 시계, 열차, 시간적 격자망의 세계가 있었다. 이 책에서 시간에 접근하는 방법은 다양한 시간성들 사이의 조정과 통제에 주목하는 미시정치학이다. 기술이 사회체, 정치체, 생물학적 신체와 맺는 관계를 속도이론에서는 동기화synchronization라고 부른다.[16] 특히 이 책에서는 동기화가 일상의 물질적인 관계에서 핵심적인 역할을 한다는 사실을 보여 주려고 한다. 일정하지 않은 거리를 두고 서로 다른 속도로 바다 위를 떠다니는 배들을 지켜보면서 시간을 측정해야 하는 관측소를 상상해 보자. 이 이미지는 도시에서 우리가 흔히 마주치는 상황과 매우 유사하다. 출장을 간 사람이 모바일 장치로 택시를 부르면, 택시 운전사는 아침까지는 집에 가지 못하겠다고 아내에게 문자메시지를 보낸다.

이 책은 살아 있는 시간의 여러 가닥들을 추적한다. 비즈니스 여행객들은 비행기 시간에 맞춰 택시를 잡아타고 공항으로 향한다. 택시 운전사들은 뒷좌석 승객들의 뜻에 따라 속도를 올리거나 줄인다. 시차 부적응에 시달리는 여행객들을 특별하게 대접하라고 교육받은 고급 호텔의 여직원들은 시차 적응을 위해 고안된 깨끗한 스위트룸을 정리한다. 9시부터 5시까지 일하는 직장인들은 하루를 버티기 위해 1시간 동안 점심 요가 수업을 듣는다. 출장 요가 강사들은 경영자들에게 요가가 직원의 생산성을 높인다고 홍보하러 회사 문을 두드린다. 슬로푸드 애호가들이 유럽과 북미 전역의 슬로푸드 식당에서 식사를 느릿느릿 즐기는 동안 착취당하는 서비스 직원들은 서둘러 설거지를 한다. 이 실가닥들은 사회조직 전반에 걸쳐 영향을 미치며, 아무렇게나 흩어져 있는 것이 아니라 시간 속에서 서로 얽혀 있다. 자본과 세계 표준시의 역사에 등장하는 선박들, 빅벤 시계, 왕립 그리니치 천문대, 세계 표준시가 서로 맺고 있는 관계와 마찬가지다.[17] 이 시간성들은 이 책의 각 장들을 구성한다.

시간성temporality은 시간time이 아니다. 계속 고장나는 시계처럼, 시간성은 끊임없이 다시 설정되어야 한다. 보정되면서 더 큰 시간적 질서에 맞춰져야 한다. 시간성은 균일한 시간 경험이 아니라 시간성을 생산하는 노동에서의 특정한 시간 경험이다. 시간 경험은 시간 가치의 더 큰 경제 안에서 어디에 위치하느냐에 달려 있다. 시간 주체의 삶에는 다른 사람의 시간과 동기화하거나 다른 사람이 그들과 동기화하도록 하는 기술이 포함된다. 주체의 시간과 시간 경험의 의미는 대부분 제도적 배치에 따라, 또 타인들의 시간, 다시 말해 다른 시간성들에 따라 구조화되고 통제된다.

이 책에서는 자주 출장을 떠나는 이들, 택시 운전사, 요가 강사, 슬로라이프를 추구하는 사람, 사무직 근무자 등 여러 가지 얽히고설킨 시간성의 사례들을 다룬다. 속도 향상 담론도 시간을 이해하고 경험하는 문제적인 문화적 맥락의 일부라는 사실을 드러내어, 세계가 점점 더 빨라지고 있다는 고정관념을 비판하기 위해서다. 속도에 대한 논의도 하나의 담론이다. 시간 개념을 일반화하면 특정 집단에는 특권을 주고 다른 사람들은 깎아내리게 된다. 다음 장에서는 빠른 계급과 느린 계급 사이의 대립을 강조하거나 빠름과 느림 사이에서 정치적 선택을 하는 것이 아니라, 시간성의 불균일한 다양성을 추적할 것이다. 소위 세세화된, 빠른 속도의 세계에 대응하며 나다난 노동 배치, 문화 실천, 기술 환경, 사회 공간이 이 다양성을 낳았다.

이 책에서 설명하듯이 시간성은 시간 권력관계의 격자망 안에 존재한다. 여기서 시간성이라는 용어는 초월적인 시간 감각이나 역사적 시간을 의미하지 않는다. 시간성은 살아 있는 시간을 의미한다. 시간성은 한 역사적 시기의 특수한 시간적 감각이 아니라 특정한 정치적·경제적 맥락 속에서 구조화된 특정한 시간 경험이다. 시간성은 사회적 권력의 형태로, 사회적 차이의 형식으로 작동한다. 미묘하고 복잡한 시간성 개념을 고려하지 않고 빠른 속도나 느린 속도에 초점을 맞추는 것은 글로벌 자본 하에서 살고, 노동하고, 잠드는 서로 다른 사람들의 특수한 시간 기반 경험들이 갖는 다양성을 무시하는 일이다. 사회적 조직은 권력의 크로노그래피로 구성되고, 여기서 개인과 사회집단들의 시간과 가능성 감각은 서로 다른 경제 상황에 따라 형성되며, 이들이 시간을 넘나들며 스스로를 발견하는 방법과 수단이 이 감각을 제한하거나 확장한다.[18]

권력-크로노그래피

속도, 생체권력, 미디어, 세계화 연구들의 교차로에 위치하는 이 책은 시간에 대한 새로운 접근 방식인 권력-크로노그래피power-chronography[*]를 시도한다. 권력-크로노그래피는 1990년대 초반, 지

---

[*] 권력-크로노그래피는 이 책의 핵심 개념인 시간성temporality을 구체화하고 전면화하기 위

리학에서 거둔 중요한 성과였던 도린 매시Doreen Massey의 권력기하학power-geometry 이론의 연장선상에 있다.[19] 매시의 권력기하학 이론은 공간정치 중심의 '시공간 압축time-space compression'을 논한 강력한 남성중심적 담론들과 대결했다. 프레드릭 제임슨Fredric Jameson과 데이비드 하비David Harvey가 앞장선 시공간 압축 이론은 포스트모던에 기인해 장소성 결여 감각이 나타나고 있다고 주장했다. 혼란스러운 포스트모던의 시선은 자본과 시공간 압축의 가속에 휘말린 사회 공간에서 젠더, 계급, 인종, 섹슈얼리티와 같은 사회적 차이들을 포착하지 못했다.

매시의 권력기하학은 보편적이고 필연적이라고 일컬어지는 시공간 압축과 달리, 차이를 갖는 주관성을 강조한다. "서로 다른 사회집단들은 차이를 지닌 모빌리티와 서로 다른 관계를 맺는다."[20] 매시가 보는 공간은 다중적이고 관계적이다. 사회적 관계를 담는 그릇이라기보다는 그 과정이다. "다시 말해, 우리는 모빌리티와 의사소통에 관한 우리의 상대적인 모빌리티와 권력이 다른 집단들을 공간적으로 구속하지 않는지 따져 보아야 한다."[21] 페미니스트들이 신체의 종말을 선언한 포스트모던 이론가들을 비판했듯이, 매시는 제임슨과 하비가 주장한 장소성 결여에 의문을 제기한다. "오늘날 방향감각

한 방법론에 해당한다. 이 개념은 도린 매시의 권력기하학이 지닌 문제의식을 이어받아 사회적 차이와 권력의 파악을 중시하며, 여기에 시간적 차원을 더하여 시공간적 배치가 관계성을 낳는 중심임을 강조한다.

상실과 통제력 상실을 염려하는 이들은, 한때는 그들이 정확히 어디에 있는지를 알고 통제력을 가지고 있다고 느꼈을 것이다. 그때에 혼란과 장소성 결여를 겪고 침범당했다고 느꼈던 사람들은 누구일까?"[22] 매시가 부적절하다고 보는 방식으로 장소를 묘사했던 이론가들은 자신들의 특권, 이전에 가졌던 특권을 인식할 수 없었다.[23] 나는 시간을 묘사하는 현재의 지배적인 방식도 마찬가지로 동일한 형태의 특권을 인식하지 못하고 있다고 주장한다.[24]

매시가 크게 공헌한 지적 운동인 '공간적 전환spatial turn'은 공간이 단지 삶의 배경이 아니라 사회적 관계의 공동 생산자임을 보여 주었다.[25] 공간적 전환 이후, 문화이론은 공간이 권력게임 속에서 확대, 확장, 식민지화, 두옥, 추방, 감금, 포함, 제외 능에 따라 중첩되는 방식을 면밀하게 관찰했다. 공간화된 모든 권력 형태에서 시간적인 차원은 암시에 그친다. 그러나 시간적 권력은 잘 알려지지 않은 채로 미묘하게 조용히 작용한다. 결국, 공간적 전환은 시간을 권력의 한 형태로, 물질적 투쟁과 사회적 차이의 현장으로 인정하지 않았다.[26] 공간적 전환에서와 달리, 시간의 정치학은 아직 공간정치학처럼 체계적으로 정리되고 연구되지 못하고 있다.[27] 공간이 정치적 삶의 장소로 높이 평가되는 것은 시간을 희생했기 때문이다. 이 책에서는 공간적 상상과 시간적 상상의 균형을 추구한다.

1970년대에, 나이젤 스리프트Nigel Thrift는 지리학 개념들에서 시간적 지평이 경시되어 왔다고 주장했다.[28] 토르스텐 해거스트란트Torsten Hägerstrand, 앨런 프레드Allan Pred, 그리고 스리프트는 인간 활동의 공간적 좌표와 시간적 좌표를 모두 포함하는 지리학을 도입했다. 해거스트란트는 사회–경제적 시스템이 기능할 때 사람과 사물이 맞물려 돌아가려면 무엇보다도 시간이 가장 중요하다고 주장했다.[29] 1980년대에 스리프트는 그가 "자본가의 시간과 자기 자신의 시간owners'time and own time"이라고 칭한 자본주의에서의 다양한 시간의식을 탐사했다.[30] 마이크 크랭Mike Crang은 신체의 움직임과 리듬에 주목했다. 신체는 문화 분석의 중심인 시공간 속에서 복잡한 여러 기술들과 긴밀한 관계를 맺는다.[31] 이제 경로, 길, 교통수단, 노동형태, 레저 행위는 새롭게 시공간적인 중요성을 얻었다. 이 책에서는 시간지리학의 성과에 기대면서도 경로, 일정, 길의 공간성 너머로 나아가, 공간에서 신체가 조직되는 방식에 주의하며 권력의 독특한 시간적 형태를 탐사하고자 한다.

시간의 공간화

공간 편향과 시간 편향

캐나다의 정치경제학자이자 미디어 역사가인 해럴드 애덤스 이니스Harold Adams Innis는 이 책의 기획에 큰 자극을 주었다. 삶의 속노가 빨라지고 민주주의 문화가 쇠락하는 현싱을 우려한 이니스의 입장은 요즘의 속도이론가들과 비슷해 보인다.[32] 그러나 그들은 이니스의 가장 중요한 주장을 간과했다. 이니스에 따르면, 시간성the temporal은 속도와 상관없이 정치적이며, 어떤 기술이 그 시기를 지배하든지 간에 존재한다. 시간성은 권력의 역학이다. 속도 향상에서 비롯된 새로운 조건이 아니라 문화적으로 중요한 영향을 끼치는 지속적인 정치경제적 현실인 것이다.

기술이 주도한 공간과 시간의 변화에서 문제 삼아야 할 지점은 특수한 권력관계, 이니스가 말하는 지식과 힘의 독점이다.[33] 우리는 특정 미디어가 만들어 낼 획일적인 기술적 효과를 염려하기보다는 특정한 기술 환경에서 어떤 사회적 투쟁, 어떤 권력 역학이 발생할 가능성이 더 높은지를 물어야 한다.[34] 공간정치와 시간정치는 기술만이 아니라 해당 집단에 따라 달라질 것이다. 이니스의 모든 작업은 하나의 전제에 기초했다. 시간과 공간을 균형 잡힌 시각으로 바라보는 것은 문화의 번성을 위해서뿐만 아니라 정치적·사회적 세계를 이해하고 변화시키기 위해서도 필요하다는 것이다. 이니스는 문화 속의 공간과 시간을 적절하게 이해하는 것, 즉 공간적·시간적 역학에 대한 인식은 국가와 시장의 힘을 견제할 힘을 가질 수 있다고 보았다.

이니스 미디어 이론의 핵심은 시공간 편향space-time bias이다.[35] 특정 매체 또는 복합 매체가 공간이나 시간을 강조하면, 그 문명에서는 지식과 권력의 독점이 발생한다. 파피루스에서 라디오에 이르는 공간 편향 매체는 가볍고 쉽게 보급되므로 권력의 집중화를 촉진한다. 공간이 시간보다 우월하다고 보는 문명은 제국주의적인 경향을 갖기 쉽다. 문화 유지를 대가로 공간은 시간을 지배한다. 반대로, 석판 같은 시간 편향 매체는 무겁고 부패하지 않으며 쉽게 운반할 수 없고 탈중심화를 촉진한다. 이는 세계로 퍼져 나가는 권력의 중심을 생산하지 않는다. 이니스에 따르면, 시간을 강조하는 문명은 연속성을 중시하는 실용적인 구전 문화일 때가 많다. 시간 편향 사회에서 공간은 권력을 밖으로 확장하는 수단이라기보다는 보호되어야 할 경계 범위다. 이와 달리, 공간 편향 문명은 시간을 공간화한다. 여기에서 시간은 관리하고 제어할 수 있는 자원, 상품, 혹은 사건들의 순서다. 그렇다면 시간 절약 기술은 사실 공간적으로 편향된 기술이다. 이니스는 시간을 강조하는 기술이 제어하지 못하면, 공간 편향 문화가 우리 시대에 과도하게 발달할 수도 있다고 이야기한다.[36]

이니스의 논의를 곱씹어 보면, 속도 향상이라는 고정관념은 시간을 공간적으로 이해하는 요즈음의 태도를 드러내는 말일지도 모른다. 비판적인 맥락에서 사용되는 경우에도 마찬가지다. 속도 향상에 관심이 집중되는 현상은 시간을 강조하는 문화가 아니라 시간을 공간화하는 감각이 중심인 문화를 반영한다. 시간을 공간적으로 이해하면 시간의 문화정치를 인식하지 못한다. 시간의 공간화는 개인주의적이며, 통제 및 관리와 밀접하다.

이니스의 연구는 글로벌 자본이 시간을 공간적으로 처리하며 공간 편향 문화에 의존한다는 것을 알 수 있게 한다. 우리의 지배적인 기술만이 아니라 앎의 방식, 권력 체계, 심지어 저항 개념까지도 공간적 편향을 보여 준다. 예를 들어 공유 공간shared space, 사회적 공간social space, 공론장public sphere이 정치적 삶의 특별한 기반이라는 생각은 시간성을 부정하는 태도의 징후이다. 이 모두는 공간적 개념이며, 공간적인 정치적 삶의 감각에서 시간은 의사소통의 한 방식이나 현재의 양상으로만 취급될 뿐이다. 정치적 공간에 적합하다고 인정받는 시간적 양상도 있다. 예를 들어, 사색과 숙고가 이루어지는 공론장에서의 느린 상호주관적 시간은 알맞게 시민적이고 정치화된 공공영역public을 가정한다. 정치 공간을 가능하게 하는 조건인 불균등한 시간성은 완전히 무시된다. 하지만 불균등한 시간성은 그곳에 있다. 시간성에 적응하는 사람의 눈에는 포착된다.

공공영역의 공간 편향

지역이든 세계든 모든 층위에서 부르주아 공론장과는 다른 의미인 공공영역public*을 이론화할 때, 시간성은 보이지 않고 언급되지 않는 권력관계다.[37] 예컨대, 공론장public sphere을 이론화하려는 시도들이 전범으로 삼는 고전적인 공간인 아고라agora는 단지 공간에 그치지 않았다. 우리가 시간성을 인식한다면, 공론장은 시간이기도

---

* 이 책에서 권력-크로노그래피적인 시각으로 시간성을 탐사할 때, 그 주된 비판 대상 중 하나가 공공영역public이다. 공유 공간shared space, 공공공간public space도 비슷한 의미로 사용된다. 특히 하버마스에 따르면 공론장public sphere은 민주주의를 가능하게 하는 숙고가 이루어지는 공간인바, 비릴리오 등의 속도이론가들이 말하듯이 속도가 공간을 잡아먹는 현상이 일어나고 있다면 이는 곧 민주주의의 위기다. 이 책에서는 '속도의 폭정'과 '민주주의의 위기'라는 담론이 시간을 공간화하고 있으며 '속도'의 권력관계를 통찰하지 않는 시각이라고 비판하면서, 일종의 시간적 다원주의를 그 대안으로 제시한다.

하다. 소수의 자유 시민들에게는 아고라가 정치적 사유를 할 수 있는 자유 시간의 공간이었다. 오이코스oikos(가정 또는 사적 영역)에서 일하는 여성과 노예들의 시간이 있었기에, 아고라에서 시간과 사회적 공간을 경험할 수가 있었다. 추앙의 대상이던 공론장을 우리가 지금 그리워하는 것은 무심결에 시간을 요구하는 행위일지도 모른다. 공공영역의 시간적 조건(즉, 대중이 통치 문제에 몰두할 시간을 갖는 것)은 논란의 중심인 하버마스의 **공론장** 모델에 기초한다. 심지어 그의 부르주아적 이상이 배타적이고 역사적으로 부정확하다고 반박하는 이론가들조차도 시간 속에서 사색과 숙고에 잠기는 방식만은 높이 평가한다.[38] 자유민주주의 이론들은 시간을 누리는 어떤 방식을 가정하지만, 그 가정 자체는 시간정치가 아니며, 아주 강력한 담론적 동원이다.[39] 공론장 이론은 정치적이고 시민적인 삶이 국가와 시장에서 분리된 시공간 속에서 이루어져야만 가능하다는 생각에 기반한다. 올바른 시간 실천, 즉 민주적인 실천은 경제적이거나 문화적인 제도적 구속에서 자유로워야 하며,[40] 사색에 잠기려면 구속에서 풀려나는 시간이 필요하다는 것이다. 그러나 이런 시각은 개인들이, 또 그들의 생산방식이 국가와 시장을 넘어서지 못한다는 현실을 부정한다.

공론장 이론은 시민이나 시민에 미치지 못하는 체류자들이 시간 속에서 구성되는 방식에 주목하기보다는 그 시대의 속도에 가까운 특정한 시간정치에 기초한다. 자유로운 시간이라는 민주주의의 요구는 자유주의적이고 부르주아적인 요구이며, 특정한 시간 개념에 기대는 동시에 자본 및 국가권력과의 관계에 의존하는 이상이다.[41] 마찬가지로, 세계화를 비판하면서 새로운 '글로벌한 현재'라는 무비판적 가정을 해체하려고 하는 작업은 그 변화의 중심인 공간을 특권화한다. 글로벌 기업 자본, 노동, 관광객, 정보, 돈, 사람, 아이디어의 흐름, 범위, 줄기가 무수히 많다는 지적도 있다.[42] 그런데 이상하게도, '글로벌한 현재'와 대결하는 이 용어들은 모두 공간지향적이다. 이 말들은 새로운 경계, 오래된 경계, 경계의 부재를 중심 문제로 삼아 서로 다른 속도로 공간을 가로지르는 움직임들을 설명한다.[43] 이 책에서는 이 공간적 역학, 공간적 경험과 짝을 이루는 시간성을 탐사한다.

권력-크로노그래피는 글로벌 자본주의의 다양한 시간성을 되짚어 보게 할 균형 잡힌 시공간 접근법이다. 이 점은 분명하게 밝히고 싶다. 권력-크로노그래피는 모더니티의 어떤 획기적인 조건, 국면, 단계에 다수적이고 다양하며 복수적인 시간이 존재한다는 주장이 아니다.[44] 택시 기사, 비즈니스 출장자, 슬로라이프 지향자, 사무직원, 요가 강사의 사례들을 살펴보면서, 이 책은 이 노동 형태들이 복수적인 시간의 흐름과 세계화의 시공간 속에 놓인 다양한 위치라고 인식한다. 그 형태들이 현대의 다른 층위라고 주장하려는 것이 아니다. 대신, 이 책의 목적은 불평등의 교차점에서 시간이 어떻게 작용하고 차별적으로 경험되는지를 강조하는 것이다. 시간의 정치경제학 차원에서, 이 책은 신체들이 일시적으로 다른 가치를 지니고 자본의 생산에 동원되는 과정을 통찰한다. 시간을 구조화하고 경험하게 하는 차별화 방식들을 비판적으로 바라봄으로써, 권력-크로노그래피는 시간의 개별화에서 벗어나, 시간적 형태에서 권력의 사회적이고 관계적인 윤곽을 드러내는 시간의 정치화를 목표로 한다.

모든 것에 걸친 권력-크로노그래피

도린 매시는 〈장소의 글로벌 감각Global Sense of Place〉에서, 이 모든 것에 걸쳐 있는 권력기하학을 직시하려면 세계 바깥으로 물러나 보라고 권한다. "실제 위성들보다도 더 멀리 있는 위성에 있다고 상상해 보라. 멀리서 '지구라는 행성'을 바라볼 때, 사람들의 눈 색깔과 차 번호판 숫자를 볼 수 있는, (나쁜 의도가 아닌) 기술을 가지고 있다고 해 보자. 당신은 모든 움직임과 진행 중인 의사소통을 모두 볼 수 있다."[45] 거기에는 "매우 복잡한 사회적 차별성이 존재한다. 움직임과 소통의 정도에도, 통제와 시작의 정도에도 차이가 있다."[46] 뉴욕에서 팩스를 보내는 사람들도, 사하라 사막 인근에서 물동이를 이고 걷는 여성들도 있다. 이 모든 것에 얽혀 있는 권력기하학은 사람들이 어떻게 서로 다르고 불균등하게 배치되는지를 다룬다.

이 책에서는 지구 바깥에 서서 권력-크로노그래피를 탐사하지 않는다. 공간에만 집중히게 만들 수 있기 때문이다. 대신에, 리듬에 몰입하면서 시간에 관심을 두라고 요청한다. 우리는 시부야에서도, 더 느린 어떤 도시에서도 권력-크로노그래피를 읽어 내야 한다. 권력의 크로노그래피는 어떻게 배치되는가? 그리고 권력-크로노그래피는 살아 있는 시간성과 무슨 관계가 있을까?

첫째, 권력의 크로노그래피는 다른 시간 감각들의 생산방식과 연결된다. 권력-크로노그래피는 다양한 사회적 차이와 제도의 교차점에서 생산되는, 항상 정치적인 살아 있는 경험으로서의 시간 개념에 바탕을 두고 있으며, 여기서는 시계도 하나의 크로노미터에 불과하다. 권력-크로노그래피는 시간이 다르게 작동하는 방식을 파헤친다. 모든 것에 걸쳐 있는 권력-크로노그래피를 조사하기 위해 이 책에서는 정치경제적 분석, 기술 환경 조사, 자세한 탐사, 담론 분석, 문화기술지 인터뷰 등을 포함하는 혼합 방법론을 채택한다. 나는 시간 담론이 시간적 정상화temporal normalization의 경계를 어떻게 유지하는지 알아볼 것이다. 시간적 정상화는 시간에 관련된 특정한 관행과 관계를 중시하고 다른 것들은 평가절하한다. 속도 담론은 시간성을 바라보는 부적절하고 제한된 관점을 계속 제공한다. 시간 담론을 전환시키려는 이 책의 시도는 기존 헤게모니 담론의 본질적인 불안정성을 드러낸다. 그러나 널리 알려진 담론들을 검토하는 일은 어느 정도까지만 우리에게 도움을 준다.

속도 향상이 사고와 행위의 지평을 지배하기 때문에, 시간에 어떤 의미가 부여되는지, 이 특별한 담론 형태와 문화적 맥락 속에서 살아가는 역사적 주체들이 시간을 어떻게 경험하는지를 탐사하는 일은 문화비판적으로 시간에 접근할 때 매우 중요하다. 속도를 비판적으로 다룬 이들이 대개 자신들의 경험에 의지해 이른바 '빠른 세계'를 관찰해 온 것과 달리, 여기에서는 권력-크로노그래피를 이해하기 위해 '예속된 앎subjugated knowledge'에 주목한다. 시간을 두고 협상해야 하고, 타인들의 시간과 밀접한 관계가 있는 노동을 하는 사람들을 인터뷰하면서 분석을 진행한 것이다. 물론 모든 노동은 노동자의 시간관리를 요구한다고도 말할 수 있겠지만, 이 책에서는 시간이 물질화되고 경험되는 차별적이고 불평등한 방식을 통찰하게 하는 노동 형태들에 초점을 맞추었다. 이 책은 비즈니스 여행자, 도시의 택시 기사, 회사에서 가르치는 요가 강사들과의 인터뷰를 담았다. 인터뷰 대상자 전원은 가명으로 기록했다. 균일한 삶의 속도를 불안정하게 하고 어지럽게 하는 이 사람들은, 속도의 권력이 어떻게 작용하여 차등화된 시간을 생성하고 시간 차원에서 경험되는 구조적 불평등을 악화시키는지를 보여 준다. 본명을 쓸지 말지는 그들의 선택이었으나, 아주 불안정한 상황에 있는 노동자들, 즉 택시 운전사들 전부와 회사 요가 강사들 일부는 이름을 밝히지 말아 달라고 요청했다. 자신의 노동조건과 직장 내 시간 경험을 자유롭게 이야기할 수 있는 것도 차별적인 경험이다. 이 책에서의 담론 분석은 인터뷰 대상자들의 특정한 맥락이나 노동 형태와 구체적으로 관련된 것으로 제한한다.

공항, 느린 움직임의 지역사회, 자투리 시간의 요가 수업, 슬로푸드 행사처럼 사람들이 일하고, 살고, 쉬는 장소의 리듬에 관찰자로서 몰입하려 노력하면서 이 책을 썼다. 기업 요가 강좌를 참관하고, 토론토에서 택시를 타고, 국제 비즈니스 라운지를 방문하고, 도쿄에서 슬로라이프스타일 커뮤니티를 돌아보고, 미국 전역에서 열리는 슬로푸드 행사에 참석하고, 속도문화에 대한 컨퍼런스에도 다녀왔다. 세계가 점점 더 빨라지고 있다는 생각은 오늘날 대중 담론에서 가장 강력한 개념 중 하나다. 시간과 근본적으로 불평등한 관계를 맺고 있는 사람들이 저마다 엇비슷한 시간 이데올로기를 유지하는 이유는 무엇일까? 삶의 시간을 지배하는 세계 자본에 대한 저항보다 속도의 힘이 더 쉽게 받아들여지는 까닭은 무엇일까? 속도는 사람들이 시간과 서로 다른 관계를 맺게 하는 이유라고 할 수 없다. 생명관리정치biopolitics는 모든 권력-크로노그래피를 관찰하게 하는 강력한 틀이다. 생명관리정치 개념은 삶의 시간을 정치경제학적으로, 또 구체적으로 이해하게 만들어 준다.

생명관리정치적 시간경제

속도 향상은 이론적인 차원의 문제에 그치지 않고 대중문화, 직장, 여가 공간 전반에 걸쳐 나타난다. "세계가 점점 더 빨라지고 있다!"는 말은 언론에 등장하는 전문가들이 자주 외는 주문이며, 새로운 테크놀로지 광고에 등장하고, 잡지 표지와 신문 헤드라인에서 볼드체로 강조된다. 이 말을 두 번 생각해 보는 사람은 흔치 않다. 그러나 시간이 모자라 보이는 세상에서도 수많은 시간을 얻어 낼 수가 있다. GPS 장치, 휴대전화, 에너지 드링크와 같은 상품들은 빠르게 움직이는 세계를 헤쳐 나가게 해줄 효율성을 약속한다. 슈퍼마켓의 카운터에는 다섯 시간 동안 쓸 에너지를 신속하게 공급해 줄 작은 병들이 가득 늘어서 있다. 삶이 너무 빨리 움직인다 싶으면, 우리는 느긋하게 앉아서 가게에서 파는 릴렉스 음료를 사 마신다. 보톡스 주사 같은 미용 시술은 얼굴에서 세월의 흐름을 숨겨 준다. 시장에는 글로벌 자본의 시간적 요구를 따라가게 도와주는 상품들이 깔려 있다.

자투리 요가 수업들이 점심시간에 열린다. '직원 중심'인 '진보적' 기업들은 하루 일과 중 하나로 명상이나 여타 정신적 치유를 집어넣는다. 엠파이어 스테이트 빌딩과 밴쿠버 국제공항에 설치된 메트로냅스의 수면 포드pods는 공공장소에서 잠깐 눈을 붙이게 해 준다. 48시간 동안 깨어 있게 만드는 약물인 모다피닐은 긴 작전을 수행할 병사들에게 사용할 목적으로 개발되었지만, 지금은 회사원들과 시한이 촉박한 일을 처리해야 하는 사람들이 생산성 향상제로 이용한다.[47]

시간 부족을 해결할 방법은 또 있다. 다른 사람들의 노동력을 이용하는 것이다. 베스트셀러 《주 4시간 근무제The 4-Hour Workweek》의 저자인 티모시 페리스 같은 새로운 비즈니스 전문가들이 칭찬을 아끼지 않는 인도의 국제 원격 어시스턴트도 그런 해결책에 속한다.[48] 원격 어시스턴트는 너무 바쁜 미국인들이 손대지 못한 일들을 처리해 준다. 단조로운 데이터 입력, 이메일 답장, 크리스마스 선물 주문, 가족 생일 카드 보내기 같은 작업들이다.

이 사례들은 시장의 반응을 얻기 위해 속도 향상을 앞세우는 문화

현상의 일종이기도 하지만, 시간 통제가 현대 생명관리정치나 자본주의와 떼어 놓을 수 없는 관계임을 보여 주는 것이기도 하다. 우리가 경계해야 할 대목이다. 오늘날 사람들은 시간을 관리해야 한다는 강박관념 때문에 쉽게 생명관리정치의 통제 아래 놓인다. 푸코 Michel Foucault는 **생명권력**biopower이라는 말로 18세기에 나타난 다양한 제도와 규율이 개인과 인구의 생산능력을 어떻게 감시하고 개입하고 통제하는지를 설명했다. 국가기관만이 아니라 군대, 가족, 경찰, 학교, 의료기관 같은 현대의 권력기관들은 여러 기술과 관행으로 노동력을 최적화하고 강화하여 생명을 관리한다. 푸코의 주장처럼, "생명권력은 의심할 여지 없이 자본주의 발전의 필수적인 요소였다. 경제 진행을 위한 생산 기계 안에 신체의 통제가 포함되지 않았다면 자본주의는 불가능했을 것이다."[49] 빠른 자본, 신자유주의, 후기자본주의, 제국 등 무엇이라고 부르든지 간에, 자본은 신체를 대가로 발전한다. 투자와 투자 중단 과정은 자본의 노동력에게 재난과 위기로 경험되는 것이 아니라 미묘하고 은밀하게, 사실상 보이지 않는 방식으로 훨씬 더 느리고 고통스럽게 진행된다.

이 책은 노동력 관리의 시간적 측면에 주목한다. 예컨대 시간에 의미를 부여하는 방식은 **생명관리정치**biopolitics의 한 형태이다.[50] 개인의 사적 시간에 대한 외부의 시간 통제는 점점 더 늘어나고 있다. 한 개인의 살아 있는 시간의 의미는 직장 생활로 그 중심이 옮겨졌다. 이후 더 자세히 다루겠으나, 일단 생명관리정치적 시간경제는 어떤 시간적 관행을 정상적인 것으로 삼는 방식으로 특정 인구 집단의 노동력에 개입한다는 사실을 강조해 둔다. 이 개입은 다른 집단에 대한 시간 투자를 중단하게 만들기도 한다. 투자와 투자 중단은 모두 일반화·차별화하는 시간적 질서를 유지시킨다.

현대의 권력 제도들이 점점 더 많이 신체에 불균등하게 개입하는 결과를 낳게 하는 것은, 속도 그 자체가 아니라 속도 담론의 힘이다. 속도 담론은 모든 개인이 개입에 전혀 저항하지 못하게 한다. 서로 다른 시간성들 사이의 공통점은 일반적인 속도가 아니라 속도가 재보정될 것이라는 예상이다. 재보정은 사람들이 시간을 정확하게 맞추는 방법을 배우고 언제 빠르게 움직여야 하는지 언제 느려져도 괜찮은지를 익히게 한다.[51] 재보정Recalibration이라는 말은 개인과 사회 집단이 자신의 신체시계를, 그리고 미래나 현재에 대한 감각을 외부와 동기화하는 다양한 방식을 의미한다. 이 외부는 다른 사람, 다른 속도, 기술, 크로노미터, 제도, 이데올로기 등이다. 푸코는 생명권력이 "살게 만들거나 죽게 내버려 두는" 권력이라고 말한 바 있다. 이 말에는 시간성이 명백하게 드러난다.[52] 생명을 빼앗는 것이 아니라, 투자하여 "살게 하거나", 투자를 회수하여 천천히 "죽게 내버려" 두기 때문이다. 이 책에서는 인구 집단의 사회조직마다 다르게 나타나는 시간의 재보정 문제를 조명한다. 재보정은 차별적으로 불균등하게 일어난다.

이 책은 시간이야말로 전통적인 권력 제도들이 생명관리정치적으로 개입하는 현장임을 폭로한다. 국가, 시장, 군대, 제약회사, 항공사, 웰빙산업, 관광 산업은 투자와 시간 통제로 권력을 쥐고 또 행사한다. 더욱 중요한 것은, 이 제도들은 유의미한 시간 경험을 생산하고 향상시켜서 통제를 확립한다는 것이다. 이 제도들은 사람들의 시간 경험을 일반화하는 시간적 질서를 함께 구성하며, 시간적으로 경험된 특권과 차이의 경계선을 유지시킨다.

속도이론이든 속도에 대한 문화적 반응이든지 간에, 지금 이 순간을 모든 것을 소비하는 속도의 일부라고 말하는 것은 '증가하는 속도의 시대에서' 빠르게 흘러가는 삶의 시간을 통제하려는 요구와 욕구가 새로우면서도 긴급한 필요성을 지니고 있다는 사실을 보여 준다. 우리가 위험할 정도로 빠른 문화 속에서 살고 있다는 믿음은 다른 사람들의 노동을 요구하는 것을 '정신 없이 빠른 시대'에 꼭 필요한 것으로 정당화한다. 구조적으로 과도하게 주어진 특권이라고는 생각하지 못하는 것이다. 과로했고 너무 피곤한 우리들은 무의미해 보이는 일상생활과 일상 행위는 다른 사람들에게 맡겨 버린다.[53] 속도가 보편화된 조건이라는 주장은 지금 모든 사람이 불안에 빠져 있다는 뜻이다. 많은 사람들이 오랫동안 시간성의 위기에 빠져 있었다는 사실은 감춰진다. 교육, 의료, 기타 사회복지의 권리가 없는 외국인 가정부와 어떠한 대가도 없이 가정 내 노동을 떠맡은 여성은 오랫동안 현대 권력 제도 하에서 제대로 투자받지 못한 수많은 인구 집단 중 두 가지 사례에 불과하다.

이제는 속도에 관련된 이야기들 속에서 바쁨, 신성한 공간, 보편적 불안정성에 주어져 있던 개인주의적이고 특권적인 무게를 덜어 내야 할 것이다. 글로벌 자본 아래 있는 사회적 차이의 복잡한 교차점을 파악하려면, 시간성을 그 자체로 심각하게 받아들여야 한다. 권력-크로노그래피는 자본 아래에서의 정치적 가능성이 지닌 불연속적인 지평을 탐사한다. 우리는 시간에 대한 문화적 고정관념이 차별적인 시간을 만들어 내는 방식에 주목해야 한다.

각 장의 개요

1장에서는 비즈니스 여행자의 시간 경험과 시간 아키텍처temporal architectures*의 등장을 검토한다. 비즈니스 여행자와의 인터뷰, 공항과 호텔에서의 참여 관찰, 비즈니스 여행 관련 자료 분석이 그 중심이다. 비즈니스 여행자들은 시간대를 넘나들면서 시차 부적응에 시달린다. 출장자들은 신속하고 민첩하게 글로벌 자본 아키텍처 안에서 돌아다니며, 여러 컨퍼런스 센터, 공항, 호텔 사이의 시간 아키텍처 내에서 재빠르게 이동한다. 이들은 세계가 점점 빨라지고 있다고 손쉽게 말하는 사람들이지만, 시간관리를 가능하게 하는 정교한

---

* 이 책에서는 특정한 시간성에 속한 이들이 특정한 시간 아키텍처 속에서 시간의 관리, 유지, 보수를 진행하게 된다고 본다. 아키텍처는 설계되고 건설된 환경을 뜻하는데, 인프라 infrastructure와 유사한 의미를 가지지만, 서비스나 물품 조달, 정서적 '돌봄'까지를 포함하므로 주로 물질적 건설 환경을 뜻할 때가 많은 인프라보다는 더 포괄적인 의미를 갖는다. 시간 아키텍처의 유무와 성격의 차이는 서로 다른 시간성을 갖는 주체들에게 주어지는 사회적 투자의 차이를 드러낸다.

인프라 속에서 시간을 활용하는 사람들이기도 하다.

시간 아키텍처는 특정 대상자들의 시간을 관리하고 향상시킬 건축 환경, 상품과 서비스로 구성된다. 즉, 특권적 시간성의 관리를 목적으로 한다. 시간을 관리해 주는 시간 아키텍처는 대부분의 비즈니스 여행자들에게 잘 보이지 않는다. 이들은 방향감각을 잃은 속도문화 속에서, 사업가로서의 제 운명을 홀로 짊어지고 독자적으로 움직인다고 착각한다. 속도를 높여야 한다는 이들의 현실적인 요구는 그 의도와는 달리 다른 사람들의 시간과 노동이 불평등하게 재편성되는 상황을 정당화한다. 시간노동 시스템은 이 시간 아키텍처를 지원한다.

2장에서 다루는 택시 운전사도 시간노동자의 일부다. 북미 주요 대도시의 택시 운전사들은 대부분 최근에 이주했거나 망명자이거나 승인을 기다리는 이들이다. 택시 운전사들은 손님들의 일정, 교통체증, 밤낮으로 바뀌는 도시 풍경, 시간의 흐름과 돌아가는 미터기 등 여러 시간성 사이에 걸쳐 있다. 택시는 교통 기술이자 이동 공간이며 사람, 정보, 상품, 자본이 유통되는, 움직이는 접속 지점이다. 택시 내부 공간은 운전자와 승객 간의 업무, 이동, 정치적 교류가 일어나는 곳이면서 승객이 일을 하는 장소이기도 하다. 택시 운전사는 비즈니스 여행자에게는 예외적인 시간과 구조적으로 연결되는 방식으로 시간 속에 구성된다. 2장에서는 시간 상호의존 temporal interdependence 이론을 전개한다. 동기화로 연결된 관계들은 사회구조 전체에 영향을 미친다. 어떤 신체들이 다른 사람들의 시간에 맞춰 재보정되리라는 예상은 노동에서의 중요한 조건이다. 따라서 결과적으로, 일상생활의 정상적 시간질서 안에서 살아남기 위한 특수한 시간 체제와 전략적 배치가 나타난다.

3장에서는 근무시간의 리듬에 통합된 요가에 주목한다. 이 사례는 재보정의 중요성을 보여 주며, 또 사회통제의 일종인 시간적 배치도 잘 포착한다. 3장의 논의는 회사 환경에서 일하는 요가 강사들과의 인터뷰, 이 강사들의 홍보자료, 직접 참여한 사무직노동자 요가 수업에 근거한다. 사무실 요가 수업은 시간성 영역에서 노동 통제와 훈련을 가능하게 하는 새로운 합리화와 기술의 실천이다. 직장 요가는 앉아서 보내는 삶에 편안함과 충만의 시간을 가져다준다. "이 순간을 즐겨라living in the moment"라는 담론 속에서, 사무실 노동자의 자리가 재확인된다. "이곳(공간)에 갇혀 있을지도 모르지만," 담론이 유혹한다. "적어도 지금(시간)을 살고 있다." 요가 강사와 심리치유사는 번아웃 직전의 신체를 재보정해야 할 기회와 필요를 노리고 현대 자본주의의 사무직 노동력에 접근한다. 이들은 삶이 자기를 그저 스쳐 간다고 느끼는 노동자들의 시간감각에 활력을 불어넣는 일을 한다. 요가는 직선적이지 않은 시간 개념을 내세운다. 노동 세계를 일반화하는 일에 저항하는 것처럼 보이는 것이다. 그러나 권력-크로노그래피의 눈으로 보면, 사무실 요가는 사람들을 변형시키고 고정시켜서 후기자본주의의 다양한 시간적 요구 조건들에 더 잘 들어맞게 하는 것이다.

4장에서는 느림이라는 문화적 조류를 탐사한다. 느림은 모든 사람이 선택해야만 하는 새롭고 대안적인 속도가 되었다. 느림과 빠름은 현대사회구조 내에서 경쟁 중인 주요한 두 가지 시간 동원 방식이다. 4장은 직접 참여하고 관찰한 느린 공간들을 깊이 있게 분석해 본다. 브리티시컬럼비아 보웬아일랜드의 유기농 식료품 가게, 슬로라이프를 내건 도쿄의 카레타 시오도메, '위대한 미국식 스테이케이션great American staycation'에 알맞은 이상적인 집, 샌프란시스코의 슬로푸드 네이션 등이 그 대상이다. 겉보기에는, 느림은 무비판적으로 받아들여지는 빠름에 적극적으로 저항한다. 그러나 속도문화와 느린 문화의 권력-크로노그래피는 이 두 문화가 비슷하게 시간성을 부정한다는 사실을 드러낸다. 느림은 사회구조 전반에 걸쳐 자신만의 공간을 차지해 나간다. 그러나 느림은 그 실제 인프라보다도 더 공간적 편향이 심하다. 세계적 현상인 느림을 지배하는 것은 시간이 아니라 공간이다. 해럴드 이니스가 《커뮤니케이션 편향the Bias of Communication》에서 주장했듯이, 시간적으로 편향되고 시간적 연속성과 전통에 순응하며 시간이 지나도 유지되는 공간이 문화를 지탱한다.[54] 여기에는 명상 센터, 교회, 사원, 공원, 대학 등의 공간이 포함된다. 사실 느린 공간은 시간적으로 편향된 공간이 아니다. 느린 공간은 또 다른 시간 경험을 만들어 내기 위해 삶의 속도가 주는 불안감을 의도적으로 잠재우는 공간이다. 대안으로서의 시간적 공간인 느린 공간은 그 느린 공간이 거스르는 것처럼 보이는 빠르고 분열된 세계의 불평등한 사회적 관계에 의존한다. 느린 공간은 시간에 대한 문화적 불안을 달래려는 공간적 해결책이며, 사회적 시간 경험의 정치적 복잡성을 제대로 이해하지 못하는 공간적 상상력의 한계를 다시 한 번 드러낸다.

마지막 장은 앞선 논의들이 놓인 근본적인 정치적 조건을 이야기한다. 공간의 공유가 시간의 공유를 보장하지는 않는다. 공유 공간은 강력한 정치적·문화적 이상이다. 애초에 좌파의 속도문화 비판을 가능하게 한 것이 바로 공유 공간이라는 꿈이었다. 사회적 삶의 정치적 조건은 잘 눈에 띄지 않지만 지속적으로 작용한다. 이 책의 권력-크로노그래피는 이를 인식해야 한다는 점을 강조한다. 민주주의의 공간적 이상에 상응하는 공통의, 공유된 시간성은 존재하지 않는다. 마지막으로는 시간 속에서 공공영역을 누리는 방식, 또 이를 이론화할 방법을 생각해 볼 것이다. 즉, 시간적 공공영역temporal public을 모색해 보는 것이다.

시간성의 풍경들

몇 년 전 토론토에서 살 때, 아파트에서 지하철역으로 매일 걸어 다니면서 이 책의 아이디어가 떠올랐다. 그 풍경은 지금도 마찬가지니 현재 시제로 묘사하는 편이 좋겠다. 새벽녘, 나는 크리스티가街를 따라 남쪽으로 걸어간다. 낡고 오래된 다층 건물 옆을 지나간다. 어떤 국제 기독교 단체가 운영하는 이민자 쉼터다. 잠옷을 걸친 외로운 남자들이 커피를 마시고 담배를 피우며 발코니에 나와 있는 모습을 매일같이 본다. 그 건물 근처에 가면 그들이 손에서 굴리고 있는 염주가 잘그락거리는 소리가 들린다. 그들은 길고 지루한 과정의 다음 단계로 넘어가게 해 줄 이민 관련 서류를, 또 아내가 마련해 줄 아침, 점심, 저녁 식사를 기다리고 있다. 난로 위 뜨거운 냄비에서 나오는 수증기는 창문을 흐릿하게 만들고는 쉼터를 빠져나간다. 안을 들여다본다면, 위에 있는 남자들에게 가져다 줄 음식을 만들고 있는 여자들이 보일 것이다.

나는 지하철역에 들어가 동쪽으로 향한다. 차량에는 피곤한 사람들이 가득하다. 뒷모퉁이에는 야간 근무를 마치고 귀가 중인 남아시아 출신의 노인이 곤히 잠들어 있다. 그가 입고 있는 유니폼에는 사설 보안회사의 휘장이 달려 있다. 트리니다드에서 건너온 중년 여성들이 맞은편에 앉아 있다. 그들은 대걸레가 들어 있는 양동이를 붙잡고 비닐봉지에서 꺼낸 음식을 먹으면서 이야기를 나누고, 졸린 눈을 비빈다. 나는 북쪽으로 가기 위해 스파디나역에서 열차를 갈아탄다. 역에는 직장인, 요가 매트를 든 사람, 회사원, 가게 직원, 학생들이 분주하게 오간다. 가끔은 갈아타지 않고 계속 동쪽으로 이동할 때도 있다. 그러면 금융가인 베이 스트리트로 서둘러 향하는 무리 속에 끼어 있게 된다. 열차가 블로어역이나 용역에 들어서면 급히 뛰어가는 하이힐 소리가 요란하다.

소란이 잦아든 어느 평일 늦은 밤, 나는 집으로 향하면서 이곳을 지나간다. 토론토 금융가 산책도 시카고, 밴쿠버, 뉴욕의 상업지역을 걷는 일과 크게 다르지 않아 보인다. 밤늦게 대도시 금융가를 걷다 보면 고층 빌딩의 로비들이 환하다. 거의 모든 건물에는 한창 '근무 중'인 보안 요원이 홀로 앉아 있다. 야간 청소부도 있을 것이다. 층마다 불빛이 들락날락하고, 진공청소기와 빈 쓰레기통을 밀고 있는 몸의 윤곽과 그림자가 비친다.

대체로 나는 아침마다 금융가를 우회하고 북쪽으로 향해서 다운스뷰역까지 간다. 블루어나 용에는 기업체들이 몰려들지만, 이곳은 아주 조용하다. 발을 끌며 걷는 소리가 승강장 위 지붕으로 적막하게 울린다. 많은 사람들에게 지하철역은 일과 수면 사이의 경계 공간이다. 지하철에서의 수면은 어떤 시간성에서는 꼭 필요한 일이다. 열차 안에는 학생이나 사업가 같은 아침 통근자들도 있지만, 공항으로 향하는 조종사, 휴가 여행을 떠나는 사람, 국제 비즈니스 여행객들도 있다. 아침 버스를 오래 기다리는 야간 근무자도 많다. 매일 마주치는 이들 중에는 자가용이 없는 택시 운전사들도 있다는 사실을 알게 되었다. 24시간 영업하는 패스트푸드 가게의 직원들은 대체로 아시아계 중년 여성이나 흑인 청년들이다. 자동차로 접근하기 좋고 도시 교외 확장으로 늘어난 이 가게들은 북미 주요 도시의 외곽 지역과 마찬가지로 토론토 교외의 상점가에 흩어져 있다. 여기서 일하는 노동자들은 역에서 한 시간 이상 기다리기도 한다.

아침이 오면 대도시 지하철역에는 출근하러 뛰어가는 직장인, 요가하러 가는 사람, 택시 기사, 출장을 떠나는 사람, 임금노동자, 교수, 학생, 집으로 돌아가는 취객들이 몰려든다. 이 집단의 인구통계학적 구성은 어느 역인지에 따라 다르다. 그럼에도 불구하고 지하철이 움직이는 시간, 아침 출근 시간의 요란함, 주고받는 인사말, 지하철 스크린에 나타나는 일기예보, 라디오 진행자들의 목소리, 코끝에 느껴지는 커피향은 크게 다르지 않을 것이다. 야간 근무자들에게 이 광경은 하루의 시간적 질서가 자신들의 시간과는 전혀 일치하지 않는다는 증거처럼 보일 테지만, 이 질서는 그들의 노동력에 전적으로 의존하는 시간적 질서다.

나는 이제 토론토에 살지 않고, 매일 크리스티가를 오르내리지도 않는다. 큰 도시인 토론토에서 작은 도시인 노스캐롤라이나의 더럼으로 이사하자 삶의 리듬이 크게 달라졌다. 그러나 단순히 빠른 삶에서 느린 삶으로 이동한 것은 아니다. 오히려 새로운 시간적 권력관계 환경 속으로 들어갔다고 보아야 할 것이다. 토론토와 더럼의 시간정치 속에는 성별, 계급, 인종, 이민의 역사가 복잡하게 수놓아져 있다. 더럼의 도시 경계 안에는 광활한 숲, 최근 활기를 되찾은 도심, 농산물 시장, 스페인어 사용 지역, 게토, 대학가가 있으며, 옛 담배 농장은 거주지, 식당, 카페, 예술 스튜디오로 변했다. 한때 번창했던 블랙 월 스트리트를 떠올리게 하는 곳이다.

듀크대학교와 노스캐롤라이나대학교 사이를 버스로 오가면 시간이 아니라 공간을 공유하는 여러 방법을 엿보게 된다. 더럼과 채플힐을 오가는 짧은 통근길 고속버스는 학생, 교수, 직원들로 가득 차 있다. 이 지역에서 대학 내 노동자들은 대부분 트리니다드 출신 여성이나 남아시아계 남성이 아니라 아프리카계 미국인들이다. 이들이 근무하는 대학 캠퍼스는 노동 세계의 바깥에 존재한다고 생각하는 사람들이 많다. 하지만 버스에서 보면 노스캐롤라이나대학교와 듀크대학교도 저임금 노동의 현장이다. 이 캠퍼스들을 둘러싼 중상류층 동네를 걸어가면 금요일에만 나타나는 허름한 미니밴이나 트럭이 보인다. 다른 집을 청소하는 사람들이다. 금요일은 시간적 정상화가 이루어지는 아주 중요한 날이다. 주말을 맞이해 집을 깨끗하게 치우는 행위는 시간적 의례에 속한다. 미국의 이 지역에서는 청소하는 이들이 보통 라틴계 여성, 라틴계 가족이다. 지정학은 사회관계의 시간정치적chronopolitical 지형을 바꾼다. 토론토에서는 필리핀과 동유럽 출신 여성들이 청소하는 모습을 더 많이 접한다. 젠더와 인종 구성이 다른 더럼에서는 라틴계 남성과 여성이 함께 청소할 때가 많다.

이 책에서 논하는 장소와 인구의 권력-크로노그래피에서 나타나듯이, 버스나 이주자 쉼터나 지하철의 사람들은 모두 어떤 식으로든 속도와 관련된다. 광고주와 자본가들은 세상이 점점 빨라지고 있다고 말하고, 비판적인 좌파는 그 주장을 거꾸로 뒤집어 '속도는 기업적이고 자본주의적이며 비인간적인 데다가 반민주적'이라는 단순한 폭로에 치중한다. 그러나, 비판적 사유의 목표는 권력구조의 지배에서 시간정치를 구해 내는 것이다. 그렇게 하려면 시간 속에서 세계를 살아가는 법을 배워야 한다.

첫째, 이 개입은 더 많은 시간이 필요한 바쁜 사람들로 가득한 빠른 세계라는 생각보다는, 모든 사람이 똑같이 시간 부족에 시달리지는 않는 이 구조적 현실이 더 중요하다는 것을 인식하면서 이루어져야 한다. 둘째, 사람들을 시간에 매달리게 하는 것은 현대 세계 자본을 가능하게 하는 조건 중 하나인 사회통제의 한 형태임을 인식해야 한다. 마지막으로, 우리의 시간이 다른 이들의 시간과 어떻게 얽혀 있는지를 깨달아야 한다. 이 책의 목표는 시간을 자유롭게 만드는 것이 아니라, 제한된 시간의 정치성을 깨닫게 하는 것이다. 그러기 위해서는 먼저 이 모든 것에 걸쳐 있는 권력-크로노그래피를 인식하는 일에서부터 출발해야 한다.

1장

호화로운 시차 적응

: 시간관리의 아키텍처

노스캐롤라이나의 롤리 더럼에서 밴쿠버로 가다가 애틀랜타에 잠시 들렀을 때, 플라톤의 《공화국》을 읽던 한 젊은이가 말을 걸어왔다. 우리는 공항 B9 게이트에서 몇 분 동안 잡담을 나누다가 꽤 열띤 토론으로 접어들었다. 비디오게임 소프트웨어 개발자인 그는 휴대폰 기기에 관심이 많은 사람이었다. 캐나다 시민이지만, 회사가 '글로벌 진출'을 결정했을 때 부에노스아이레스로 건너갔다고 했다. 그는 내 연구 분야가 미디어와 기술에 비판적이라는 점이 못마땅했다. 처음에 내가 커뮤니케이션학과에서 미디어와 문화를 연구하는 교수라고 소개하자, 그는 인맥을 넓힐 기회라고 생각했는지 곧장 명함을 건넸다. 우리는 내가 가르치는 내용을 두고 이야기를 나누었다. 그는 기술을 무조건적으로 옹호하는 그의 입장과 내 주장 사이에 큰 차이가 있다는 사실을 금새 알아챘다. 사실 기술 관련 지식은 그가 더 많이 알고 있었을 것이다.

지그문트 바우만 같은 사람이냐고 물어와서 나는 깜짝 놀랐다. 필연적으로 다가올 미래의 기술 진보에 분노하고 위험을 느끼는 사람이냐는 뜻이었다. 그는 휴대폰으로 하는 멀티플레이어 비디오게임은 빠르게 다가오고 있는 미래의 일부라고 했다. "미래는 세계 여러 곳에 이미 나타났어요." 미래는 본질적으로 "다양하기 때문에 훌륭"하고 "빠르게 움직이기 때문에 다양"하다는 것이다. 그는 바우만의 유동하는 삶Liquid Life을 자세히 설명하기 시작했다. 바우만에게 '유동하는' 사람들은 액체 근대liquid modernity의 파편들이다. 액체 근대에서는 사회 형태들이 굳어질 시간이 충분하지 않다. 장기적인 전망이 불가능하다. 액체 근대를 살아가는 사람들은 유동하는 삶의 새로운 시간성 속에서 살아갈 새로운 방법을 찾아야 한다. 나와 바우만 같은 사람들은 너무 무거운 생각에 발목이 잡혀 있다. 보수적이고 변화를 두려워하는 바우만이나 나는 기술을 비판하면서 경력을 쌓아 왔다는 것이다. 그래서 글로벌 자본과 신기술이 약속하는 사회적 다양성을 부정하게 된다고도 했다.

어느 순간 그는 과감하게, "전 액체 인간입니다"라고 했다. 액체 인간은 자기가 누구인지 설명해 주는 바우만의 책이 큰 위안을 줬다고도 했지만, 실제 액체 인간인 자신이 경험한 유동적인 삶에 비하면 그 책은 부정적인 면이 너무 두드러진다고 했다. "난 액체 인간으로 사는 게 즐거워요!" 이 말은 모바일하고 재빠른 라이프스타일을 가능하게 하는 도구들을 좋아하고, 비행기 갈아타기, 소셜 네트워킹, 계약직, 계속 접속 상태로 만들어 주는 테크놀로지 기기들을 즐긴다는 뜻이다. 이 액체 세계에서 구속받지 않는 상태란 "흐름을 따라 계속 나아갈 수 있다는 것"을 뜻한다. 액체 인간은 그가 세상의 무게에 구애받지 않으며 자유를 느낀다고 했다.

미래 기술에 관한 전망들이 너무 쉽게 디스토피아 아니면 유토피아로 나뉜다는 말을 주고받다가, 그는 흥미로운 이야기를 던졌다. "난 공항을 사랑해요." 액체 인간은 말을 이어 갔다. "주위를 둘러보세요, 여기 모여든 사람들을 보시라구요. 전 공항이 좋아요. 필요한 모든 것, 모든 사람이 여기, 지금, 다 있습니다." 공항의 사회성에 내재된 새로운 가능성이 그를 흥분시켰다. 공간을 공유하는 낯선 사람들, 그리고 그들이 공항을 비우거나 가득 채우는 모습은 비즈니스의 기회다. 그는 사람들을 사귀고, 시장조사를 하고, 군중들과 뒤섞이다가, 자기가 제작한 새로운 소프트웨어를 홍보할 수도 있다. 액체 인간에게 이 빠른 시대는 자유롭고 구속받지 않는 영혼들을 위한 것이다. 빠르고 자유로운 영혼들이 모여드는 곳이 바로 현대의 공항이다. 첫 번째 탑승 안내 방송이 흘러나오자 우리는 헤어져야 했다. "골드 스테이트 스타 얼라이언스 회원들은 지금 모두 탑승하시기 바랍니다." 액체 인간은 일어나서 웃으며 나와 악수를 나누었다. "저를 부르네요." 골드 스테이트 스타 얼라이언스 카드를 소지하고 있는 멤버라는 자부심이 드러났다.

액체 인간이 선호하는 공항의 사회성은 《공항 도시: 우리의 미래 Aerotropolis: The Way We'll Live Next》에 잘 드러난다. 비즈니스 리더, 도시계획가, "글로벌한 비전을 지닌 이들"을 위해 나온 이 책은 공항의 잠재력이 공항의 공간적 위치보다는 연결의 현장이라는 점에 있다고 주장한다. 모든 사람이 '노동자'가 아니라 글로벌시장에 연결된 전문가라는 것이다.[1] 21세기의 새로운 리더들이 공항에 더 많은 관심을 기울인다면, 세계를 재편성할 수도 있다. 공항은 세계 균질화와 지역 다양화라는 자본주의의 모순적인 목표가 함께 실현되는 곳이다. 이 사실은 자본가들을 흥분시키지만, 속도 비판 이론가들을 겁먹게 한다.

속도이론에서, 공항은 공론장의 (부정적인) 구조적 변형이며 공론장에 속했던 사람들의 전략을 보여 주는 중요한 증거다. 속도이론가들은 공항 같은 공간이 정치 공간의 종말과 탈정치시대의 도래를 알리는 신호탄이라고 주장한다. 이런 입장에서는 어디를 가나 비슷한 건축 형태, 깔끔하고 안정된 모습만을 추구하는 내부 장식, 그리고 여행자와 지역 사이의 관계가 부재하다는 것을 문제 삼아 이 통과 공간을 비판한다.[2] 공항에서 사람들이 자기의 테크놀로지 영역으로만 파고드는 현상은 활발했던 공론장에서 시민들이 한꺼번에 빠져나오는 상황처럼 보인다.

폴 비릴리오는 《어스름한 새벽Crepuscular Dawn》에서 새로운 세계화 구조의 기반은 모듈 표준화와 동기화라고 했다.[3] 《순수한 전쟁Pure War》에서는 공항이 새로운 수도라고 주장한다. 공간적인 수도가 아니라 출발과 도착이 주거보다 중요한 시간적 수도라는 것이다.[4] "매일같이 공중에 떠 있는 10만 명이 넘는 사람들은 미래 사회의 전조다. 정착이 아닌 통로의 사회다. 거대한 이동이 일어난다는 의미에서가 아니라 교통의 벡터에 집중한다는 점에서 유목민 사회다." 그는 이렇게 정리한다. "사람들은 더 이상 시민이 아닌, 이동 중인 승객이다."[5] 바우만의 경우도 비슷하다. 액체 인간은 시민이라는 정치적 범주를 대신한다. 사색하고 숙고하는 주체는 개방적이고, 유연하며, 파편적이고, 애착을 품지 않고, 빠르게 이동하는 주체에게 자리를 내준다.

사실 액체 인간, 비릴리오, 나 사이에는 공통점이 있다. 우리는 모두 공항에 사로잡혀 있다. 속도 향상을 격찬하는 국제 비즈니스 여행객과 속도문화이론을 잘 아는 나의 만남은, 속도 향상이 시간적 특권을 가진 이들의 편협하고 단순한 세계관의 특징일지도 모른다는 것을 보여 준다. 우리의 대화가 일어난 공항 바에서 멀리 떨어져 있는 다른 시간성들, 예를 들어 항공교통 관제탑, 수하물 찾는 곳, 활주로에서의 시간성들이 이 대화를 가능하게 만든다. 공항은 상품, 돈, 사람, 정보의 빠른 흐름을 유지하는 글로벌 자본의 구체적인 인프라로서 정치적이고 경제적인 중요성을 지닌다. 그러나 공항의 중요성은 공공공간으로서 제 역할을 하느냐, 속도의 공간으로서 어떻게 작동하느냐보다는, 더 큰 범주인 생명관리정치적 시간경제 안에서 서로 다른 시간성들을 배치하고 이동시키는 그 메커니즘에서 찾아야 한다.

공항에서 사람들은 시간과의 아주 불균등한 관계 속에서 대기하고, 서비스를 제공하고, 잠들고, 서둘러 이동하고, 노동한다. 매 순간 새로운 방문객, 주민, 시민, 노동자, 거주민들이 여러 비행에서 쏟아져 나와 서로 다른 상황에 맞닥뜨린다. 여행자들은 검색대를 지나간다. 이민자들과 비자 소지자들은 사회경제적 지위와 지정학적 맥락의 결합이 만들어 낸 속도로 출입국관리소를 통과한다. 공항 서비스 인력에는 수하물 담당자, 택시 기사, 청소부, 구두닦이, 가게 점원, 종업원, 버스 기사, 주차 도우미, 미용사 외에도 시차 적응을 위한 식이요법 교육을 받은 영양사와 수면 부족 극복을 도와주는 침술사도 포함된다.

시간에 집착하는 문화에서, 공항은 글로벌 자본의 가장 가치 있는 주체, 즉 자주 여행하는 비즈니스 출장자의 재생산과 유지보수를 돕는 귀중한 접속 지점이다.[6] 현대 국제공항에 도착한 비즈니스 여행자는 시간 향상과 보호에 초점을 둔 기술, 물품, 프로그램, 노동력 등의 다양한 인프라를 만난다. '속도를 유지하라'는 담론은 그 여행자가 일하는 회사에, 그가 쓰는 모바일 기술 기기의 광고에, 그가 읽는 비즈니스 관련 글에도 널리 퍼져 있다. 속도 향상은 공항 라운지, 호텔, 사무실, 공중에서 여행객을 맞이하는 정교한 시간 지원 체계가 계속 확인시켜 주는 시간 인식이다. 속도라는 이데올로기적 신념은 한편으로는 여행자들의 속도를 유지시키는 시간 인프라가 눈에 띄지 않게 하고, 다른 한편으로는 글로벌 자본의 목표에 부합하는 길을 따라가게 한다.

출장을 자주 떠나는 사람들은 글로벌 자본주의 아래의 피로한 노동인구 중에서도 가장 큰 시간적 가치를 지닌다. 세계가 점점 빨라지고 있다고 느끼는 비즈니스 여행자는 자신들의 삶과 노동이 일반적인 시간 바깥에서 이루어지는 것처럼 표현한다. 나는 세 가지 대표적인 사례를 검토하면서, 이들이 생명관리정치적 시간경제 안에서 차지하는 위치와, 속도 향상에 대한 그들의 인식 간 관계에 주목하게 되었다. 비즈니스 여행자들이 삶의 속도 증가를 확고하게 믿고 있다는 사실은 빠르게 움직이는 세계라는 새로운 현실을 가리킨다기보다는, 생명관리정치적 시간경제 내에서 그들이 놓인 위치를 드러낸다. 애틀랜타 공항에서 만난 사람이 액체 인간이고 싶어 한 것도 놀랄 만한 일은 아니다. 현대 공항에서 액체 형태로 나타나는 자신의 특권을 마음껏 휘두르는 일은 즐거울 수밖에 없다. 속도의 세계를 비판 없이 받아들이는 액체 인간은 자기를 위해 특별히 고안된 시간 아키텍처가 자신을 유동적인 존재로 만들면서 빠르게 운반하고 안내하고 있다는 사실을 깨닫지 못한다.

세 가지 사례: 자주 여행하는 사람들

클레어

클레어는 다 자란 자녀들을 둔 50대 중반의 독립 컨설턴트이다. 우리가 만난 곳은 그녀가 출장하지 않을 때 사용하는 토론토의 홈 오피스였다. 클레어는 10년 동안 매주 출장을 다녔고, 지금은 보통 한 달에 한 번 정도 여행을 한다. 우리가 만난 날, 그녀는 토론토의 주요 신문 중 하나에 실릴 글을 쓰다가 잠깐 쉬던 참이었다. 그 글의 주제는 '시간에 쫓기는 직장인의 시간관리와 균형 잡기'였다.

심리학을 전공한 클레어는 비즈니스 심리학을 전문으로 하는 컨설턴트로, 특히 "다이어트, 건강, 배우자 문제, 생활 계획, 시간관리 등 일과 관련된 가정 문제가 잘 해결되도록" 돕는 일을 한다. 클레어는 자기 직업이 "회사를 운영하는 사람들의 '정서지능emotional intelligence'을 향상시키는 현장 심리학자"라면서, "시간을 너무 많이 잡아먹는 기능장애 행동을 없애서 사람들이 스스로에게 만족하도록" 돕는다고 설명했다. 그녀는 "생산주기 단축"에 따라 증가한 수요를 따라잡도록 사람들의 감정을 관리한다. 속도가 빨라지면서, "요즘은 어떤 태도를 취하고 어떻게 자기 위치를 잡아야 하는지를 고민할 시간이 거의 없다." 클레어는 "정서지능"이 특정한 근무 환경과 특수한 유형의 노동자가 시간을 효율적으로 쓰도록 해 주는 것이라고 했다.

(비생산적인 감정에 집중하면) 아까운 시간을 낭비하게 됩니다. 하루의 30~40퍼센트를 잃게 되지요. 얼마 남지 않은 시간을 놓쳐 버립니다. 무언가를 해내야 할 때 시간이 부족하면 안 되니까, (고객이) 목소리와 자신감을 찾을 수 있도록 도와야 합니다. 정서지능은 일하는 모든 사람에게 필요한 기술이 아니라, 자기 일에서 추구할 목표가 있는 사람들에게 필요한 기술입니다.

중간관리직에 있는 이들부터 다양한 북미 회사의 CEO들까지도 클레어를 찾는다. 최근에는 서유럽과 남아시아로 발을 넓혔다. "정서지능으로 세계를 향해 나아가고" 있다는 것이다. 내가 방문했을 때, 클레어는 콜센터 회사의 초청을 받아 인도에 막 다녀왔다. "콜센터에 갔을 때는 지식관리나 시간관리를 하지 않았습니다. 3천여 명의 콜센터 직원들은 돈 때문에 일하니까, 그런 것이 굳이 필요하지 않습니다." 시간관리는 시간을 질적으로 사용해야 하는 사람들, 생산력이 임금에 상응하는 시간 단위로 측정되지 않는 노동자들에게 필요한 것이다. 이 미묘한 언급은 차등적인 생명관리정치적 시간경제가 어떻게 작동하는지를 정확하게 보여 준다. 일부 노동력 인구에게는 노동시간이 그 시간 동안의 생산력만이 아니라 질적인 차원에서 이해되어야 한다. 여유로운 시간quality time은 시간이 시간당 임금으로 환산되지 않는 이들에게만 존재한다.

클레어는 "하루를 어떻게 규정하느냐에 따라서 일주일에 8일" 일한다. 출장을 떠났을 때, 클레어의 하루는 새벽 4시 30분에 시작해서 저녁 식사 후에 끝나기도 한다. "계속 일하는 시간이죠." 클레어는 업무차 여행을 가지 않을 때에 자기 시간을 더 잘 조절한다고 느낀다. "전 왔다갔다하는 편이에요. 내가 하는 일의 리듬은 잘 알죠. 가끔 생각하기 싫을 때도 있어요. 그럴 때는 에라 모르겠다 하고 놀아요. 하지만 그렇지 않을 때는 엉덩이를 붙이고 앉아 일에 몰두합니다." 클레어는 "자기 한계를 아는 것이 정서지능의 일부"라고 말한다. 그녀는 비록 "다른 사람들을 위해서" 시간관리 사업을 하고 있지만, 자기도 여전히 균형 잡기가 필요하다고 농담을 던졌다.

대릴

50대 중반이며 두 아이의 아버지인 대릴에게 일과 삶의 균형은 풀리지 않는 숙제다. 첨단 기술회사의 인사 부문 임원인 대릴은 "퇴직할 때까지 일과 삶의 분리는 어려울 것 같다"고 했다. "저는 하루 24시간, 일주일에 7일간 업무 생각을 합니다." 대릴은 솔직하게 "마음이 편하지 않다"고 인정한다. 그러나 그렇게 하지 않으면 "중간 소득"에 그치고, 빚이 쌓이면서 미래의 자유를 잃을지도 모른다. 대릴은 주간 경제잡지 《톡식 워크플레이스toxic workplace》를 인용하면서

"우리가 믿는 모든 가치, 사람들이 일하는 방식은 일에서 만족을 느끼기 어렵게 만듭니다. 가장 높은 자리에 오른 경우는 빼고요"라고 했다. 대릴은 기업의 퇴직이나 시간관리 담론을 아주 잘 알고 있다. "직원들의 시간"을 더 잘 관리하고 "변화하는 기술 환경 요구를 만족"시키도록 관리자들을 교육하는 워크숍 운영은 그의 업무에서 중요한 부분이다. 그는 세계 여러 곳에 있는 회사 사무실을 드나들며 "효율적인 시간관리를 표준화"하는 일을 맡고 있다. 퇴직과 미래 목표에 관해 직원들과 상담하고 조언하는 것도 그의 몫이다.

나는 토론토에 있는 대릴의 집을 찾아갔다. 그는 얼마 전에 두 자녀와 가까운 곳에서 살기 위해 이사했다. 대릴은 회사 휘장이 수놓인 골프 셔츠를 입고 나를 맞이했다. 그는 말레이시아, 홍콩, 캐나다의 여러 하이테크 회사에서 임원으로 일해 왔다. 20년 넘게, 그는 일 때문에 국내외를 돌아다녀야 했다. 1년 중 240일을 여행할 때도 있었다. 지난 3년 동안은 "2주에 한 번 정도, 아니면 해외로 나가야 할 때는 한 달에 한 번 정도"로 횟수를 줄였다. 아마도 그는 집보다 호텔, 공항 라운지, 공중에서 더 많은 시간을 보냈을 것이다.

최근 들어 대릴은 좀 더 편안하게 여행하는 방식을 택했다. 이제는 체인호텔 대신에 부티크호텔을 선택한다. 그는 유럽에서의 기차 여행을 좋아한다. 유명한 캐나다내셔널 철도 광고를 언급하면서 기차가 "훨씬 더 인간적인 여행 방식"이라고 했다. 그가 말하는 편안함은 어떤 비즈니스 관련 책에 써 있듯이, "인간적인 접촉high touch이 하이테크 세계에서 점점 늘어나고 있다"는 주장과 연결된다.[7] 그 말이 어떤 뜻이라고 생각하는지 물었을 때, 대릴은 "거래가 늘어나고 업무 환경이 테크놀로지 중심인 상황에서, 얼굴을 맞대고 더 개인적으로 만나는 것이 바로 인간적인 접촉"이라면서, "점점 빨라지는 정보 중심 세계에서 사람들이 인간적인 접촉을 잃어버린다"고 우려했다. 비즈니스 관련 책들을 많이 읽은 대릴은 대화를 나눈 몇 시간 동안 지난 30년간 직장문화를 덮쳐 온 여러 불안한 변화들을 언급했다. 대중매체를 통해 알려진 모든 글로벌 비즈니스 전략을 한눈에 꿰고 있는 사람이었다.

켄

켄도 테크놀로지와 너무 잦은 여행 때문에 직장 생활에서 인간성이 사라진다고 느끼는 사람이다. 그는 토론토 외곽에 위치한 대형 레저 리조트를 소유·운영하며, 기업들을 상대로 레저 컨설팅도 한다. 켄은 트리니다드 출신이고, 가족들이 예전에 거기에서 해변 리조트를 열었다. 관광산업에 관심이 많았던 켄은 경영학을 전공했고, 기업들의 야외 행사를 맡는 기업레저 전문 업체를 만들었다. 켄은 대릴과 비슷한 면이 있었다. "천천히 움직이고 여유를 갖기 위해" 가능한 한 버스와 열차를 이용하기로 결심했다. 그렇지만 유감스럽게도, 그는 공항에 가장 자주 가는 사람들 중 하나다. 켄은 언제나 블랙베리를 손에 쥐고 이어폰을 귀에 꽂고 있다. "잠잘 때 빼고는 항상 제 몸에 붙어 있죠." 나는 켄이 컨벤션 때문에 토론토로 왔을 때 그를 만났다. 켄은 두 시간 동안 이어폰을 낀 채로 나와 이야기를 나

넜다. 파란불이 깜박거리자 켄은 주머니에서 단말기를 꺼내 발신자를 확인하고 보이스메일을 보내는 버튼을 눌렀다. 그는 자기가 속한 세계에서 "대면 대화가 갈수록 줄어든다"고 했다. "느린 비즈니스 여행"은 생산적이면서 긴장도 풀려 일거양득이다. 그는 버스나 기차처럼 제한된 공간을 좋아한다. 그렇게 되면 "서두르지 않게 되고", "경치를 즐기면서 사람들고 어울릴 수가 있다". 여행하는 시간은 "켄의 시간"이다.

켄의 출장은 일정하지 않다. 적어도 두 달에 한 번은 일주일 정도 떠나 있고, 매달 열흘 정도는 자신을 위해, 또 사업을 위해 "새로운 수요"를 찾아 돌아다닐 때가 많다. 그는 자기가 놓인 아이러니한 상황을 잘 알고 있다. 그는 여행 컨벤션에 참석하거나 기업 여행문화와 관련된 접객·관광산업 컨설팅을 하려고 여행을 한다. 그가 컨설팅하는 회사들은 직원들이 휴가를 보내는 방식에 관심이 많다. "직장에서는 직원들이 휴가를 어떻게 쓰는지 궁금해합니다." 켄은 "여행·관광산업과 연계하는 기업이 많다는 사실"에 놀라는 사람들이 많다고 했다. 그는 기업의 시간관리와 직원 휴식에 대해 조언한다. 켄이 주최하는 트레이닝 워크샵은 아주 흥미롭다. 휴식을 극대화하는 휴가 계획을 돕는 "레저 상담가"를 양성하는 프로그램이다. 레저 상담가들은 회사에 고용되어 직원들과 상담한다. 클레어와 대릴처럼, 켄은 자기 일과 삶의 균형을 유지하려고 노력하면서 다른 이들의 균형 유지를 돕는 사업을 하고 있다.

다른 두 사람이 비즈니스 관련 글을 대릴만큼 많이 읽은 것은 아니겠지만, 비즈니스 출장을 자주 다니는 세 사람 모두 현대적 상황을 거의 비슷한 개념으로 표현한다. 일과 삶의 균형, 인간적인 여행, 정서지능, 시간 극대화, 그중에서도 가장 중요한 삶의 속도 증가 등이다. 게다가 이들은 레저 상담가, 조기은퇴 상담, 시간절약을 내세운 정서관리, 기업 휴가 컨설팅처럼 이 개념들과 직결되는 일을 한다. 이들에게 속도 향상은 개인적인 노력으로 따라잡아야 하는 경제 조건이다. 그러나 이들 자신은 시장과 기업의 투자를 받는 일종의 상품이다. 매우 열심히 일하고 있지만, 속도의 세계는 이들의 노력만으로 유지되는 것이 아니다. 시간관리의 시간 인프라가 이들을 이끌고 있기 때문이다.

질주하는 로드 워리어

1990년대 후반 들어, 출장을 자주 떠나는 이들을 가리키는 새로운 용어인 '로드 워리어Road warrior'가 비즈니스 관련 책자에 등장했다. 시간관리와 삶의 의미 찾기를 결합시켜 준다는 광고를 내세운 로드 워리어 생존 가이드북들이 베스트셀러에 올랐다. 여성 전용 가이드북들은 여성 로드 워리어가 자기만의 여행 스타일을 찾도록 해 주겠다는 원대한 목표를 내세웠다. 공항 패션에 어울리는 옷과 신발을 어디서 구입해야 하는지를 알려 주는 패션 가이드북도 나왔다. 2001년에는 금속탐지기 통과가 가능하다는 사실을 강조하는 '비행

브래지어'가 출시되었다.[8] 기독교 로드 워리어 가이드북은 "집을 떠나 있을 때 신앙과 인간관계, 고결함을 지키는 방법"을 강조했다.[9] 배우자의 사진을 지니고 다니고, 통화 일정을 엄격하게 지키며, 사업 파트너로는 동성을 정하고, 유혹에 빠지지 않도록 성인 채널을 차단하는 등 한눈팔지 않는 방법을 알려 주는 책이었다. 《로드 워리어의 길The Way of the Road Warrior》은 "수많은 사람들이 여행길에서 깨달은 사업과 삶에서의 교훈"을 제공했다.[10] 로드 워리어라는 용어는 문화적인 중요성을 잃지 않았다. 목적지가 어디든지 간에 우리는 온라인에서 실시간으로 엄청난 양의 로드 워리어 정보를 접할 수가 있다.[11] 시간 인프라의 지도map 역할을 하는 온라인 가이드는 시간 관리 아키텍처의 핵심을 이룬다.

공항에서 만난 사람이 자기 존재를 액체 인간이라고 말하는 것처럼, 자주 출장을 떠나는 이 세 명에게는 로드 워리어가 정체성의 표상이다. 대릴은 로드 워리어란 항상 이동 중이고, 네트워크에 상시 접속 상태이며, 어디서든 사업을 할 준비가 되어 있는 사람을 뜻한다고 알려 주었다. 로드 워리어는 테크놀로지 상식을 갖추고, 시간 관리를 도와줄 최신의, 가장 작은, 가장 빠른 개인용 기기를 알고 있으며, 목적지의 문화, 정치, 가치가 무엇인지 미리 살핀다는 특징이 있다. "비즈니스 여행 중에 균형을 잡으려면 자기의 필요에 맞는 올바른 선택을 해야 합니다. 여행하기 좋은 때가 언제인지, 본인에게 가장 편안한 장소가 어떤 곳인지를 알아야 해요. 자기의 생체리듬도 파악해야 하고, 자기 문제를 스스로 해결해야 합니다. 로드 워리어가 되어야 한다는 뜻이에요." 대릴은 자기 진단이 중요하다고 했다. "광고에 나오는 테크 전문가를 떠올려 보세요. 공항에 앉아 있지만 모든 것을 다 가진 사람입니다. 아마 몇 년 동안 비서도 두지 않았을 겁니다. 스스로 일을 해결하는 사람이니까요. 그런 사람들은 비서를 두지 않습니다. 로드 워리어 부문에 제가 나선다면 10점 만점에 8점 정도 받겠네요. 저에게도 비서가 필요 없으니까요." 대릴은 로드 워리어라면 비행기나 기차가 늦거나 호텔 객실을 업그레이드해야 할 경우를 대비해 시간절약 전략을 세워 둬야 한다고 했다. 대릴은 로드 워리어 책들이 강조하는 바에 동의한다. 로드 워리어는 자기 신체의 한계를 알아야 한다. 식사, 수면 패턴, 특수한 약물처럼 시차 적응에 필요한 조건들도 잘 파악하고 있어야 한다. 여행에 앞서서 모든 준비를 마치고 적절하게 관리해야 한다. 캐서린 아메체Katherine Ameche의 《여성 로드 워리어The Woman Road Warrior》는 기술적인 노하우보다는 몸의 편안함과 안전을 중시한다. 시간관리에는 젠더적인 뉘앙스가 짙다.[12] 클레어는 신체 사이클에 따라 조직적으로 구성된 자신의 여행 계획을 예로 들어 중요한 세부 사항들을 알려 준다. 최근에는 갱년기를 겪으면서 미리 계획을 세우기가 어려워졌다고도 했다. 어떤 여성들은 비즈니스 여행 때문에 "생리를 통제하거나 건너뛰어야" 한다.[13]

잦은 출장을 떠나는 이 세 명과 일상생활에서의 속도 인식을 두고 이야기를 나눠 보니 세 사람이 공유하는 생각이 드러났다. 바로 가속은 우리 삶의 현실이라는 것이다. 이들은 속도 향상이라는 주제에 반사적으로 반응했다. "물론 세계는 더 빨라지고 있습니다"(대릴), "생산주기가 더 빨리 돌아가고 있으니 우리도 빠르게 움직여야 합니다"(클레어), "인간은 속도를 높여야 번영합니다"(켄). 로드 워리어들에게 속도는 일상생활 속의 당연한 현실을 넘어 노동의 일부이며, 더 빠르게 움직이기를 요구하는 비즈니스 세계에서 부여받은 과제이다. 비즈니스 여행자들에게 시공간 압축이나 자본주의 생산주기와 같은 말은 추상적인 학술용어도 포스트모던 전문용어도 아니다. 민간 영역에서 일하는 사람들과의 대화에서 이런 말들이 자주 등장하는 것도 내게는 흥미로운 경험이었다.

속도는 이 사람들의 성공을 떠받치는 기반이다. "모든 것이 빨라지고 있다"는 말에 대한 생각을 들려달라고 하자, 세 사람은 즉시 그것이 자신들의 커리어에 어떤 영향이 미칠지를 이야기했다. 이들에게 속도는 삶의 진행에 불과한 것이 아니라, 자신들이 항상 장악하고 있어야 하는 가능성이다. 속도는 그들이 하는 일과 관계 깊다. 속도는 언제나 그들에게 아른거린다. 자기 시간을 장악하고 있다면, 결과를 두려워할 필요가 없을 것이다. 그들의 노동과 라이프스타일에서 시간 통제는 매우 중요하다. 이들이 하는 일의 대부분은 삶의 속도 유지라는 맥락에서 이해 가능하다. 다른 사람들에게 "속도를 따라잡으라"고 요구하는 것도 그들이 하는 일의 일부이다.

클레어는 "건강하고 효율적인 방법으로 해야 할 일을 빨리 해내게 하는", "정서지능"이 사람들에게 필요한 이유가 더 빨라진 생산주기 때문이라고 생각한다. 그녀는 빠른 기업문화의 새로운 정서적 욕구에 초점을 두고 컨설팅을 한다. 대릴은 세계가 아직 충분히 빠르지 않다고 생각한다. "기술 덕분에 더 짧은 시간 내에 더 많이, 더 빠르게 접속하게 됐어요." 데릴에게 속도는 "현대 생활의 조건"이다. 따라서 그는 "모든 것이 연결되어 있기 때문에 회사의 다양한 글로벌 구성원들이 속도를 따라잡도록" 신경을 쓴다. 속도는 대릴이 하는 인적자원 관리에서 주의를 기울이고 부응해야 하는 대상이다. 대릴은 전 세계 기업들을 비교하면서 자기 회사가 이들 기업을 사들이고 있다고 말한다. "이 기업들은 살아남지 못할 겁니다. 자본이 부족해요. 비서들을 시켜서 우리와 약속을 잡지만 미팅을 했을 때는 이미 너무 늦었습니다. 결정이 내려졌고 그들은 졌습니다." 켄은 "어떻게 쉬어야 할지 모르는 피로한 휴가자들"이야말로 속도사회의 증거라고 본다. 그에게 속도는 현대 생활에서 피할 수 없는 것이다. "발달된 자본주의사회에서 산다면 어디서나 그렇게 살아갈 겁니다. 내겐 행운이죠, 휴가가 필요한 피곤한 사람들이 항상 있을 테니까요!"

  시간에 대한 개인적인 느낌을 말해 달라고 하자, 자주 출장을 가는 이 사람들은 모두 균형이 맞지 않는다는 느낌과 속도를 연관시켰다. 달리 말하자면, 속도문화 속에서 효과적으로 살아가는 것과 일과 삶의 균형은 거의 같은 일로 취급되었다. 불균형과 시간 부족은 이들의 일상생활에서 불안을 불러오는 주요 원인이다. 클레어는 "대부분의 사람들은 누가 옆에서 돕지 않으면 제대로 균형을 잡지 못한다"고 했다. "사람들은 속도를 줄여야 합니다. 제 친구 중 한 명이 저를 가만히 바라보면서 숨을 좀 쉬라고 하더군요. 그제서야 내가 숨쉴 틈 없이 일한다는 걸 깨달았습니다. 우리는 스스로 속도를 늦추도록 애써야 합니다." 이번에는 데릴에게, "시간은 돈이다"라는 표현을 어떻게 생각하는지를 물었다.

시간은 달러나 센트 같은 돈이 아닙니다. 목표 달성을 위해 조직되어야 하는 것에 가깝습니다. 전 목표지향적인 사람입니다. 일과 삶의 균형이라는 차원에서는 아주 잘 조직되어 있지 않겠지만, 그래도 저는 아주 성과지향적인 사람입니다. 그래서 저는 시간을 소중하게 여기고 최대한 활용하려고 합니다. 게다가 모든 것이 빨라지고 있으니까요. 그렇지만 결론적으로, 그건 어떻게 쉬어야 할지를 제가 잘 모른다는 뜻이기도 하네요.

대릴의 결론은 속도 담론의 힘이 자본주의적 재생산을 돕는다는 사실을 깨닫게 한다. 비즈니스 여행자들은 속도가 지금 이 순간을 규정하게 하는 특징이라고 믿는다. 자기 존재를, 너무나 피곤한 나날들을 정당화해 주기 때문이다. 그들은 빈곤한 노동자도 아니고, 먹고 살기 위해 일하는 것도 아니다. 인터뷰를 하면서도 자신들이 일할 필요가 없다는 것을 어떤 식으로든 암시했다. 클레어는 "난 일하지 않는 법을 몰라요"라고 했고, 켄은 "다 관둘 수도 있지만, 난 한창 일을 벌이고 있고, 밖에서 일하는 게 좋습니다"라고 했다.

하지만 그들은 속도 담론 안에 머무는 만큼이나 바깥도 경험한다. 출장을 자주 가는 사람들은 예외적인 시간이 닥쳐 오는 느낌을 이야기했다. 그들이 말하는 시간은 다른 사람들의 시간과는 상당히 다르다. 정상적인 하루의 기준을 벗어났을 때의 느낌이다. 클레어, 켄, 대릴은 시간과 장소 감각을 자주 잃어버린다. 대릴은 잠에서 깨어나 어디에 있는지, 며칠인지, 낮인지 밤인지 전혀 생각나지 않는 경험을 여러 번 했다. "모든 빛을 차단시켜 주는 새로운 객실에 묵었을 때는 잠을 깨서 프런트 데스크에 전화할 뻔했어요. 일종의 패닉이죠. 이상한 느낌입니다. 외로웠죠." 《글로벌 소울Global Soul》의 저자인 피코 아이어Pico Iyer는 이렇게 썼다. "모든 선량한 영혼이 침대에 누워 있는 새벽 4시에 호텔 복도를 따라 걸으면 망명자나 탈주자가 된 느낌이 든다. 모든 사람이 일하러 나갈 때, 나는 하품을 한다."[14] 이 모든 혼란을 잠재워 주는 곳이 공항 라운지다. 대릴은 집과 멀리 떨어진 공항 라운지에서 집을 만난다.

비즈니스 라운지에 들어서면 퍼스트 클래스 승객과 비즈니스 클래스 승객은 다른 쪽으로 안내받아요. 퍼스트 클래스는 일류 호텔 같습니다. 티켓을 보여 주면 통과할 수 있는 문이 따로 있어요. 안내를 받아 수하물 체크를 받고 나면 따뜻한 수건을 가져다 줍니다. 가죽 의자에 앉아 무료로 샴페인과 따뜻한 음식, 그 밖의 일급 서비스를 즐길 수가 있어요. 정말 집에 온 것 같지요.

비즈니스 여행객들이 소외감을 느낄 때 공항은 편안한 공간을 제공하면서 제2의 집 역할을 한다. 대릴의 말을 빌리자면, 하이테크 세계는 점점 더 인간적인 접촉에, 즉 하이터치high-touch 해결책에 기댄다. 비즈니스 여행자들이 아무리 시간 문제에 시달리더라도, 이들은 글로벌 자본의 시간적 요구 안에 확고하게 자리잡고 있다. 로드 워리어들은 엄청난 가치를 지닌 사람들이며 그들의 노동력은 쉽게 대체되기 어렵다. 여행 중인 사업가들을 대체할 예비 노동력이 들어갈 자리가 없는 이 경제구조에서는, 그 대신에, 이들의 몸에서 예비 노동력이 뽑혀 나와야 한다.

시차 부적응을 뛰어넘는 전사들

2005년 12월, 《뉴욕 타임스》는 비즈니스 여행객의 41퍼센트가 수면 시간이 부족하고, 29퍼센트는 잠을 잘 자지 못한다는 보도를 내놓았다.[15] 이 기사는 피로가 미치는 악영향보다는 비즈니스 여행자들이 피로를 경시한다는 사실에 주목했다. 인터뷰 대상자 중 한 명은 이렇게 말했다. "출장은 잠을 자러 간 것이 아니다. 비즈니스 미팅에 나가서 '가장 산뜻해 보이니 네가 최고'라고 말하는 사람은 없다. 고객들은 내가 멀쑥해 보이든 말든 상관하지 않는다. 그들은 내가, 아니면 우리 팀이 협상 테이블에 앉았을 때 그럴듯한 계획을 제시하는지에만 관심이 있다."[16]

글로벌 자본의 세계에서 그 가치의 담지자인 비즈니스 출장자의 시간은 생명관리정치적 규제의 중요한 대상이다. 따라서 군인과 다를 바 없는 출장자의 피곤한 몸은 지식 생산의 중요한 대상이다.[17] 수면 문제는 군대와 제약 회사, 양쪽에서 탐구 중인 과학 연구의 영역이다. 잠을 '수면 설계'라고 부르는 군 관계자는 "수면 의학에 조용한 혁명이 일어나고 있다"고 주장한다.[18] 시간생물학자Chronobiologist들은 "우리는 깨어 있는 동안 기대하는 바를 성취할 수 있는 시간이 충분하지 않은, 시간적 기근 속에서 살고 있다"고 말한다.[19] 피로한 노동자들의 생산능력에 관한 연구가 쌓여 간다. 수면 전문가들과 의학자들은 교대근무, 장거리 운전, 시차 적응, 우주여행에 신체가 어떻게 반응하는지를 조사하고 있다. 비즈니스 여행은 의학적인 검사, 기업체 조사, 수면 연구 등의 시간관리 실험에서 중심적인 연구 대상이다. 시드니의 울콕 의학연구소는 천만 달러 규모의 연구를 진행하면서 시간격리연구동을 세웠다. 외부의 햇빛, 소음까지도 완전히 차단된 상태에서 격리 생활을 하는 백여 명의 실험 대상자들이 2009년 2월에 입주했다.[20] 격리실은 호텔방과 비슷하지만 지원자들은 24시간 모니터링된다.

1970년대 들어 보건 전문가와 기자들은 국제공항의 의료 문제를 지적했다. 열악한 항공 여행 환경 속에서 멀리 떨어진 타국으로 비행하는 몸은 연약하고 허약했다. 건강에 적신호가 켜졌다. 70년대에 승무원으로 일했던 다이애나 페어차일드는 시차 부적응 문제 해결을 위한 활동가가 되어 비행기 승무원, 조종사, 시민들을 위해 투쟁했다. 그녀는 항공 여행의 위험성을 철저하게 조사했다. 시간대, 자기장, 기후의 변화, 그리고 다양한 문화도 위험 요소였다. 승객들은 산소와 수분 부족에 시달리고, 세균, 화학물질, 방사선, 살충제, 소음, 탈수증에 노출된다.[21] 시차 부적응은 탈수, 심정맥 혈전, 심혈관·순환기 장애, 불면증, 두통, 경련, 메스꺼움 등의 증상을 낳는다.

1970년대의 여행 가이드, 여행 정보 칼럼, 병원과 여행사에 비치된 안내 책자에는 체온조절, 수분 유지, 좌석 선택, 이착륙 시 호흡, 피해야 할 음식 종류, 비행 전후에 몇 시간 동안 햇빛을 쬐어야 하는지 등의 정보가 가득했다. 자기 배려에 필요한 기술들이었던 셈이다. 푸코는 《자기 배려Le souci de soi》에서 이렇게 서술한다.

> 개인과 그 주변 환경 사이에는 완전한 연결망이 존재한다는 생각이 나타났다. 어떤 기질, 어떤 사건, 어떤 사물의 변화가 신체에 병적인 영향을 미친다. 체질이 약한 신체는 좋거나 나쁜 환경의 영향을 받는다. 따라서 신체를 둘러싼 환경은 세밀한 부분까지 계속 문제시되었고, 신체는 그 주변 환경에 좌우되는 취약한 존재로 보였다.[22]

그러나 시차 부적응이 의학적으로 특수한 문제가 아니라 빠른 시대에 일하고 살아갈 때의 일반적인 조건으로 받아들여지면서, 이런 담론은 지난 10여 년 동안 크게 바뀌었다.

오늘날에는 공중에서 보내는 시간을 이야기할 때 시차 부적응이 거의 언급되지 않는다. 사회경제적 인구통계학에서는 시차 문제가 현대 생활의 빠른 템포가 낳은 부산물일 따름이다.[23] 시차 적응은 새로운 '생활 문제'다. 한때 의료계에서 '동기화 장애desynchronosis'라고 부른 만성 시차 부적응 문제는 이제 글로벌경제 속에서 가치 있는 존재로 살아가다 보면 만나는 우연한 부작용이다. 만성적인 시차 부적응은 주로 탑승 지점 동쪽으로 비행할 때 발생하는 의학적 질병을 뜻했지만, 지금은 비즈니스 관광 종사자들이 사회적 시차social jet lag라고 부르는 일반적인 사회현상이 되었다. 웨스틴 호텔 앤 리조트의 부사장은 시카고 웨스틴 리버 노스에 꾸며 놓은 시차 적응 컨셉의 방을 이렇게 홍보했다. "이 방은 로드 워리어들뿐 아니라 '사회적 시차' 문제를 겪고 있는 이들에게도 유용하다. 믿을 수 없을 정도로 바쁜 우리의 삶은 몸의 자연스러운 리듬을 방해하고 무기력, 어지러움, 불면증, 두통처럼 광범위한 증상들을 야기한다."[24] 사회적 시차라는 용어는 영원히 멈추지 못하고 계속 이동해야 하는 고통스러운 세계에서 살 때 나타나는 신체적·사회적 결과를 의미한다. 이 말은 생물학적 삶과 라이프스타일을 모두 가리킨다. 시차 적응 방이 있다는 것은 사회적으로 겪는 시차 문제가 일종의 유행이기도 하다는 점을 알려 준다.

시차 적응 문제의 초점이 의학적 차원의 질환에서 사회적 차원의 시차적 신체로 옮겨 가면서 신체와 환경 사이의 관계를 이해하는 방식에 변화가 일어난다. 한때 위험한 환경의 위협을 받는 나약하고 연약한 존재였던 신체는 적절한 기술적 관리를 받으면 무한한 가능성을 지닌 힘을 얻는다. 이제 신체는 변화에 적응하는 능력에 좌우되지 않는다. 올바른 시간 통제 프로그램을 구성하면 더 오래 노동하게 만들 수 있다. 시간은 이 과정에서 필수적이다. 그러나 이때의 시간은 마르크스주의적 비판에서 말하는 사회적 필요 노동 시간socially necessary labor time의 문제가 아니며, 과학적 경영scientific management에서 말하는 교체 시간turnover time의 문제도 아니다. 노동 시간의 질적인 면이 강조되는 시간이다. 신체의 노동시간에는 예측 가능한 한계가 없다.

테크놀로지로 관리받는 신체의 생산적 시간성이 갖는 무한한 잠재력은 군대와 제약 회사의 협력으로 만들어진 수면 기술에서 가장 뚜렷하게 나타난다. 수면 관련 테크놀로지는 피로를 다루는 프로그램이나 상품을 능가했다. 잠의 제거가 그 궁극적인 목표이다. 예를 들어, 모다피닐은 지속적인 군사작전을 위해 개발된 약이다.[25] 군에서는 '잠 깨는 알약'이라고 불리는 이 약은 지난 15년 동안 기면증 환자들에게도 처방되었다. 그러나 사회적으로 더 적절한 용어는 각성 촉진제일 것이다. 2001년 미국인은 모다피닐 구입에 1억 5천만 달러를 썼다.[26] 기면증 환자나 군인은 사실 모다피닐 판매량의 4분의 1만을 소비했다. 젊은 사업가나 마감에 쫓기는 기자들이 이 약을 많이 썼다. '수면을 절반으로 줄이고' 48시간 동안 깨어 있을 수 있게 하는

＊ 최근의 노동 통제는 노동시간의 질과 노동의 성과를 중시하는데, 이는 신체의 노동력을 극한으로 이끌어 내는 의학적 수단과 밀접한 관계가 있다는 주장이다. 마르크스의 노동시간 working day은 노동을 시간 단위로 계측하는 것이다. 또한 효율적 노동을 중시하는 테일러의 과학적 경영Taylorism에서 노동자는 교체 시간이 지나면 갈아끼워야 하는 부품에 가깝다. 그러나 테크놀로지로 강화된 신체는 스스로 노동시간을 조절하며 질적 향상을 이루는 주체임을 자임하면서 자본주의적 주체로 자리매김한다.

모다피닐은 현재 FDA의 광범위한 사용 허가를 기다리고 있다. 국방부 산하 군사기술연구기관인 다르파DARPA는 "신진대사가 우월한 병사"를 만들어 낼 방법을 찾고 있다. 24시간, 7일 연속으로 전투를 치를 수 있는 전사를 창조하는 프로젝트도 현재 추진 중이다. 군에 신기술을 도입하는 역할을 맡은 다르파의 국방과학실은 "높은 수준의 개인 인지능력과 신체 능력을 유지하면서 수면 욕구를 제거하면 전장에 근본적인 변화를 가져올 것"이라고 내다본다.[27] 기업이라는 전쟁터에서도 아군 전사들에게 유사한 기대를 품고 있다.

모다피닐을 둘러싼 담론은 시간관리 방식을 바꾸고 신체의 한계를 확장하는 특정한 생활 방식과 행동 규제를 보여 준다. 푸코의 말처럼 의학은 개입이나 치료만이 아니다. "의학은 삶의 방식을, 자기 자신, 몸, 깨어남과 잠듦에 대한, 다양한 활동과 환경에 대한 성찰 방법을 지식과 규칙의 총체라는 형태로 정의했다."[28] 모다피닐은 복용자가 일할 때만 효과를 낸다는 점에서 그 자본주의적 잠재력을 십분 발휘한다.《뉴 사이언티스트The New Scientist》가 '24시간 생활의 준비'라는 기사에서 인터뷰한 실험 대상자에 따르면 "더 각성하게 하거나 덜 졸리게 하는 약은 아니었다. 그저 피곤하다는 생각이 들지 않을 뿐이었다. 당장 해야 할 일이 있으면 집중하는 데 도움을 준다. 영화를 보거나 딴짓을 할 때는 효과가 없다."[29] 기사는 이렇게 마무리된다. "우리는 24시간 사회로 향하는 길을 한참이나 걸어왔다. 돌아가기에는 이미 늦었다. 수백만의 사람들에게 숙면과 생산적인 낮은 이미 사라졌고, 야간 근무나 야간 생활이 현실이며, '자극제–진정제' 루프는 너무나 익숙하다."[30] 야간 활동이 증가하고 야간 생산이 일반화되면서 과로와 과소비가 늘어났다. 비즈니스 여행자는 수면 대신에 군사 전술, 스파 서비스, 알약, 테크 기기, 상품 등이 정교하게 뒤섞인 환경을 제공받는다. 피곤은 노동의 필수 조건이며 비생산적인 것은 선택지에 없다. 시간 인프라 속에서 신체의 업무 능력에 한계를 설정하기는 어렵다. 시차에 시달리고 시간대를 뛰어넘는 사람들은 시간관리 아키텍처에 초대받는다. 이 아키텍처는 생리학적 능력과 시간 이데올로기의 요구를 조화시키도록 설계되었다.

휴식을 위한 시간 아키텍처

현대 공항에는 공공장소의 망령이 출몰한다. 가로등, 벽화, 공원 벤치가 있는 마을 광장의 시뮬라크라simulacra〔복제품〕가 국제공항의 홀과 게이트를 채운다. 파리 샤를 드골 공항에서는 출발장 곳곳에 크롬 벤치, 가스등, 그래피티가 그려진 모형 광장이 있다. 노스캐롤라이나 샬럿 더글러스 공항 터미널에는 남부의 친절한 현관문화를 의미하는 하얀 흔들의자가 곳곳에 널려 있다. 암스테르담 스히폴 공항에서는 공항에서 쉴 곳을 찾는 노숙자들을 일부러 내버려 둔다.[31] 공항을 도시의 나머지 지역과 구분되는 곳이 아니라 시민 생활의 중심 공간으로 여겨야 한다고 도시계획자들이 시 당국에 여러 차례 강조했기 때문이다. 여러 면에서 볼 때, 공항의 공공공간 실내장식은 여러 미덕을 지닌 신성한 공간이 이제 줄어들었다는 불안감을 보여 주는 한편, 공항이 비록 민영화되고 배타적인 공간이지만 여전히 다른 곳보다 더 공공성을 지닌 장소라는 사실을 반영한다.

가짜 공공장소들은 일시적인 공동체를 약속하면서 사람들을 끌어들인다. "같은 공간에 모인 이방인들이여, 대기하는 동안, 즉석 공공장소를 제공하겠소." 활발한 공공성을 암시하는 이 설치물들이 연결성을 잃어버린 세계 속에서 서로의 인간성을 깨닫고 만나게 하는 것일지, 아니면 오래전에 사라진 것들에 대한 향수를 느끼게 하는 신기한 물건에 불과한지는 단언하기 어렵다. 어느 쪽이든 이 시설들의 존재는 민주주의의 공간적 상상이 지니는 지속성, 즉 개방적이고 접근 가능한 공간의 필요성을 말해 준다. 여행객들과 공항 노동자들이 분주하게 시간을 보내는 동안, 거기에 놓인 민주주의의 공간적 표지들에 신경을 쓰는 사람은 거의 없다.

공항에는 시간관리에만 신경 쓰게 하는 환경인 공공공간 인테리어 말고도, 정교한 시간 인프라가 존재한다. 출장자가 글로벌 자본의 특정한 시간적 요구에 맞춰 재조정과 재배치를 받을 수 있도록 기술과 노동력이 투입된다. 공항의 시간 인프라는 생명관리정치적 시간경제에서 발생할지 모를 사고와 위험을 대비한다. 신체의 생산 능력을 향상·작동·변화시키는 재생산을 진행하고, 자본주의적 노동윤리의 리듬에 맞춰 대상의 시간 경험을 바꿔 놓는다. 시간 인프라는 고도로 구조화된 시간 경험을 유지하고 서로를 강화시키는 시간 개념들을 일반화한다. ① 시간관리는 개인의 책임이다. ② 시간에 맞추기 위해 더 열심히 일해야 한다. ③ 피곤하다는 것은 비생산적인 느린 사람이 하는 변명이다.

시간관리 기술은 서로 모순되지만 밀접한 관계가 있는 두 가지 속성을 지닌다. 첫째, 패트리샤 클라우Patricia Clough가 말한 '감성기술affective technologies'은 신체에서 유기체적–생리학적 제약 이상의 능력을 발휘하게 만드는 기술이다.[32] 둘째, 시간 인프라에는 전통적인 여성 노동이나 여성화된 노동과 큰 관계가 있는 돌봄이 포함된다. 시차 적응에 시달리는 몸을 흔들어 잠들게 하고, 등을 마사지하며, 아로마테라피 미스트를 뿌리고 부드러운 접촉을 하는 등 어머니가 아이를 돌보는 듯한 효과를 내는 기술이다(그림 3 참조). 아기를 달래는 여성적 형식이 속도의 남성적인 힘을 완화시킨다.[33] 시간관리의 개입은 특수 시트, 야간 조명, 목욕 루틴을 이용하여 가치 있는 대상을 친절하게 돌보는 한편, 시간의 질적 관리로 더 많은 노동시간을 이끌어 낸다. 생명권력은 무엇보다도 인간적인 접촉을 우선시한다. 시간 인프라는 요람처럼 작동하며, 그 궁극적인 형태는 제트기에 구현된다.

'시차 부적응을 물리치는 비행기', 보잉 787 드림라이너는 기내 압력을 낮추고 실내 습도를 조절해 시차 부적응을 일으키는 주요 요인을 제거했다고 한다(그림 4 참조).[34] 공기정화 시스템과 소음이 적은 엔진이 장착된 이 제트기에서 승객들은 방해받지 않고 수면을 취한다. 뉴욕과 두바이 사이를 오가는 에미레이트 항공의 A380에는 객실 안에서 목적지의 시간을 시뮬레이션하는 '시간대 전환' 기능

그림 3 브리티시 에어라인의 뉴 클럽 월드 크래들 시트New Club World Cradle Seat 광고.
(1996년 6월 10일. 《뉴요커》 4/5.)

그림 4 시차 적응을 위해 디자인된 보잉 드림라이너Boeing Dreamliner 내부. (http://newlantern.com/innovation-economy/boeings-dreamliner-is-no-longer-a-dream/)

이 있다.[35] 비행 중에, 객실 천장에는 푸른 밤하늘과 반짝이는 별들이 나타난다. 시간이 지나면 천장은 떠오르는 태양빛을 뿌린다. 에미레이트 항공은 개인 객실, 샤워, 마사지를 제공하는 "하늘 위의 호텔"이라는 점을 내세운다.

지상으로 눈길을 돌려 보자. 암스테르담의 호텔 오쿠라는 완벽한 맞춤형 시차 적응 프로그램을 제공한다. 호텔에서 보내는 시간은 '체류'가 아니라 '프로그램'이라고 불린다. 스스로 자기 역량을 극대화해야 한다는 신자유주의적 프로젝트이다.[36] 오쿠라 호텔의 프로그램에는 운동, 빛 테라피, 세심한 영양 공급으로 시차를 극복하는 식사 등이 포함되어 있다. 호텔 웹사이트는 "시차 효과를 줄일 적극적인 길을 택하세요"라고 광고한다. "여행으로 피곤하셨습니까? 하지만 다음 비즈니스 미팅에서 활약하는 스스로에게 놀라게 될 것입니다."[37]

스타우드 호텔 앤 리조트는 빠르게 내달려온 손님이 시차와 과로를 극복하게 도울 완전히 새로운 환경을 "시차 콘셉트 룸"에 꾸몄다. 스타우드와 필립스 조명은 포토테라피가 가능한 블루 라이트 룸을 만들었다. 또 다른 투자자인 리복은 운동 루틴과 장비를 설계했다. 호텔에서는 조명과 피트니스 외에도 열 겹으로 된 매트리스와 시트, 베개, 다양한 아로마테라피가 포함된 자체 침구 라인을 내놓았다. 유리창은 검게 변해서 낮을 밤으로 바꿔 준다. 책상 위에 있는 라이트 박스는 일하는 중에도 라이트 테라피를 진행시킨다. 샤워 중에는 샤워기 헤드에서 나오는 라벤더와 유칼립투스 아로마를 즐길 수 있다. 이 샤워기에는 망막의 '제3 수용체'를 활성화하고 더 쉽게 각성하게 돕는 고주파 램프도 달려 있다. 스타우드 호텔 앤 리조트는 메디테인먼트 미디어 회사와도 협력해 의학, 명상을 결합한 '미디어 명상'을 시도 중이다. 수면 TV에서는 명상 컨텐츠를 튼다. 빗소리나 파도 소리를 비롯한 50가지 소리가 방 안을 가득 메울 사운드 박스가 구비되어 있다. 침대 옆에는 후각을 자극해 차분하고 여유 있게 만들어 주는 에센셜 오일이 담긴 '수면 병'이 놓여 있다.

토론토의 파크 하얏트에 있는 스틸워터 스파는 로드 워리어의 몸과 영혼, 손끝까지 사로잡을 서비스를 광고한다. 스틸워터는 소형 기기 사용으로 '피곤한 손가락'을 가라앉힐 '하이테크 핸드 마사지'를 내세운다.[38] 노동과 레저의 경계는 모호하다. 이사회실을 대체하려는 목적으로 설계된 스파는 사업 미팅이 이루어지는 동안에도 서비스를 제공한다.[39]

샤를 드골 공항에는 이용자들이 바로 걸어 들어가 누울 수 있도록 특별히 설계된 라이트 테라피가 있다. '피로 위험'을 관리하는 회사인 서커디언 테크놀로지스는 '여행 일정 관리' 서비스를 제공한다. 여러 시간대를 비행하는 직원들의 출장 일정을 조율하는 서비스다. 구글, 프라이스워터하우스 쿠퍼스, 프록터 앤 갬블을 고객으로 둔 매트로냅스도 피로의 위험을 막는 회사다. 이 회사는 여러 버전의 에너지 포드Energy Pod를 제작했으며, 매트로냅스의 포드는 개인 사무실뿐 아니라 밴쿠버 국제공항, 엠파이어 스테이트 빌딩과 같은 공공장소에도 설치되어 있다(그림 5 참조).

이용 고객은 보호 커버 아래 프라이버시가 보장된 포드에서 잠시 낮잠을 즐긴다. 포드는 앞뒤로 흔들리면서 잠이 잘 오게 하고, 고객이 평화롭게 일어나도록 아로마 안개를 뿌린다. 직원들은 다른 이용자가 오기 전에 항상 포드를 청소한다. 비슷한 회사인 네모릴렉스는 "바쁠 때, 이동할 때, 교통이 많이 막혔을 때, 스트레스가 가득할 때 휴식을 주는 오아시스"인 포드를 운영한다. 고객들은 한번에 30분씩 이용하며, 그곳에서 일하거나 영화를 보거나 잠을 자거나 전

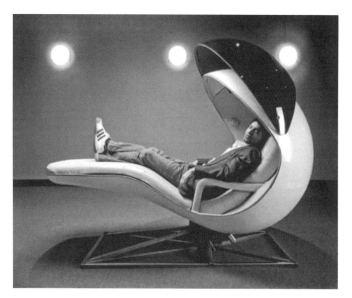

그림 5 메트로냅 포드MetroNap pod. 누워 있는 사람은 메트로냅스의 설립자이자 CEO인 아르샤드 초드리이다. (http://arshadchowdhury.com/biography/)

화통화를 할 수도 있다. 네모릴렉스 스위트는 6개의 포드로 구성되어 있고 10제곱미터 이상의 면적을 차지한다. 또 아주 편안한 분위기를 만드는 둥근 보호막을 갖추고 있다.[40] 공공장소에서 서비스를 제공하는 포드와 달리, 스파에서도 낮잠을 자면서 풀서비스를 받을 수 있다. 맨해튼의 옐로 스파에서는 고객들이 1분에 5달러를 지불하고 눈을 붙인다(그림 6 참조).

공공장소에서의 수면은 노숙자 방지법을 어기는 것으로 보일지도 모른다. 하지만 누가, 어떤 식으로 잠드느냐에 따라 상황이 달라

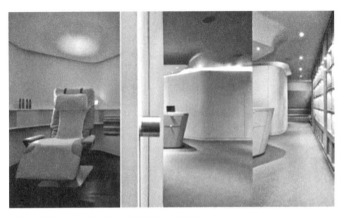

그림 6 맨해튼 미드타운에 있는 옐로스파의 수면 의자. (http://www.yelonyc.com/)

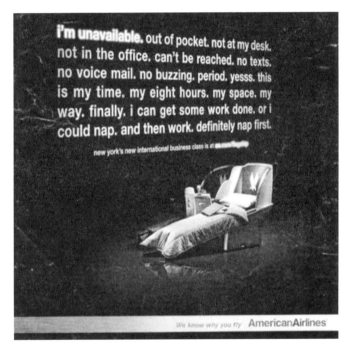

그림 7 "이젠 내 시간이야." 2011년, 아메리칸 항공의 새로운 국제 비즈니스 클래스 에어 베드 광고. 국제공항 터미널에 걸린 이 이미지는 너무나 바쁘고 피곤해 휴식이 필요한 비즈니스 클래스를 다른 계층과 구별짓는다.

진다. 도쿄의 경우, 지하철에서 자는 것은 창의적이고 생산적인 일종의 시간관리로 취급된다. 나태함이나 사회규범 위반이라기보다는 근면함의 징표다. 회사원들이 많이 입는 어두운 양복은 잠꾸러기도 제재받지 않게 만들어 준다. 공공장소에서의 낮잠도 권력이 뒷받침해 주는 것이면 허용된다. 마찬가지로, 공항의 비즈니스 여행자는 테크놀로지를 이용하거나 다른 사람의 노동력을 제공받고 있을 때는 낮잠이 지닌 함축—여성적이고 게으르며 나태하다—에서 해방된다. 어머니가 비즈니스 여행객을 안고 있는 광고는 여행자를 아기 취급하는 것이 아니다. 대신에, 이 광고는 젠더화된 시간과 노동의 이데올로기를 유지시키면서 가치의 주체인 출장자의 위상을 강화시킨다. '비즈니스 여행자는 열심히 일하는 사람'이라는 생각을 받아들이게 하는 것이다. 비즈니스 여행자의 시간적 특권은 그들의 시간관리가 공공장소의 스펙터클이라는 점에서 가장 뚜렷하게 드러난다. 그들의 휴식은 광고로 활용되고 공적 공간에 전시된다(그림 7 참조).

공공장소의 수면 포드pod는 수면이 시장과 기업의 직접 개입이 가능한 새로운 시공간임을 보여 준다. 수면 시간은 시간권력의 재분배를 위한 장소이며 자본을 끌어들이는 장소다. 잠은 거래와 생산에서 자유로운 꿈꾸는 시간이 아니다. 수면의 시간(그리고 공간)은 자본주의 구조 속에 존재하며, 따라서 사고 팔 수 있는 물건이다.

시간 인프라는 테크놀로지로만 채워지지 않는다. 타인의 노동도 비즈니스 여행자의 시간 인프라에서 중요한 부분을 차지한다. 출장을 자주 다니는 사람들은 예외적인 시간성을 유지하고자 노동 지원 체계를 조직할 때가 많다. 클레어도 자기 나름의 지원 네트워크가 있다.

난 항상 이용하는 호텔이 있고, 운전기사를 두고, 가정부를 씁니다. 공항까지 데려다 주고 태워 오는 사람이 있습니다. 내 루틴을 알고 일이 쉽게 진행되도록 돕는 사람들이 있어요. 난 같은 호텔에 가고 같은 운전기사가 모는 차에 탑니다. 따로 고민할 필요가 없이 해야 할 일에만 신경 쓸 수 있습니다. 일을 할 때 내 마음과 공간은 그 일에만 집중합니다. 익숙한 사람들과 장소의 네트워크가 있으니까, 그냥 쉴 때는 쉬고, 일하고, 잠들 수가 있어요. 아주 편리합니다.

비즈니스 여행자를 위한 자기 계발 가이드에서, 로버트 L. 졸스 Robert L. Jolles는 계획과 시간에 맞추기 위해 노동력을 고용하는 사례들을 제시한다. 그는 "공항까지 차를 가지고 가지 말고 택시를 이용하라"고 충고한다. "워싱턴 DC에 있다면, 내 운전사인 샘을 찾을 것. 그는 당신의 사업을 좋아할 것이다. 만약 그렇게 하기가 어렵다면, 당신의 도시에서 샘을 찾을 것."[41] 대릴이 말했듯이 바쁜 비즈니스 여행 출장자에게는 더 이상 비서가 필요하지 않을 수 있지만, 시간 아키텍처는 노동력을 요구한다. 출장자의 노동력 요구는 타인들의 시간을 재편한다. 밤새 운전할 사람이 필요하다. 프런트 데스크에는 밤새도록 사람이 지키고 있어야 한다. 회사 로비에는 야간 경비원이 배치되어야 한다. 직원들이 집에서 자고 있을 때 사무실이 청소된다. 직원들이 일하는 동안 그들의 집이 청소된다. 청소부들은 시차 적응을 겪는 여행자들에게 맞춰 24시간 주기로 활동하도록 교육받는다.[42]

자본은 신체의 희생으로 발전하지만, 세심한 돌봄의 대상이 되는 신체도 있다. 시간관리 테크놀로지는 가치 있는 자들, 즉 비즈니스 여행자는 쉽게 대체될 수 없지만 이들이 의존하는 노동력은 대체될 수 있다는 생각을 강화한다. 상품시장과 라이프스타일 산업은 그들이 스스로 인정한 소외감보다 한 발 앞서 있다. 시간관리 테크놀로지는 특정한 시간성과 그 가치를 사회적으로 재생산하는 기계다. 비즈니스 여행자를 위한 기술인 것이다. 그러나 이와 동시에, 가치가 낮게 평가되는 다른 시간성들도 사회적으로 재생산된다.

기다림

공항은 자본과 인체를 시간에 맞추어 제 궤도에 올려놓는다.[43] 9/11 이후 국제 비즈니스 여행의 속도가 잠시 멈칫했지만, 비행은 다시 재개되었다. 9/11 이후 공항 대기 시간이 증가했다. 사람들은 탑승구에서 더 오래 기다린다. 보안검색대를 통과한 후 이륙 대기 상태가 되기까지는 평균 86분이 걸린다. 이 비어 있는 시간은 글로벌 자본과 면세점들을 위한 시간이다.[44] 기다리는 것은 비즈니스 여행자들에게 색다른 시간 경험이다. 기업들은 공항 대기 시간이 수십억 달러의 생산성 손실을 가져온다고 주장한다.[45] 속도가 의도적으로 저하된 상황에서도, 비즈니스 여행자들은 여전히 비교 불가능한 속도로 움직이는 세계 속에서 산다. 느리게 진행되는 공항에서의 기다림은 일반적인 것이지만, 언제나 빠르게 이동하는 비즈니스 여행자들에게는 삶에서 예외적인 부분이다.

아메체가 《여성 로드 워리어》에서 말한 것처럼, "출발하기 전, 공항에서나 비행기 안에서 꼭 필요한 만큼보다 더 시간을 보내고 싶어 하는 비즈니스 여행자는 없다."[46] 기다림은 보편적인 조건이나 경험이 아니다. 1987년 출간된 제레미 리프킨Jeremy Rifkin의 《시간전쟁 Time Wars》은 기다림의 정치가 계급 문제라고 보았다. 과거는 대중에게, 미래는 엘리트에게 속한다. "어느 사회에서나 독점은 사람들이 제 미래를 통제하지 못하게 막는 작업에서 시작된다. 그들을 현재의 포로로 만드는 것이다. 미래에 진입하지 못하는 사람들은 시간 피라미드 구조 아래의 장기말이 된다."[47] 피에르 부르디외Pierre Bourdieu는 《파스칼적 명상Pascalian Meditations》에서 경제적·사회적 가능성의 조건과 관련하여 기다림의 정치를 논했다. "그저 흘려보내는 공허한 시간은 바쁜 사람의 충만한 시간과는 반대편에 놓인다. 바쁜 사람은 시간의 흐름을 알아차리지 못한다. 반면에 역설적이지만, 임박한 상황에 몰입하는 관계가 깨졌을 때의 무력감은, 기다릴 때처럼 시간의 흐름을 의식하게 한다."[48] 시간권력은 수행적이다. 비즈니스 라운지를 나선 비즈니스 여행자들은 게이트 앞자리를 차지하려고 정신없이 서두른다. 기다리는 상태를 용납할 수 없기 때문이다(물론, 신속 탑승권이 있어서 게이트를 완전히 무시할 수 있는 사람은 예외다). 기다림에 익숙한 이코노미 클래스 승객들과는 달리, 비즈니스맨은 앉아 있는 짧은 시간 동안 어딘가로 전화를 건다. 그가 공간을 점유하는 방식도 젠더적이다. 게이트를 다른 사람들과 공유하고 있다는 사실을 무시하고, 자기의 시간이 공동의 공간에서도 더 우선시 되어야 하는 것처럼 행동한다. 그는 큰 소리로 일종의 암호들을 외친다. "짐에게 내가 그의 ARP 파일을 가지고 있다고 전해. PR에게 보낼 145를 가지고 BRT를 기다리고 있다고도 말이야." 비어 있는 시간이었을 이때를 현명하게 보내면서 일을 처리했기 때문에 비즈니스 여행자의 기다림은 정당성을 얻는다. 출장자들은 그렇게 하지 않았다면 별다른 일이 없었을 시간에 스스로를 중요한 사람으로 만들고, 기다림이란 다른 사람에게나 해당되는 시간적 조건임을 재확인시켜 준다. 그들에게 삶은 충만하다.

시간 아키텍처의 등장은 기다림의 문화적 의미를 아무것도 하지 않는 죽음의 시간에서 자기 계발의 시간으로, 남들과 구분되는 구원의 순간으로 격상시킨다. 모든 사람은 성공적이든 아니든 어떤 식으로든 시간을 관리한다. 그러나 대부분의 경우에 시간관리는 내부적으로 혹은 다른 사람의 눈에 띄지 않게 이루어진다. 출장이 잦은 여행자들에게도, 기다림이 반드시 공공장소에서만 나타나는 것은 아니다. 비슷한 시간권력을 가진 사람들이 모여 있는 전용 라운지에서도 기다림은 일어난다. 그러나 비즈니스 여행자들을 위해 고

안된 새로운 시간 아키텍처는 그들이 바쁘게 일하는 모습을 공공연히 드러낸다. 비즈니스 여행자나 사회적 시차 문제를 겪는 사람들은 공공장소에서도 사적인 영역으로 후퇴한다. 이는 출장자가 시간적 가치의 손상 없이 직접 자기의 시간관리를 해내야 한다는 뜻이기도 하다.

출발 터미널의 시간

돌봄의 테크놀로지와 시간관리의 아웃소싱은 한창 생겨나고 있는 재시간화re-temporalization 문화의 증거다. 생명을 고갈시키는 그 제도들은 추가로 에너지를 제공하는 사업에도 관여한다. 피로에 시달리는 개인 신체의 한계는 상품화한 기술과 타인의 노동으로 시간 경험을 강화함으로써 극복된다. 제도화된 시간 통치는 거부되지 않고 수용된다. 노동 종료 시점은 의도적으로 없어진다. 시간 인프라는 비즈니스 여행자의 시간에 대한 기술적 해결책이자 기업의 대응책으로, 시간의 불균등한 분배를 유지하면서 사회조직 전반에 걸쳐 새로운 사회적 관계를 창출한다.

인터뷰들에서 나타나듯이, 비즈니스 여행자의 세계와 시간 인프라에 자리잡은 속도 담론은 이렇게 주장한다. 현대 생활의 속도가 만들어 낸 피로는 특정한 종류의 피곤함이라는 것이다. 지친 사람들로 가득한 이 세상에 동일한 피로는 없다. 클레어, 대릴, 켄은 경제적으로는 더 일할 필요가 없다고 인정한다. 그렇다면 그들이 따라갈 필요도 없는 이 세상은 얼마나 빠른 것일까? 속도 담론의 힘에는 저항하기가 불가능하다.

빠른 속도를 신념으로 삼는 비즈니스 여행자는 자신이 독립적이고 자족적이라고 느낄 것이다. 그렇게 되면 여행자를 글로벌 자본에 상응하는 속도와 경로 내에 머물도록 하는 생명관리정치적 개입이 가능해진다. 속도는 일반화된 문화나 경제 현상이 아니다. 비즈니스 여행자에게 속도는 삶의 속도가 아니라 시간의 경험이며, 다중적이고 상호의존적인 시간 배치 속에 있는 하나의 시간성이다.

출장자의 지친 몸은 글로벌 자본에 심각한 경제적 위험이다. 비즈니스 여행객의 쇠약한 몸은 무기력해질 위기에 처해 있다. 여행자들은 물질적으로는 부족하지 않지만 점점 더 피곤에 빠진다. 출장에 자주 나서는 여행자들의 몸은 아주 특수한 순환의 장소, 즉 글로벌경제 내의 이동 및 교환의 지점이다. 그들의 신체는 정보와 자본 네트워크 속의 인간 접속점이자 에너지와 자본 축적의 원천이다. 따라서, 그들의 노동이 만들어 낸 감정과 신체 상태에 생명관리정치는 곧장 반응하며 개입한다. 그러나 비즈니스 여행자들은 대개 생명관리정치적 개입을 환영한다. 시간의 생명관리정치 경제 안에서 시간적으로 가치 있는 주체는 생명권력과 인간적인 접촉으로 만난다. 기분 좋은 경험으로 남게 되는 것이다.

2장

시간노동과 택시
: 타인의 시간관리

택시 앞좌석은 택시 기사가 시간과 맺는 관계를 엿보게 한다. 북미 주요 대도시의 택시 기사는 대부분 새로 이주해 와서 승인 서류를 기다리는 사람들이다. 그중에는 망명자도 많다. 택시 운전사는 여러 시간성에 걸쳐 있다. 개인적 차원에서는 고국의 시간대에 맞춰 집에 전화할 시간에 울리는 알람 시계, 느리게 진행되는 취업 비자 승인, 미국 학교의 시스템에 맞춰 움직이는 자녀의 시간성들이 존재한다. 직업적인 차원에서는 차에 탄 사람들, 교통체증, 낮과 밤, 찰칵거리며 넘어가는 택시 미터기 등의 시간성이 있다.

앞자리는 택시 기사의 사적인 공간이다. 뒷자리가 비었는데도 앞자리에 손님을 앉게 하는 경우는 많지 않다. 기사들은 하루를 견뎌내는 데 필요한 물건들을 거기 둔다. 커피 머그잔, 씹는 차 꾸러미, 담배, 베개, 안대, 담요, 휴대폰, 물, 손소독제, 반쯤 먹다 남긴 음식. 햇빛가리개에는 가족 사진, CD, 명함, 그림엽서가 붙어 있다. 여러 사람들이 타서 뒷좌석에 다 앉을 수 없을 때에는 정신없이 서둘러야 한다. 기사는 재빨리 물건들을 바닥으로 밀어내거나, 글로브 박스에 집어넣거나, 한꺼번에 모아 트렁크로 옮긴다.

하지만 이렇게 흩어진 앞좌석의 물건들은 그냥 물건이 아니다. 이 물건들은 택시 운전사가 시간관리를 위해 매일매일 치르는 의식의 일부다. 1장에서 보았듯이 시차를 넘나드는 여행자의 생활이 정교한 시간 아키텍처 안에서 펼쳐진다면, 택시 운전사는 전혀 다른 시간 인프라 속에서 일한다. 택시 앞좌석에는 잠에서 깨고 스트레스를 줄일 물건들(커피, 음악, 씹는 차, 담배)이 놓여 있다. 수면,

휴식, 식사를 위한 물건(안대, 베개, 이불)도 있다. 햇빛가리개의 사진과 엽서는 사무실에서 일하는 사람들의 화면보호기나 최소화한 페이스북 창과 비슷하다. 업무 외의 삶을 떠올리게 하는 장치다.

택시 운전사는 라디오, 카메라, 미터기, GPS로 중앙통제장치와 연결된다. 택시의 경로는 일정하지 않고 사전에 파악하기도 불가능하다. 정확하게 알 수 있는 어떤 제한이 없다는 것은 시간의 자유를, 즉 근무시간을 조정할 수 있다는 것을 뜻한다. 그러나 택시 기사는 주기적이고 반복적으로 움직이지 않는다. 운전사의 하루는 시간이 모자란다고 느끼는 긴장감으로 가득하다. 타인의 시간을 따라가고 관리해야 하기 때문이다.

비즈니스 여행자와 달리, 택시 기사는 그들의 시간적 웰빙에 투자가 이루어질 만큼 경제적 가치가 있는 대상으로 취급되지 않는다. 그리고 시장(운전사들이 일하는 회사)과 고객(기사들이 서비스하는 사람)은 기사들이 생산력을 향상시킬 방법을 마련해 주지 않는다. 택시 기사들은 시간에 맞춰 일을 해낼 생존 전략을 자기가 알아서 세워야 한다. 그러나 투자 부족도 생명관리정치의 일부다. 쉽게 대체 가능한 노동력이자 소모품인 택시 기사의 시간을 중시하는 자본 구조는 존재하지 않는다. 생명권력은 부족한 투자뿐 아니라 규제에서도 나타난다. 생명권력은 경찰, 견인차 운전사, 주차 단속 경관, 승객, 배차원, 회사 소유자의 모습으로 실체화한다. 이 존재들은 택시 운전사의 긴 하루 내내 따라다닌다. 화장실에 가려고 주차구역이 아닌 곳에 차를 세우면 경찰과 견인차가 따라붙는다. 승객이나 배차원들은 소리를 지르며 이들을 이등 시민 취급한다. 요금 계산이 잘못됐거나, 잘못된 길에 접어들었거나, 대답을 즉시 안 했다는 이유로 모욕을 당한다. 인종차별, 폭력, 손님들의 질타, 부당한 지시에 노출된다.[1] 이 와중에도 승객을 태우려고 치열하게 경쟁해야 한다.

속도이론가들은 빠른 계급과 느린 계급의 이분법으로 시간적 차이의 정치를 구성하지만, 생명관리정치적 관점은 그보다 더 복잡하고 정치적인 틀로 시간과 관련된 사회적 차이를 파악한다. 조르조 아감벤Giorgio Agamben은 《호모 사케르: 주권 권력과 벌거벗은 생명 Homo Sacer: Sovereign Power and Bare Life》에서 벌거벗은 생명이란 현대적 주체성의 한 형태이며, 우리는 그 여러 형태들을 인식하는 법을 배워야 한다고 했다.[2] 벌거벗은 생명은 현대 권력 제도에서 버림받았으면서도, 그들의 존재가 유지되는 바로 그 질서 속에서 국외자로 살도록 강요된 삶을 가리킨다.[3] 아감벤의 논의는 시간의 생명관리정치를 사유할 때도 유용하다. 택시 운전사는 보호 받고 높은 가치를 자랑하며 시차를 넘나드는 자들보다 시간적 예외상태에서의 삶에 훨씬 가깝다.

시간노동의 정치성 탐구는 시간적 차이가 갖는 복잡성 외에, 현재 노동과 생명권력을 둘러싸고 벌이는 이론적 논쟁들의 전모를 알려준다. 나는 시간노동temporal labor이라는 용어를 시간 인프라 바깥에 버려져 있으면서도 그 안에서 노동하는 경험을 설명하고자 사용한다.[4] 택시 기사는 비즈니스 여행자의 시간과 구조적으로 연관되는 방식으로 시간 속에서 구성된다. 이는 그 사람의 노동이 다른 인구 집단의 시간성이 요구하는 바와 직접 동기화될 때 나타나는, 시간을 놓고 벌이는 또 다른 투쟁이다.

2장은 택시 기사 세 명이 '삶의 속도'를 어떻게 생각하는지, 이들의 시간 경험은 어떻게 다른지를 살펴보는 사례 연구로 출발한다. 다음으로는 택시 기사의 시간관리 인프라를 더 깊이 있게 파악해 볼 것이다. 택시 기사들이 측정하는 시간에는 어떤 시간적 질서가 있다. 노동과 시간 관행을 설명할 때 그들이 선택하는 단어들은 그 질서를 암시한다. 시간을 아끼려는 그들의 시도, 과정, 투쟁은 그 시도의 성공 여부만큼이나 중요하다. 택시 기사들의 시간은 자본이 생산한 바쁘고 지친 인구들의 시간성과 결부되어 있지만, 택시 기사들이 시간이 모자란다고 느끼는 경험은 그 시간성들과는 전혀 다른 경험이다.

택시 기사의 사례

에이브러햄: 6년

어느 추운 겨울 저녁, 인터뷰 장소인 토론토 시내 블루어 스트리트의 팀 호튼스 커피숍에서 에이브러햄을 만났다. 에이브러햄은 토론토에서 6년째 택시를 운전하고 있다. 나와 급히 인사를 주고받자마자 에이브러햄은 당장 일어나야 한다고 했다. 주차 공간을 찾지 못해 불법주차를 했기 때문에 단속에 걸릴까 봐 초조했던 것이다.

에이브러햄은 커피 한 잔을 마시거나 화장실에 갈 때마다 이런 곤란을 겪는다. 돈을 내지 않고 택시를 주차할 곳이 없기 때문이다. 단 1분이라도 차를 세워 두면 벌금이 부과될 수 있다. "택시는 경찰의 아주 쉬운 목표예요." 그는 모퉁이를 돌면 "주차장이 있고 하루 24시간 영업하는 택시 기사들을 위한 커피숍"이 있다고 했다. 가게 이름을 모르고 "다른 택시 기사, 노숙자, 매춘부들이나" 거기 가기 때문에 내가 혼자 찾아오기는 어렵겠다고 생각했다는 것이다. 나는 에이브러햄과 함께 택시를 타고 한 블록 정도 떨어진 "택시 기사들을 위한 커피숍"으로 갔다. 그의 말이 맞았다. 가게 이름은 보이지 않았다. 간판은 흐릿했고 낡은 어닝에는 이전에 있었던 가게 이름들의 흔적이 적어도 세 개 이상 남아 있었다.

주차장은 택시로 가득했다. 운전기사들은 바깥에서 커피를 마시거나 담배를 피웠고, 서로 열심히 대화를 나눴다. 주차된 택시들에서 배차원의 목소리와 무전기의 잡음이 흘러나왔다. 에이브러햄은 10년 전 아프리카 에리트레아를 떠나 토론토에 왔다. 그보다 몇 년 전에 그의 아버지는 내전으로 어지러워진 고국을 떠나 토론토에 와서 가족에게 보낼 돈을 모았다. 에이브러햄의 아버지는 캐나다에 온 지 몇 달 지나지 않아 택시 운전을 시작했다. 몇 년이 지나도 아내와 아이들을 먹여살릴 만큼 돈을 벌기 어려웠던 아버지는 에이브러햄에게 토론토로 건너오라고 했다. 두 사람이 함께라면 에리트레아에 있는 가족을 부양할 만큼의 돈을 모을 수 있겠다는 생각이었다. 에이브러햄은 잠깐만 있을 생각으로 이 도시에 왔지만, 6년 뒤

아버지가 심장마비로 사망하면서 상황이 바뀌었다. 어머니는 막내 동생과 함께 에리트레아에 남아 있다.

에이브러햄은 교대근무자다. 이 말은 그가 택시 소유자에게서 매일 택시를 빌린다는 뜻이다. 계속 같은 차를 운전할 수는 있지만, 다른 운전자와 나누어 써야 하고 계속 렌트비를 내야 한다. 보통은 일요일을 제외하고 오후 4시 30분부터 오전 4시 30분까지 일한다. 일요일 오전 4시 30분에 일을 마치면, 월요일 오후 4시 30분에 다시 운전대를 잡는다. 그는 일요일마다 "건강한 식사"를 만들어 배부르게 먹고, 교회에 가고, 빨래를 한다. 운전의 좋은 점은 "일하고 싶을 때 일할 수 있다"는 것이라고 했지만, 4년 전 에리트레아를 4개월간 방문했을 때를 빼면 평일에는 하루도 쉰 적이 없다. 가능하다면 비슷한 여행을 하루빨리 다시 가고 싶다. 사실 "집으로 돌아가고 일을 하지 않는 꿈"으로 하루하루를 버티고 있다. 그러나 앞으로 몇 년 동안은 그렇게 되기가 어렵다. "아마 이삼 년 후에는 이 일을 잠시 쉬고 집에 돌아가 볼 여유가 생길 겁니다." 그는 정비사가 되려고 직업학교에 다녔으나 "시간이 너무 오래 걸릴 것 같고, 먹고살기에 빠듯해서 포기"했다. 좀 쉬거나 직업을 바꾸는 것 사이에서 고민했지만, 임기응변으로 살아가는 것이 더 좋겠다고 생각했다. 12시간 근무 후에도 최저임금을 넘어서는 돈을 벌기가 어렵다는 것이 현재 가장 큰 문제다. 당시 최저임금은 캐나다 달러로 7달러 75센트였다. 그는 "간신히 먹고산다"면서 "어머니에게 가기 위해 최대한 지출을 줄이고 있다"고 말했다.

에이브러햄에게 가장 좋은 날은 최저임금 이상을 버는 날이지만, 대개는 시간당 5달러 정도를 번다. 교대 시간이 되면 기름을 채우고 차를 주차한 후 새벽 5시에 귀가한다. 그는 토론토 북부의 같은 아파트 건물에 사는 낮 시간 운전기사와 차를 공유한다. 이렇게 하기 전, 에리트레아에서 막 이주해 온 사람들과 함께 살면서 운전을 시작했을 때에는 매일 밤 시내 주차장에 택시를 댄 후 힘겹게 집으로 돌아가야 했다. 집까지 택시를 몰고 가면 밤에 영업을 하지 않아도 렌트비를 내야 했기 때문이다. 그는 차를 주차해 놓고 시내에 있는 친구 집 차고의 간이침대에서 잠을 자곤 했다. 친구에겐 한 주에 50 달러를 줬다. 1년 후 그는 다른 운전사와 친구가 되어 같은 아파트 건물에 살면서 택시를 번갈아 몰고 있다. "아파트까지도 같이 쓸 걸 그랬나요?" 그는 낄낄 웃었다.

에이브러햄은 보통 아침 6시나 7시쯤 텔레비전을 켜 놓고 잠이 든다. 오후 한두 시에 일어나서 밥을 먹고 샤워를 한 후 일하러 나간다. 교대하는 곳은 주로 도심의 기차역이나 버스터미널이다. "난 항상 이 일을 잠깐 하는 거라고 생각했어요. 아마 이 일을 하는 사람들은 다 그럴 걸요. 그렇게 결국 30년간 하게 됩니다."

주디: 30년

54세의 싱글맘인 주디는 정확히 30년 동안 택시를 몰았다. 30년 전 트리니다드에서 토론토로 이주한 후 계속 택시를 운전했다. 만날 시간과 장소 이야기를 꺼내자, 그녀는 가까운 곳에 살고 있으니

내 아파트로 데리러 오겠다고 했다. 오후 3시 전에 만나면 "러시아 워에 맞춰 일하러 갈 수 있다"고 했다. 동네 근처 카페에 자리를 잡자마자, 주디는 자기가 "택시 기사 8천 명이 있는 이 도시에서 일하는 열두 명의 여성 택시 기사 중 한 명"이라고 했다. 30년 전 토론토에 처음 와서는 회계사가 되려고 커뮤니티 칼리지에 입학해 수업을 들었고, 혼자서 아들 양육비와 학비를 감당하느라 가게에서 아르바이트를 했다. 몇 달 동안 "월급날을 기다리며 쩔쩔 맨" 끝에, 또 다른 여성 택시 기사 중 한 명인 친구의 조언을 따라 "당장 현금을 손에 쥘 수 있는" 택시 운전을 시작했다. "꿈꾸던 직업"은 회계였지만, 아들을 키우고 아르바이트를 하고 학교에서 또 다른 아르바이트를 하는 생활이 너무 힘들었다. 주디는 학교를 완전히 떠나 풀타임 운전을 시작했다. "유연성 때문에, 그리고 저축이 없는 상태에서 월급을 애타게 기다릴 필요가 없기" 때문에 운전을 계속하고 있다.

주디는 지난 3년 동안 '홍보대사' 운전수로 일했다. 고객 서비스와 안전 운전에 대한 40시간 교육을 이수한 토론토 기사들에게 자가용과 번호판을 주는 프로그램이다. 홍보대사 기사들은 미터기 수입의 10퍼센트를 임대회사에 보험금으로 낸다. 차 수리비 부담은 없다. 다음에 나오는 빌리처럼 자동차를 소유한 택시 기사나, 에이브러햄처럼 차주에게 차를 빌리는 교대 운전자들과 다른 점이다. 주디의 택시가 이틀 동안 수리소에 있었을 때, 수리비를 지불할 필요는 없었지만 돈을 벌지 못해서 손해가 컸다. 나를 다시 아파트로 데려다준 주디는 "화요일이지만 아침 6시까지" 밤새 운전해야 한다면서 운행에 나섰다.

주디는 일주일에 보통 5일간, 오전 10시부터 밤 12시까지 14시간 정도 일한다. 도로에서의 일이 끝나면 집에 와서 보통 새벽 2시나 3시에 잠들고 7시에 다시 일어난다. 아침에는 필라테스 DVD를 보며 운동을 하고 점심을 든든하게 먹은 뒤 일이 끝나고 먹을 음식을 준비한다. 주디는 '진짜' 휴식을 따로 취하지 않는다고 말한다. 그녀의 휴식 시간은 "택시에 앉아서 신문을 읽으면서 손님을 기다리고 있을 때"다. 금요일과 토요일 밤에는 "새벽 4시까지 차를 몰고, 오후 3시에 일을 시작"한다. 월요일과 화요일은 "지루한 날"이기 때문에 쉰다. 이때는 수입이 적고, "은행, 병원, 치과에 가기 좋은 날"이며 "빨래방, 식료품점" 같은 곳이 덜 붐비는 때다.

빌리: 13년

어떤 운전자의 지루한 날이 또 다른 운전자에게는 기회가 되기도 한다. 세 아이의 아버지로 토론토 북쪽 교외에 사는 55세의 빌리는 소유하고 있는 택시를 리무진 서비스처럼 운영한다. 우리가 만난 장소는 그의 집이다. 그의 막내아들이 지하철역으로 마중 나와 주었다. 집에 도착했을 때 택시는 진입로에 주차되어 있었다. 이웃에 다른 택시 기사들도 살지만, 상당수는 진입로에 들어서면 택시 표지를 떼어 낸다고 했다.

에이브러햄처럼, 빌리는 18년 전 이란에서 망명자 프로그램을 따라 이주했다. 기술자인 그는 전문직 이주 프로그램으로 캐나다에

입국할 수 있었다. 빌리와 대화를 나누면서 그가 여전히 엔지니어라는 것, "택시를 운전하는 엔지니어"임을 알 수 있었다. 빌리는 캐나다로 오기 전 이란에서의 삶을 이야기하면서 과거에 몸담았던 이란 좌파 지식인 운동과 사회주의 운동을 애틋하게 회상했다. 그는 풀타임 택시 기사로 일하면서 토론토 지역정치에 참여할 시간이 거의 없어졌다고 아쉬워했다.

빌리는 인턴십이 끝난 후에도 직업을 구하지 못했고, "세 아이를 부양해야 했으므로 더 나은 직장을 기다리기가 어려웠다." 그래서 체인 레스토랑의 배달 일을 시작했다. 몇 달이 지나자, 그는 자기 시간이 "다른 사람의 시간에 좌우되는" 직업에 답답함을 느꼈다. 먹고 살기 위해서는 더 많이 일해야만 했다. 그는 배달 일을 계속하면서 택시 운전도 시작했다. 오전 4시 30분부터 오후 4시까지는 택시 기사로 일했고, 오후 5시에서 11시 사이에는 음식을 배달했다. 당시에 빌리는 일주일에 6일을 일하면서 두 직업을 병행했고 "잠도 제대로 못 자고 가족들의 얼굴도 보지 못했다". 돈을 모아 택시와 번호판을 사기까지 6년 정도가 걸렸다. 빌리는 대체로 "사업가들"을 태우는 쪽을 좋아하는 편이다.

빌리는 이제 그가 "영업시간"이라고 부르는 일주일 중 6일 동안 일을 한다. 여기에는 "바쁠 때면 새벽 2시나 4시까지" 일하는 금요일과 토요일도 포함된다. "아이들 학비가 필요하거나 집을 수리해야 할 경우"에는 평일에도 가끔 밤에 운전을 나갔다. 지난 5년 동안 그는 하루 이상을 연속해서 쉬어 본 적이 없다. 빌리는 자기 소득을 밝히길 꺼려 했다. "내가 얼마나 버는지 말할 방법이 없네요. 연말에는 항상 비슷합니다. 하루나 한 주를 놓고 보면 들쑥날쑥하지요. 연말이 되면 결국엔 지난해와 같아질 것이라는 생각으로 열심히 해야 합니다." "잘 풀리지 않을 때는 더 많이 일하는 것 말고는 방법이 없어요. 계속 일하면 괜찮아질 겁니다. 하지만 새로운 전략이 필요하고 적절한 고객 확보도 중요합니다."

빌리는 자기 택시를 갖고 있다. 그는 배차원들에게 의존하지 않는다. 대신에 핸드폰을 들고 다니고, 명함을 나눠 주며, 도시를 자주 방문하는 사업가 네트워크에 의존한다. 이 방식이 자기 일을 자기가 통제하게 해 준다는 것이 그의 생각이다. "일반적인 영업시간"에 그는 늘 호텔, 금융가, 산업단지, 공항 사이를 오간다. 빌리는 금요일과 토요일에 밤새 놀러다니는 사람들을 태울 때를 빼고는 항상 사업가들을 태운다. 그는 이 큰 흐름 안에서 자기 택시가 순환할 수 있도록 어떤 연결고리를 마련하려고 매일 외출한다. 며칠 전에 예약을 받거나 "시내에서 사업하는 사람"의 이동을 한동안 전담하는 식이다. 승객이 정해지지 않은 날이면, 도심까지 약 25분 정도 차를 몰고 가서 사업가들이 묵을 가능성이 가장 높은 호텔 밖에서 기다린다. 운이 좋지 않은 날에는 "첫 고객을 태울 때까지 한 시간 정도" 기다릴 때도 있다. 이 기다리는 시간이 빌리의 "휴식 시간"이다.

앞서 다룬 두 운전자와 마찬가지로, 빌리는 자기 직업이 일시적인 일이기를 바란다. 그는 엔지니어 일을 하거나, 엔지니어 일과 관련된 일을 하고 싶어 한다. 사업가 승객을 태우는 편을 선호하는 이유

중 하나도 택시 사업이 아닌 다른 사업과 연결될까 싶어서이다. 빌리는 택시에서 만날지도 모를 기회를 진지하게 고대한다. "누구를 태우게 될지, 어떤 도움을 받을 수 있을지 모르는 일 아닙니까."

뒷좌석을 차지한 속도

세상이 점점 빨라지고 있다는 생각은 택시 운전사의 시간 경험과는 별 상관이 없다. 자신들만의 빠른 세계에 사는 특정 인구가 존재한다는 사실을 운전사들은 잘 알고 있다. 택시 기사의 시간 경험은 시간성의 여백에 존재하는 것으로 취급된다. 택시 운전사들이 항상 다른 사람들의 시간을 따라가려고 한다는 사실은 운전사들의 가능성 지평을 일상적으로 구조화하고, 이들이 시간을 이해하는 방식에 영향을 미친다. 삶의 속도나 템포에 변화를 느꼈냐고 질문하자, 세 사람 모두 머뭇거렸고 가속을 경험하지는 못했다고 대답했다. 사실 이들이 공통되게 하는 이야기는 템포의 변화가 있다면 오히려 속도가 느려지는 쪽이라는 것이다.

지난 10년 동안 토론토에는 택시가 급격하게 불어났다. 택시 숫자는 3천 대에서 6천 대로 5년 만에 두 배로 늘어났고, 토론토시는 앞으로 몇 년 안에 1만 대로 더 늘릴 계획이다. 경제위기와 겹치면서, 택시 운전사들에게는 이 상황이 속도가 느려진 시기로 인식된 것이다. 에이브러햄은 "사는 것도 일하는 것도 느릿느릿해요. 전에는 이렇게 일이 지지부진했던 적이 없어요. 우리에게만 그런 것 같아요. 돈 벌기가 그 어느 때보다 어려워요."라고 한탄한다. 주디와 빌리는 택시 영업이 아주 느리게 굴러가고 불확실해서 차를 세워 두고 기다리는 시간이 너무 많아 따로 쉬는 시간을 낼 수가 없다고 말한다. 금융가 호텔 앞에서 하루 일을 시작하길 좋아하는 빌리는 "매일 아침 일을 시작할 때 호텔 밖에서 한 시간씩 손님을 기다린다"고 했다. 에이브러햄도 말했듯이 이 휴식 시간은 불안으로 가득 차 있다. "그냥 주구장창 기다리면서 태울 사람이 있나 사방을 주시해야 해요. 아무 데로나 차를 몰다가 누군가를 보면 얼른 속도를 늦춥니다." 택시 기사들은 템포 변화를 두고 우선 자기 노동과 관련시켰다. 나아가, 이들의 속도 인식은 승객의 속도와 요구에 따라 달라진다.

택시는 속도를 내야 할 때가 많다. 정장을 입은 사람, 휴대폰으로 계속 통화하는 사람, 약속 시간에 늦은 사람, 비행기를 놓칠까 봐 마음 급한 사람들은 계속 속도를 높이라고 재촉한다. 에이브러햄은 "낮에 탄 사람들은 항상 서둘러요. 다급해서 택시를 잡으니까요. 운전할 때 스트레스를 많이 받아요."라고 했다. 빌리도 이 "낮 손님"들의 요구에 비슷한 압박감을 느낀다.

그 사람들은 택시가 마법의 양탄자인 줄 알아요. 면접도 있고, 백만 달러짜리 거래가 걸린 비즈니스 미팅도 있고, 비행기 시간도 있죠. 금요일 6시에 영앤블루어 앞에서 손님을 태웠어요. 7시에 비행기가 떠난다는 겁니다. 그가 택시에 탔을 때는 공항에서 검색대를 통과했어야 하는 시간이에요. 보안 패스가 있다지만, 그건 나한테 아무 도움도 안 되는데! 차로 45분 거리예요. 그 사람의 스트레스가 나한테 밀려오는 겁니다. 그 사람이 내 택시에 탔으니까, 우리는 고객 서비스를 해야 한다구요. 그 사람은 고통스러워하는 환자고 난 의사니까 뭐라도 해야 한단 말입니다, 이게 내 직업이니까.

빌리는 "시간을 맞추는 것"이 자기 노동의 일부라고 생각한다. 택시는 글로벌 자본의 접속 지점 내에 있는 한계 공간, 즉 사람들이 살고 의미를 부여하기보다는 통과하고 이동하는 또 다른 비공간 nonplace처럼 보이기도 한다. 그러나 그 한계 공간은 뒷좌석일 뿐이다. 앞좌석에는 살아 있는 주체가 앉아 있다. 승객이 비행기를 잡아 탈 수 있는 시간이 시시각각 줄어들 때, 운전자의 심박수는 빨라지고 아드레날린이 증가한다. 택시 기사는 가속과 한계 공간을 바라보는 독특한 시선을 지닌다. 택시 기사의 위치는 현대적 순간을 이해하게 한다. 택시 기사와 같은 인구 집단은 계속 움직이지만 자본 내의 구조적 위치에 가차없이 얽매여 있다. 그들은 가치 있고 생산적인 주체인 비즈니스 여행자들을 '요람'에 태우는 테크놀로지의 기계 부품으로 취급된다.

삶의 속도에 관한 주디의 대답은 속도와 권력 간 연결고리를 보여준다. 이 지점은 사회정치적 맥락에서도 아주 중요하다. 주디는 사람마다 다르게 경험하는 시간이 더 큰 구조적 불평등과 연결되어 있다는 것을 알고 있다. 이 경우에 그녀가 지닌 차이는 젠더다. 에이브러햄과 빌리가 그랬듯이, 주디도 승객이 더 빨리 가자고 할 때 스트레스를 받는지 물었다. 그녀의 대답은 놀라웠다.

아마 못 믿으실 텐데, 나는 "더 빨리 가주세요"라는 말을 거의 들어 본 적이 없어요. 이유가 궁금해요? 나는 여자 기사니까요. 남자들은 여자 택시 기사를 무서워해요. 거의 매일마다 나한테 남자 승객이 "좀 천천히 가세요"라고 말한다는 걸 아세요? 그 사람들은 그럽니다. "안 급해요, 천천히요." 난 차를 그렇게 빨리 몰지도 않아요. 내가 여자라서 불편한 거죠. 그게 이유라구요. 택시에 타서 천천히 가자고 말하는 승객이 있다는 얘기 들어 봤어요? 택시에 타면, 그 사람들은 아무 말도 안해요. 겁에 질려서 손잡이를 꽉 잡고 긴장을 풀지 않아요. 바로 전에 공항까지 태워다 준 사람도 그랬네요. 난 아무 말도 안해요. 하지만 가끔 "걱정 마세요, 당신을 죽이지 않을게요."라고 농을 하죠. 하지만 손님들이 요구하면 속도를 줄일 수밖에 없죠.

주디의 속도는 에이브러햄과 빌리처럼 승객에게 달려 있다. 그러나 주디의 경우에는 그 속도가 남성적 지배 의식과, 적절한 속도와 기계를 다루는 능력에 대한 승객의 젠더적 이해 방식과 따로 분리될 수 없다.

흥미로운 것은, 시간과 노동조건을 이야기할 때 운전사들은 대체로 자기가 자기 시간을 통제하고 있다고 생각한다는 점이다. 물론 이때의 시간은 일의 템포가 아니라 일하는 시간을 가리킨다. 이 밑

음은 자기의 테크놀로지technology of the self에 가깝다. 푸코는 자기의 테크놀로지란 개인이 행복, 웰빙, 삶의 질 같은 존재 상태를 성취하기 위해 자신의 개인적 수단으로 몸과 마음에 행사하는 다양한 기술이라고 했다.[5] 시간 통제는 특수한 전략도 필요로 하지만 "나는 내 시간을 통제한다"는 담론적 표현의 반복으로도 작동된다. 이 말은 일종의 주문이다. 운전자들은 여러 상황을 견뎌 내기 위해 이 말을 몇 번이고 반복한다. 통제한다는 감각 혹은 믿음은 이들이 시공간 속 자신의 존재를 파악하는 방식에 녹아들어가 있다.

에이브러햄이 고국으로 빨리 돌아가고 싶은 것은 "운전할 택시가 항상 있을 것"이기 때문이다. 즉, 원할 때 떠났다가 돌아올 수 있기 때문이다. 주디도 마찬가지지만 빌리에게 현금은 더 오래 더 늦게까지 일하면 더 많은 돈을 벌 수 있다는 선택권을 의미한다. 자녀들이 등록금을 내야 할 때, 빌리는 더 많은 시간을 길에서 보낸다. 빌리는 소득을 "통제"할 수 있다. "원하면 언제든지 외출할 수 있어요. 일하고 싶지 않으면 그냥 집에 있거나 다른 일을 하거나 밤에 사람들과 어울릴 수도 있어요." 하지만 주디는 금방 이렇게 말을 이어 갔다. "그렇게 놀아도 그리 즐겁지 않을 것 같네요. 속으로는 계속 운전해야 하는데, 라고 생각할 것 같아요. 집에 들어앉아 쉬어도 똑같을 거예요. 난 그렇게 못할 것 같아요." 에이브러햄은 택시 기사들이 계속 운전을 하는 이유를 이렇게 설명한다. "운전을 계속하는 이유는 자기 시간을 자기가 정할 수 있다는 겁니다. 어깨 뒤에서 들여다보는 상사도 없어요. 그렇지만 운전은 도박 같아요. 오늘 돈을 하나도 못 벌었다면 '그래! 난 이 지랄 맞은 일을 그만둘 거야!'라고 중얼거리죠. 하지만 다음 날 돈을 벌면 희망이 생겨요. 고국에 돌아갈 돈을 모을 수 있을 것 같다고 생각하겠죠." 빌리는 이 도박을 낚시에 빗대어 이야기한다. "몇 시에 어디로 가야 하는지 모르면 낚시하는 거나 같아요. 이 일은 일종의 낚시예요. 딱 정해진 급료도 없죠. 타이밍이 문제예요. 노력해서 물고기를 잡아야죠. 하지만 내일도 다시 하게 될 겁니다. 그래야 하니까요."

빌리는 비유의 초점을 옮겨 자기가 물의 흐름에 떠밀려 가는 물고기라고 했다. 자기는 "물살에 빠져 버린 물고기라서 강이 흘러가는 대로 가야" 한다는 것이다. 동물생태학적인 빌리의 비유는 주디와 에이브러햄이 느끼는 바와도 비슷하다. 주디는 "택시 기사들에게 이 세상은 서로가 서로를 잡아먹는 개들이 득실대는 곳"이라고 했다. 에이브러햄도 "난 하이에나와 같아요. 날이 밝아야 도로를 벗어나 집에 갑니다."라고 했다. 이 동물 비유 속에서 운전사들은 먹이사슬의 높은 곳에 있는 지배적인 다른 리듬에 종속된다. 물고기는 물살에 떠밀리고, 강아지들은 주인이 던져 주는 음식을 받아 먹으려고 경쟁하며, 하이에나는 사자가 떠날 때까지 밤새도록 기다린다.

운전사들은 시간성을 이야기하면서 먼저 자기의 노동을, 그리고 운전에 관련된 시간적 요구들을 되짚어 보았다. 대화를 나누는 동안 택시 기사들은 자기의 삶을 더 큰 시간 구조 속에서 이해했다. 대체로, 이들은 자기 시간을 지배적인 시간성의 지배를 받거나 거기에 연결된 것이라고 본다. 택시 운전사의 시간은 순간순간 구성된다.

세계가 속도를 높여 가고 있다는 증거일까? 그렇지만은 않다. 그들의 경험은 다른 인구 집단과 개인들의 시간적 요구를 따르는 시간 경험, 즉 종속된 주체, 기계 부품으로서의 경험이다.

택시 운전사와 비즈니스 여행자의 재산, 직업, 사회적 위치가 다르더라도, 시간은 양쪽 모두에게 문제적이다. 마이클 하트Michael Hardt가 이야기하는 '감옥의 시간'은 다음 절의 분석으로 우리를 이끈다는 점에서 아주 흥미롭다.[6] 하트는 현대사회의 궁극적인 형벌이 "투옥doing time"이라고 본다. 시간적인 무無, 즉 삶에서의 커다란 공백이 처벌이라는 사실은 곧바로 의문을 낳는다. "어떻게 시간을 구원할 수 있을까? 어떻게 충만한 시간을 살아갈 수 있을까?"[7] 하트에 따르면, 충만한 시간에 대한 문화적 불안이 존재한다. 이는 부분적으로 감옥이 충만한 삶, 풍요로운 시간을 상기시키기 때문이다. 그러나 감옥은 사회의 대안이 아니라, 오히려 "세계에 널리 퍼져 있는 권력의 논리가 가장 집중되는 초점이자 장소이다. 우리 사회에서 감옥은 (그 논리가) 가장 잘 실현된 곳이다."[8] 시간적 충만함의 달성 가능성이 존재하는 곳(투옥의 정반대편)은 시간적 가능성의 지평을 결정한다. 그리고 다양한 인구에게 양질의 시간을 제공하고 관리할 것을 약속하는 현대 권력 제도가 그 지평을 어느 정도 결정한다.

비즈니스 여행자와 택시 기사 모두에게 시간관리는 어려운 문제이다. 두 집단 모두 자기 시간을 처리하고 일정한 시간질서를 따르려면 개인적인 선택을 하고 그 선택들을 조율해야 한다. 그러나 두 집단이 받는 생명관리정치적 투자에는 큰 차이가 있다. 호텔에 투숙한 비즈니스 여행자들은 특수하게 디자인된 헤드쿠션 테크놀로지가 수면 스타일에 맞추어 베개를 조정해 주는 양질의 시간을 누린다. 출장을 자주 다니는 여행자들은 자기가 자립적이고 제 몸의 한계를 잘 알고 있다고 자신한다. 자기만의 길을 찾는 고독한 항해자라는 것이다. 그러나 그들의 시간은 거의 전적으로 다른 사람들의 시간에 의존한다. 여행자들의 여가와 노동은 시간관리 인프라를 요구하며, 이 인프라를 구성하는 이들은 자기 시간이 자기의 것이 아닌, 타인의 시간을 관리하는 사람들이다. 감옥 시간의 논리는 노동 영역으로 확장된다. 충만한 시간을 요구하더라도, 그 시간은 생산성과 효율성의 시간이어야 한다.

틈새시간

정신이 밤에 맞춰집니다. 낮에 자고 밤에 일하면 시간이 달라져요. 믿지 못할지도 모르겠는데, 해가 떠오르는 걸 보면 내가 하이에 나가 된 것 같아요. 그럴 때는 집까지 달려갑니다. 어둠에 익숙해져 있는데 해를 보면 마음이 불편해요. 뭐라고 설명은 못 하겠는데, 어디 갇힌 것 같고 어쩔 수가 없어요. _ 에이브러햄

9·11 테러 이후, 토론토시는 택시 면허의 수를 늘리고 택시 운전사의 운전 요건을 변경하기 시작했다. 가장 큰 변화는 운전사들이

'택시대학'에 가야 하는 것이다. 택시대학은 문화적 감수성과 장애인에게 문을 열어 주는 법 등 기본적인 전문성을 가르치는 곳이다. 2013년 기준으로, 택시대학 과정을 마치려면 750달러를 내야 한다. 과정을 이수하지 않으면 면허증을 받을 수 없다. 에이브러햄의 생각은 이렇다. "돈 벌려고 한 거죠. 기분이 안 좋아도 사람들에게 친절하게 웃으며 대해야 한다는 걸 모르는 사람이 있나요? 식당에서 일하는 사람들도 다 웃으면서 서비스해야 한다는 건 압니다."

택시 기사들과의 인터뷰 당시, 토론토 관광산업은 크게 위축되어 있었다. 9·11 테러, 사스의 유행, 글로벌 경제위기 이후였다. 호텔, 테마파크, 극장, 식당을 찾는 사람이 확 줄어들었다. 아무도 택시를 기다리지 않게 하겠다며 시에서는 택시 수를 늘렸다. 택시를 포화상태로 만드는 정책은 자전거를 타기 쉽고, 걷기에 좋고, 친환경적인 도시를 만든다는 더 큰 도시정책 방향과 정면으로 충돌하는 것이었다. 내가 인터뷰한 택시 기사들과 택시 관련 뉴스들은 한목소리로 이 조치를 비판했다. 그들에 따르면, 택시 정책의 변화는 운전사들의 경제적 평등은 신경 쓰지 않고 이민자들에게서 빠르고 쉽게 돈을 뽑아내기 위한 것이다. 택시 운전은 이민을 신청해 놓고 승인을 기다리는 사람들이 택할 수 있는 유일한 직업이다.

번호판 하나는 시장에서 약 8만 달러의 가치가 있다. 60개의 번호판을 사들인 사람은 현재 시장가격으로 5백만 달러어치를 투자한 것이다. 일반적으로 번호판 소유자가 실물 차를 갖고 있지는 않으며, 택시는 보통 다른 사람이 소유하고 있다. 8만 달러는 택시 가격의 3배에서 5배에 달하는 금액이다. 일자리를 찾는 운전자들은 교대제로 일하면서 자동차와 번호판을 빌린다. 긴 시간이 걸리는 과정을 그전에 서둘러 이수해야 한다. 임대업자들은 대기업이다. 토론토의 택시 라이센스는 단 여덟 명의 사람이 대부분 갖고 있다. 그들은 택시를 운전한 적이 없다. 택시 기사들은 이 여덟 명의 소유주가 대부분 외국에 산다고 했다.

자기 번호판이 없는 기사들은 주유비, 렌트비, 식사비를 제하면 하룻밤에 30달러에서 100달러까지 번다. 번호판 하나의 평균 임대료는 한 달에 1천 달러. 대체로 운전자 소득의 30~50퍼센트에 해당하는 액수다. 정부의 라이센스 정책과 운전자들의 시간성은 직접적인 관계가 있다. 더 많은 택시가 돌아다니게 해서 도시의 이미지를 제고하겠다는 목적의 투자는 기존 택시 운전사들의 시간에 대한 투자를 중단하는 것과 같다. 운전사들은 더 느려진 삶의 속도를 견뎌야 한다. 더 적게 벌고 더 오래 운전해야 한다. 더 중요한 것은, 노동 시간의 변화가 운전사들이 택시 밖에서 자신의 삶을 돌볼 시간을 훨씬 더 줄어들게 한다는 점이다.

《글로벌 소울Global Soul》을 쓴 유명한 여행작가 피코 아이어Pico Iyer는 세계화된 세계를 누비는 부유한 제트족들의 취약성precarity을 옹호하는 것으로 유명하다. "우리가 흔히 듣는 '국경 없는 경제'는 오늘날의 기업인들이 어느 곳에나 있다는 것을 의미하며, 글로벌 통신의 속도는 그들이 내일이면 어디에나 있을 수 있다는 것을 의미한다. 비즈니스 여행자는 몸속에 '세계화'가 뿌리내린 새로운 종족이다."9

피코 아이어의 단언은 틀렸다. 특권층의 신체를 보살피기 위해 수많은 투자가 이루어지고 있는 상황에서, 그들의 취약성을 찬양하기 위해 글로벌경제에서 노동이 지니는 정동적 차원affective dimensions을 뭉뚱그리는 것은 옳지 않다. 택시 기사들의 생활과 건강 상태는 출장을 자주 다니는 사람들과 피상적으로만 비슷하다. 두 집단 모두 피곤하고 과로에 지친 상태이긴 하다. 대륙을 건너고 지리학적 시간대를 넘어가지는 않지만, 운전사들은 여러 혼란스러운 시간성들을 가로질러야 한다. (아이러니하게도 한자리에만 앉아 있는) 택시 운전사들의 여정은 다른 이들의 시간성을 수없이 맞닥뜨린다. 적은 수입으로 아주 긴 시간을 운전하고, '밤 손님'들의 이상한 요구와 리듬에 맞춰야 하고, 낮의 리듬이 가하는 또 다른 스트레스도 견뎌야 한다. 비즈니스 여행자들에게 제트기라는 요람과 수면 포드라는 오아시스가 예비되어 있는 것과 달리, 여기에는 운전사가 시간을 맞추도록 지원하는 어떤 돌봄 테크놀로지나 시간 인프라도 없다.

택시 운전사는 스스로 고안해 낸 시간 전략과 기술에 의존해 도로를 헤쳐 나가고 시간을 관리해야 한다. 이 자기의 테크놀로지는 대안적인 시간 아키텍처를 낳는다. 택시 운전사의 삶에 대한 외부적이고 인프라적인 시간 투자가 존재하지 않는다는 사실은 세계화가 "몸속에" 뿌리내리는 방식을 가장 잘 보여 주는 지점이다. 달리 말해, 시간 투자의 부재는 택시 운전사의 삶이 시간적 질서에서의 '예외상태state of exception'임을 드러낸다.

예를 들어, 주디는 적절한 의료보험과 혜택이 부족하다고 불만을 터뜨린다. "우리는 다 알아서 해야 해요. 알아서 자기를 돌봐야 합니다. 아무것도 안하는 택시 기사들이 많아요. 그 사람들은 심장마비로 죽죠." 주디는 필라테스 DVD를 보면서 운동하기 전까지는 아침에 집에서 어떻게 운동했는지를 이야기했다. 에이브러햄은 낮 시간 운전이 배기가스 때문에 "하루에 담배 열 갑을 피우는 것" 같다고 했다. "코를 풀면 온통 까맣고 밤에는 토할 때도 있었어요." 그도 운전석에 앉아 죽은 사람들의 이야기를 했다. 그 사람들은 사고가 아니라 뇌졸중, 심장마비, 고혈압으로 죽었다. 에이브러햄은 몇 년 전만해도 자신을 돌볼 시간이 조금 더 많았다고 생각한다. 그는 축구를했던 때를 떠올렸다. "전 활동적인 편이었어요. 보시다시피 전 꽤 젊은 편이죠. 서른다섯 살이니까. 그런데 걷기가 힘들어요. 뛰는 건 더힘들고요. 도시에서 몇 년간 운전을 하면 잠 자고 차 몰고 먹는 일만하게 됩니다. 운동은 하지 못해요. 차를 주차한 뒤 집까지 걸어가는운동만 합니다. 8미터밖에 안 되죠." 주디는 "하루 종일 도로 위에있으면 심장이 안 좋아져요. 멈춰 버릴 것 같아서 겁이 납니다. 하루종일 부정맥을 겪고 있어요."라고 했다. 자기 몸의 한계를 잘 알고있어서, 여행 스케줄이 잡히면 생리주기를 조절하는 '여성 로드 워리어'들과 달리, 주디는 자기 몸을 그렇게 조절할 수가 없다. 주디는자기의 왼쪽 눈을 가리켰다. 빨갛게 부어올라 있었다. 그녀는 올 겨울에 폐경을 겪고 있어서 몸의 열기를 식히기 위해 창문을 살짝 열어 두었다. "승객들을 위해" 히터는 켜 둔 채였다. "몸이 후끈했고 택시 안은 더운 데다" 창문에서 들어온 차가운 바람이 눈을 자극했다.

그녀의 몸은 온도 조절, 계절, 밤 시간, 삶의 주기, 기후와 한꺼번에 충돌한다. 주디는 승객들에게 기분 좋은 탑승 경험을 만들어 주어야 한다. 그녀의 노동은 비물질적이고 정동적인 것이지만, 몸에 물질적인 흔적을 남긴다.

글로벌 자본 하의 주체 생산을 검토하는 개념인 정동적/취약한/비물질적 노동과 주디의 경험은 흥미로운 비교 대상이다. 세계화와 신자유주의에 주목하는 마르크스주의 이론가들인 마이클 하트, 안토니오 네그리Antonio Negri, 제이슨 리드Jason Read는 자본의 외부가 없음을 강조하고자 생명관리정치적 생산biopolitical production과 실질적 포섭real subsumption이라는 용어를 번갈아 사용한다.[10] 모든 사회적 관계는 자본과의 관계다. 따라서 자본과 신체, 시장, 세계와의 대립은 생명관리정치의 완전한 실현으로 내재화된다. '형식적 포섭formal subsumption'의 쉬운 예는 로봇처럼 작동하고 기계의 명령에 따라 파편화되어 자동화된 신체다. 제이슨 리드는 형식적 포섭을 자본주의와 그 외부와의 만남이라고 정의한다. 이 단계에서 자본은 생산양식들인 기계, 신체, 세계, 글로벌시장과 대립한다.[11] 하트, 네그리, 리드는 이제 형식적 포섭은 더 이상 존재하지 않으며 실질적 포섭이 우세해졌다고 본다. 형식적 포섭에서 인간 노동의 최종 생산물은 대개 물질적인 것이다. 실질적 포섭은 지식, 욕망, 정보, 경험을 생산하면서 비물질적 노동에 의지하고 이를 창출한다. 물질적인 신체와 재료가 여전히 필요하지만, 실질적 포섭에 내재하는 노동과 생산의 비물질적인 성질이 결정적인 요소로 자리잡는다.

정동노동affective labor의 맥락에서 볼 때에도 제국, 빠른 자본, 글로벌 자본, 실제적 포섭, 신자유주의 시대에 사는 우리 모두가 동일한 방식으로 취약한 노동자이고 로드 워리어라고 말하는 것은 앞뒤가 맞지 않는다. 이 용어들은 차별적인 생명관리정치적 시간경제를 인식하면서 사용해야만 유용하게 쓰일 수 있다. 자본의 변형이 낳는 효과 중 하나는 그 효과가 일반적으로 작용한다는 허구를 유지하는 것이다. 우리가 시간성을 인식하면, 자본 변형의 조건과 효과를 일반화하려는 경향에 제동을 걸 수 있다.

인터뷰에 참여한 비즈니스 출장자들은 정서적이고 비물질적인 효과를 낳는 정동노동을 거래한다. 클레어는 직원들이 시간을 낭비하지 않도록 대기업에서 정서지능을 육성한다. 대릴은 관리자들이 생산적으로 시간을 쓰도록 그들을 교육한다. 그러나 택시 운전사들의 정동노동은 다른 이를 위해 공간을 연결하고 시간을 창출하는 것이다. 승객을 가능한 한 빨리 시간에 맞춰, 할 수 있다면 "시간을 벌어서"라도 어디론가 데려다 주는 것이다. 그들은 자신들이 하는 일이 A 지점과 B 지점을 연결하면서 즐거운 승차 경험을 생산하는 사업임을 택시대학에서 배운다. 바깥에서 보기에, 이 일은 효과적인 노동이 아니다. 감정, 지식, 정보가 아니라 목적지를 생산하기 때문이다. 그러나 이 사람들은 시간을 생산하고 있다. 시점을 옮겨서 차속을 들여다보면, 택시 운전은 분명한 정동노동임을 알게 된다.

운전기사들은 승객의 기분을 맞춰야 한다고 이야기하면서 택시대학의 매뉴얼을 인용했다. "승객은 조용히 타고 갈 권리가 있다. 운전사는 기꺼이 대화를 나눌 준비가 되어 있어야 한다. 우리는 '이 도시의 홍보대사'이다." 세 명의 택시 기사 모두 기분이 좋지 않았을 때에도, 심지어 인종차별이나 성차별을 겪었을 때에도, 그리고 어느 나라 출신인지, 현재 국적이 어떻게 되는지, 종교가 무엇인지처럼 민감한 부분을 물어 올 때에도 어떻게 친절하게 대했는지를 털어놓았다. 빌리는 언제나 "어서 오세요!"라고 인사를 건네며 승객을 맞이한다. "차에 탄 사람을 반긴다는 뜻입니다. 전 정말로 그런 마음이에요. 손님이니까요. 고객 서비스입니다. 승객은 스트레스에서 벗어날 기회를 얻습니다. 반대로 그 사람이 행복하다면, 자꾸 그 마음을 더 표현해서 더 행복해질 수도 있겠죠. 화난 사람이 타면, 저는 다른 손님 이야기를 들려줘서 기분을 풀어 줍니다." 택시는 고해성사를 받는 장소이기도 하다. 무작위로 나타난 낯선 사람들이 택시에 들어가 운전사에게 자기 사생활의 내밀한 부분과 비밀을 털어놓는다. 바텐더처럼 택시 기사는 상대의 말에 귀 기울이는 일종의 심리치료사이다. 귀 기울여 듣는 것도 고객 서비스의 일부다.

운전사들은 비즈니스 여행자들과 기업가정신을 공유하기도 한다. 혼자 일하는 독립적인 사업가처럼 이들은 자기 노동에 자부심이 있다. 경쟁적인 노동환경을 인지하고 있으며, 효과적인 노동자가 되고자 자기 시간과 능력을 통제하는 것을 중시한다. 빌리는 흥미로운 예다. 자신의 택시가 매우 중요한 사업이라고 여기는 그는, 수년간의 경험 끝에 어느 정도 안목을 갖췄다고 자부한다. 빌리는 자기와 마찬가지로 교육 수준이 높은 승객을 선호한다. 한 시간 넘

게 기다리더라도, 시내 호텔 앞에서 그날의 영업을 개시한다. 승객
들과 이야기하면서 큰 컨퍼런스, 회의, 교육 워크숍이 언제 열리는
지, 금융가에서 택시로 오가야 할 곳이 어디인지를 미리 알아 둔다.
그의 전략은 승객들을 약속 시간보다 빨리 데려다 준 다음에 그 근
처를 잠깐 둘러보면서 토론토에 관해 이것저것 설명해 주는 것이
다. "명함을 만들어서 그럴듯해 보이는 승객들에게 나눠 줍니다. 그
러면 어떤 그룹이나 한 사람과 한 달 정도 계속 같이 다닐 기회가 생
깁니다." 업무 시간에만 운전하는 빌리의 전략은 자기 시간을 정상
적인 시간대에 맞춰 일반화하려는 시도다.

빌리는 비즈니스 여행자와 시간을 함께 보내면서 비즈니스 세계,
더 나아가 일반 대중과도 일체감을 얻는다. 그 시간은 미래의 가능
성과 희망을 준다.

이 시간에 일하면서, 힘 있고 많이 배운 사람들을 만나다 보면 도
움이 될 만한 사람을 만날지도 모르죠. 어떤 남자가 안타까워하며 묻
는 겁니다. "택시 기사처럼 보이진 않는데, 왜 이러고 있어요?" 그럼
제 이야기를 들려주겠죠. 아마 그 사람은 뭔가 해 줄 겁니다. 명함을
주거나 번호를 알려 주거나 일을 구해주거나 …. 가끔 이런 상상을
하면 기분이 좋아집니다.

빌리는 희미한 시간적 질서를 염두에 두고, 그 바깥에 있는 자가
되지 않으려고 열심히 노력한다. 밤에 돌아다니는 사람들은 "세상

의 쓰레기"다. "그런 사람들은 제대로 사는 게 아닙니다. 평일 밤 10시나 주말 새벽 2시 이후에 돌아다니는 사람들은 엉터리로 사는 거예요." 승객들의 인종차별적인 발언을 매일같이 마주하고, 그의 엔지니어 자격을 인정하지 않으면서 음식 배달과 운전을 하게 한 사회 시스템을 경험한 빌리는 언제 어디에서 일하는지를 민감하게 따지는 사람이 되었다. 사물에는 시간적 질서가 있고 지배적인 시간 질서는 유지되어야 한다는 생각은 그의 말과 행동에서 확실하게 드러난다. 시간은 배제와 포함을 결정한다. 시간은 가치 있는 사람이 어떤 사람인지를 결정하는 기준이다. 빌리는 자기 노동만이 아니라 여러 가지 방식으로 시간적 질서를 유지하고자 분투하고 있다.

택시 기사들은 흔히 자기가 시간적 질서 바깥에 있다고 느낀다. 운전사들이 스스로를 삶의 균형을 잡으려고 애쓰는 전사라고 여기지 않는다는 것도 중요한 대목이다. 대신에 이들은 강물에 떠밀려 가는 물고기, 서로를 잡아먹는 개, 낮의 빛을 견디지 못하는 하이에나를 자칭한다. 에이브러햄은 자기 삶을 '정상적인 시간'에서 추방당해 있다는 느낌으로 정리한다. "정말 안 좋아요. 그런데 바꾸기도 힘들어요. 이 건물에서 4년이나 살았지만 옆집에 누가 사는지도 모릅니다. 밤에 운전하니까요. 집에 오면 옆집 사람들은 일하러 갑니다. 그들이 집에 오면 난 일하러 나가고요. 일주일에 6일은 이런 식으로 보내니까 이웃들을 사귈 수가 없어요." 운전사들은 낮의 정상적인 시간질서에서도 그 바깥에 있지만, 승객과의 관계에서도 예외상태로 내몰린다. 승객에게 택시에서의 시간은 부수적이고 수단에 지나지 않는 시간이다. '예외상태'는 택시라는 공간 자체가 아니라, 승객과 맺는 순간적이고 일시적인 관계가 운전사들의 삶이 시간적 질서 바깥에 있다고 더 강하게 느끼게 만드는 시간 속에서 나타난다.

인종, 성, 계급적인 차별은 흔한 일이다. 에이브러햄은 기사들이 하루 걸러 한 번씩은 그런 소리를 듣는다고 했다. "이 빌어먹을 멍청한 이민자들"처럼 택시 기사들을 하나로 뭉뚱그려 욕하는 말을 가장 많이 듣는다. 그는 다른 사람들과의 관계에서 인종폭력을 끊임없이 경험한다. 빌리는 금융가 쪽에서 태운 한 사업가 이야기를 했다. 그 사업가는 계속 개인적인 질문을 했다. 어디서 왔나? 왜 택시를 운전하나? 가족이 있나? 집이 있나? 애들은 대학에 다니고 있고, 최근 들어 가족들이 함께 사는 작은 집을 마련했다고 말해 주자, 승객은 빌리가 자수성가한 좋은 예라면서 정부가 이민자들을 도울 필요가 없다고 했다. "그 말을 듣고 나자 일이 손에 잡히질 않더군요. 오후에 그냥 집으로 들어왔어요. 이민자들이 일하지 못하게 해야 한다는 말로 들립디다. 그 사람은 어느 회의에 가서 '도와주지 않아도 알아서 잘할 텐데 뭐하러 처음부터 그냥 내버려 두지 않느냐'라고 했다는 겁니다." 빌리의 목소리는 격앙되었다.

이게 뭐하는 짓이야? 사람들을 데려와 놓고선 일을 못하게 막는다고. 이유가 뭐야? 가난한 고향에서 큰돈을 들여 교육받은 사람이 여기로 건너왔어요. 이제 그 사람은 100퍼센트로 일할 준비가 됐다구요. 그럼 왜 하던 일을 못하게 하고 낮은 수준의 일을 하라고 강요하는 거야? 원하는 직업을 갖지 못하니까 피자나 날라야 한다고.

주디는 어떤 여성 승객이 했던 무례한 말을 기억한다. 어느 날 밤 10시에 금융가에서 "녹초가 된 상태로 정장을 차려입고 서류 가방을 든 젊은 여자"를 태웠다. 주디는 베이비시터를 고용할 형편이 안 돼서 가끔 야간 근무 중에 아이를 데리고 다녀야 했다. 밤새 운전하는 동안 아이는 앞좌석에서 잤다.

그 여자가 차 안을 들여다보더니 이러더라구요. "당신은 뭐하는 엄마예요? 애기 돌보는 일과 운전을 동시에 한다구요?" 난 화가 나서 차를 몰고 가 버렸어요. 이때가 내 인생에서 최악이었어요. 혼자 두기엔 애가 너무 어렸다고요. 정말 최악이었어요. 끔찍하다고 생각할지 모르겠는데, 가끔 난 애를 집에 혼자 두고 일하러 나왔어요. 괜찮은지 확인하러 한 시간마다 전화를 걸었고요.

빌리, 에이브러햄, 주디는 홀로 일하고, 스스로 문제를 해결하고, 독립적이라는 의미에서 진정한 로드 워리어일지도 모른다. 그러나 고객의 시간 요구 사항을 지원하고 일이 제대로 진행되도록 돕는 시간관리 인프라는 그들에게 존재하지 않는다. 생존 전략과 자기의 테크놀로지가 있을 뿐이다.

시간관리의 하위 아키텍처

피에르 부르디외는 "기다림은 권력의 효과를 경험하는 특권적 방법 중 하나"라고 했다. 부르디외는 시간과 권력의 관계를 파고들어, "다른 이들의 시간에 대한 권력 행사와 관련된 모든 행위를 분류하고 분석하는" 문화기술지의 윤곽을 그려 냈다. 권력과 관련된 행위에는 "권력자의 입장에서는 중단, 연기, 지연, 거짓된 희망 심기, 혹은 급습, 기습이 있으며, 반대편에는 불안과 무력한 기다림이 두드러지는 의료에서의 '환자' 역할"이 있다.[12]

택시 운전사의 시간노동은 거의 완전히 기다림으로만 채워진 노동 형태다. 부르디외에 따르면, "천천히 진행하고, 기다리게 하고, 중단하는 기술은 권력의 시행에서 필수적인 부분이다."[13] 택시 운전사의 생활에는 심장박동 이상, 까만 가래, 꽉 찬 방광, 운전 중 졸음, 발열 등 일시적이거나 장기적인 신체적 욕구를 해결할 시간이 부족하다. '뒷좌석'과의 구조적인 관계가 낳는 템포에 동기화해야 하고, 끊임없이 타인의 시간적 요구에 맞춰 대기해야 하는 운전사들에게는 흔한 부작용이다.

주디, 빌리, 에이브러햄은 모두 운전하다 졸았던 경험이 있다. 보통 택시 기사들은 하루에 12시간씩, 어떤 때는 16시간씩 차를 몰기 때문에 계속 깨어 있으려면 상당한 노력이 필요하다. 주디는 "나도 모르게 이곳저곳에서 졸게 되지만, 얼른 나 자신을 다잡는다."고 했다. 어느 날 에이브러햄은 교차로에 멈춰 선 사이에 깜빡 잠들었고,

화가 난 승객은 차에서 내렸다. 그는 삼키지 않고 입 한쪽에 두면서 계속 씹는 녹색 잎인 카트Khat를 애용한다. 카트 잎에는 자극제인 카틴이 들어 있다. 카트를 씹으면 "정신이 말짱해지고 에너지가 넘쳐요. 금요일이나 토요일에 꼭 필요하죠. 어떤 기사들은 그걸 씹고 24시간 일해요. 그렇게 비싸지만 않다면 나도 더 자주 그걸 씹을 겁니다." 모든 택시 기사들은 "너무 많은 커피"를 마신다. 주차 요금이나 멀리까지 가는 손님 때문에 화장실 갈 시간이 없을 때가 많다. "목마른데도 화장실에 가고 싶어질까 봐 마시고 싶은 걸 못 마시는 어처구니 없는 상황인 겁니다. 어린애도 아닌데."

아주 편리하지는 않더라도, 휴식 장소는 운전사에게 필요한 대안적인 시간 아키텍처다. 비공식적인 휴식 장소들에는 화장실이 있고 낮잠을 자거나 좀 서 있거나 스트레칭을 할 공간도 있다. 운전사의 시간 인프라는 즉석에서 만들어지기도 하고 시간이 지나면서 굳어지기도 한다. 같은 민족 출신들이 모여서 휴식 시간을 보낼 때가 많은데, 이는 지정학적 정치와 시간정치가 상호 연관되어 있음을 보여주는 또 다른 예다. 빌리는 같은 민족 출신들이 비슷한 시간에 차를 몰 때가 많다고 설명했다. 애초에 택시 기사들이 토론토로 이주한 배경에 따라 어떤 시간에 일하는지가 결정되는 경우가 많다. 역사적 우연이 그들을 택시 운전사로 만들었다. (반세기 이상 운전을 해 온 소수의 나이 든 남성들을 제외하면, 대부분의 운전사들은 이민자들이다.)

빌리에 따르면, 중동 출신 운전사들은 교육 수준이 높은 가장인 경우가 많아서 가족 때문에 밤 운전은 잘 하지 않는 편이다. 그는 "우리가 떠나기 전에 살던 방식과 비슷하게 살아가려고 노력한다"면서 "출근할 때 옷을 잘 입고 가능한 한 적당한 시간에 집에 오는 게 좋다"고 했다. 에이브러햄은 자기 처지를 이야기하다가 운전자들의 시간 선택이 민족사회와 연관되어 있다고 알려 주었다. "우리나라와 아프리카에서 온 사람들은 대부분 이민 신청 서류가 받아들여지기를 기다리면서 운전합니다. 그래서 밤에 자기 시간을 가질 필요가 없는 거지요. 사실 나는 밤 손님들이 더 편해요." 주디도 자기 집단에 속하는 운전사들이 특정한 시간에 많이 모이는 바에 자주 들른다. 운전하는 중간에 쉬는 일이 흔치 않아도 쉬는 장소는 존재한다. 에이브러햄은 "우린 버스 정류장에서 만나요. 거기가 만나는 곳입니다."라고 했다. 빌리에게는 금융가 북쪽 교차로 모퉁이가 그런 곳이다. 빌리가 목소리를 높였다. "그렇죠! 우린 다 이주자들이고, 이 도시에 왔고, 서로를 알아 가고, 편안하고 괜찮다고 느끼는 데를 알게 됩니다. 언제 어디가 좋은지를 말입니다."

'공항 옆 인도인 쉼터'는 시크교 택시 기사들과 그 아내들이 마련한 휴식처다. 어느 남아시아 출신 운전사가 알려 준 이곳은 한 택시 회사의 소유로 공항과 가깝고 이 회사의 운전사들이 이용한다. 이 쉼터는 시간관리 인프라의 일종이다. 공항 라운지가 "집처럼 느껴진다"고 했던 대릴과 비슷하게, 이 회사 운전사도 그곳이 "집 같다"고 했다. "거긴 침대도 있고, 옛날 인도 영화, 최근의 인도 영화, 인도 음식, 인도에서 보내온 신문까지 있습니다. 우리는 보통 16시간 일합니다. 그곳은 도시로 향하는 고속도로와 공항 사이에 있기 때문에 거기서 쉽니다. 집에 가서 쉬기가 어렵기도 하고, 저희는 에어로 플릿(공항 전속 택시 회사)이기 때문에 시내에서 승객을 태울 수 없어요. 그래서 우리 중에서 몇몇이 힘을 합쳐서 쉼터를 만들었습니다."

쉼터가 운전사 아내들의 노동력으로 지탱된다는 사실은 지배적 템포를 유지하는 시간적 계층과 정치에 또 다른 차원을 더한다. 이 맥락에서, 여성은 대안적인 시간 하위 아키텍처 내의 시간노동력이다. 즉, 여성은 지배적 시간성에서 두 단계 내려간 층위에 위치해 있다. 이 쉼터를 이용하는 운전사들은 차량 소유주가 만든 공간에 머물기 때문에, 쉼터는 회사와 노동자 사이의 계약노동 관계를 보여 주는 것이라고 할 수 있다. 그러나 문제는 그리 간단하지 않다. 택시 기사들은 이 공간 속에서 벌거벗은 존재로, 소모품으로 취급받는 것이 아니라 공동체의 일원으로서 편안함을 느끼기 때문이다. 이 공간은 겨우 생계를 꾸려 나가는 운전사들의 기본적인 신체적 욕구를 해결해 준다.

도시 경관 내의 물리적 구조물들은 기다리고 있는 인구들에게 시간의 생명관리정치적 경제가 차별적으로 작용한다는 사실을 잘 보여 준다. 공공공간 디자인협회는 택시 운전사와 승객이 이용할 대기 장소 디자인을 제안서에 실었다.[14] 건축가, 인테리어 디자이너, 공공공간 활동가, 뉴욕 택시의 대표자 두 명(택시 회사 사장 한 명과 택시 기사 한 명)으로 구성된 이 디자인 그룹은 도시계획자들에게 두 가지 구체적인 설계안을 제시했다. 하나는 공항에서 택시를 기다리는 승객을 위한 공간이고, 또 하나는 택시 운전사를 위해 도시 공공장소에 만들어지는 공간이다(그림 8 참조). 놀이터의 구름사다리를 닮은, 지붕 없는 옥외 스탠드는 운전사들이 앉거나 스트레칭을 하거나 쉬거나 화장실을 이용할 수 있는 공공공간이다. 이 '휴게' 공간에는 아주 적은 재원만 투입된다(그림 9 참조). 반면, 공항의 승객 대기 장소는 텔레비전 화면, 노트북용 콘센트, 비를 피하는 대피소 역할 등 현대적인 색채를 띠고 있다(그림 10 참조). 승객들이 플러그를 꽂고 배터리에 (말 그대로) 충전하는 동안, 운전사들은 교대 시간에 기지개를 펴면서 몸을 (비유적으로) 충전한다. 둘 다 시간 아키텍처 속에서 이루

그림 8 택시 운전사를 위해 설계된 스트레칭 펜스. 뉴욕시의 공공공간 디자인협회는 휴스턴 스트리트와 1번가에 만들 택시 운전사 휴게소 계획을 트럭 프로덕트 아키텍처에 의뢰했다. (Megan Canning, Savannah Gorton, Deborah Marton, Designing the Taxi, New York: Design Trust for Public Space, 2005, 30.)

그림 9 다른 각도에서 본 스트레칭 펜스. (Designing the Taxi, 30)

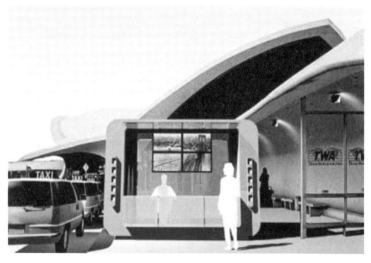

그림 10 뉴욕시의 공공공간 디자인협회에 와이즈와 요즈가 제출한 택시 승객 대기장 디자인. 《디자이닝 더 택시》는 이 대기장이 "택시를 기다리는 시간을 화려하게 꾸며 준다"고 강조했다. (Designing the Taxi, 32)

어지는 재보정의 형태다. 둘 다 택시 노동력의 시간적 수요에 대한 대응이다.

나는 이 휴게 공간들이 쓸모없다거나, 운전사들이 화장실에 가려고 잠깐 차를 세워도 벌금을 내야 하는 이 도시에 꼭 필요한 공간임을 부인하려는 것이 아니다. 그러나 이 두 설계안이 운전사와 승객의 시간에 각기 다른 투자를 하고 있다는 점은 분명히 지적하고 싶다. 휴게 공간은 생계 유지를 가로막는 저임금과 비인간적인 시간을 극복하게 하지 못한다. 특정 인구 집단에게 필요한 휴식이 무엇인지를 각기 다르게 상정한다는 것은 운전사와 승객의 시간이 다르게 상상되고, 규제받고, 실천된다는 것을 말해 준다. 휴식에 사용된 테크놀로지가 제대로 작동하느냐, 실제로 휴식을 제공하느냐의 문제보다는, 불균등한 시간질서와 시간 아키텍처의 정치 차원에서 그 테크놀로지들이 의미하는 바가 무엇인지를 숙고해 보는 일이 중요하다.

시간의 변방에서 나타나는 택시의 시차 부적응

운전자들의 자기 테크놀로지에는 타인들의 시간과 동기화하는 일이 포함된다. 그 일은 매일매일 해 나가야 하는 생계의 일부다. 다른 사람들의 시간이 그들이 시간을 이해하는 방식을 구성하고 통제한다. 유기적인 시간의 통일성이 존재한다고 내세우는 세계에서,

우리는 이접적離接的disjunctive인 시간적 차이를 드러내는 권력관계로서의 공시성共時性synchronicity에 주목해야 한다. 사회적 삶의 리듬은 평등하지도 동등하지도 않다. 비즈니스 여행자의 시간성이 택시 운전사들의 시간적 실천을 좌우하는 현상은 리듬 유지의 미시정치에 해당한다.

2장에서는 시간적 질서의 주변부에서 살아가며 노동하는 자의 관점에서 '시간이 모자라다'는 것이 무엇을 의미하는지 살펴보았다. 시차 부적응jet-lag이 빠른 속도로 살아가는 사람들의 시간성을 포착하는 말이라면, 택시 시차 부적응cab-lag은 다른 사람들이 선택한 빠른 삶이 악화시킨, 물질적으로 피폐한 시간 관계를 환기시키는 용어다. 이 말에는 생산적인 가능성이 존재한다. 특권적 이동을 돕는 택시 시차 부적응의 시간성은, 시간 속에 머물게 하는 시간 아키텍처의 안전망 없이 시간 내외를 넘나들며 시간의 변방에 존재한다. 그렇다면, 택시 시차 부적응은 동기화하는 집단과 맺는 차별적이고 불평등한 시간적 관계 속에 있는 이들의 노동조건을 가리키는 말이라고 할 수 있다.

호텔 청소부도 택시 시차 부적응의 시간성에 속해 있다. 호텔 청소부들은 야간 근무를 하면서 고급 매트리스를 청소해 시차 적응 문제를 겪는 비즈니스 여행객들이 낮에 잠들게 해 준다.[15] 러시아워가 오기 전에 고속도로를 포장해야 하는 도시 노동자들도 택시 시차 부적응의 시간성에 속한다. 인도의 델리에서 콜센터 야간 근무를 하면서 인도식 억양 없이 "좋은 아침입니다"라고 상쾌하게 전화를 받는 여성 노동자들도 마찬가지다.[16] 택시 시차 부적응 계급에는 민영화된 보안회사에 소속되어 고층 빌딩과 공항에서 일하는 노인 보안요원들도 포함된다. 보모와 가정부도 그러하다. 택시 시차 부적응 인구는 지배적 시간 인프라와 관련이 있다. 이 인프라를 청소하고, 서비스하고, 지키고, 유지하는 사람들이 이 인구이기 때문이다.

여기 언급한 여러 노동자들은 다른 시간 아키텍처들을 스스로 만들어 낸다. 시간 바깥으로 밀려나는 경험은 차별적이다. 거대한 생명관리정치적 시간경제 안에서 어디에 자리하느냐에 따라 그런 경험을 겪을 수도, 겪지 않을 수도 있다. 신체의 유지 관리는 어떤 이들에게는 생존 투쟁의 중심이지만, 다른 이들에게는 특정한 라이프스타일의 일부에 불과하다. 차별적인 시간 체제는 생산양식과 근대 권력제도에서 자유로운 자율적인 실천이 아니다. 오히려, 권력은 시간 체제를 조율하고 거기에 질서를 부여한다. 택시 기사와 비즈니스 출장자는 서로 겹쳐 있는 시간의 한 양상에 불과하다. 시간성들 간의 관계는 단순한 시간적 이분법으로, 예컨대 하늘 높은 곳에 있는 빠른 계급과 땅에 멈춰 서 있는 느린 계급으로 구분 지을 수 있는 것이 아니다. 그들의 차이는 공간적인 것이 아니다. 시간적이다. 글로벌 자본 하의 모든 인구는 시간 바깥으로 밀려나기도 하지만, 시간에 확실하게 뿌리박고 있기도 하다. 핵심은 여기에 있다. 시간은 권력 차원에서 구성된다. 따라서 시간은 차별적이고, 관계적이며, 복잡하게 뒤엉킨 것임을 잊지 말아야 한다.

3장

사무실의 요기
: 사무직노동자들의 재보정

몇 년 전, 토론토의 한 요가 스튜디오에서 일을 했다. 일주일에 두 번 스튜디오를 청소하면 마음껏 요가 수업을 들을 수 있다는 조건이었다. 청소는 세 시간 정도 걸렸다. 요가 강좌 하나를 들으려면 15캐나다 달러를 내야 했다. 나는 시간이 많았지만 돈은 없었다. 스튜디오 바닥 청소, 화장실 청소, 비누통 채우기, 거울 닦기, 요가 매트 소독하기 등이 내 임무였다. 아침 청소를 하고 나서 그 뒤에 열리는 첫 수업을 들었다. 스튜디오 사장이 계획한 45분 정도의 '점심시간 특별 요가 수업'에 들어갈 때가 많았다. 사장은 점심시간에 요가를 할 인근 직장인들을 대상으로 이 수업을 개설했다.

이 특별 수업의 분위기는 내가 들어 본 다른 요가 수업들과 상당히 달랐다. 쿤달리니 요가냐 아쉬탕가 요가냐의 문제처럼 요가 종류의 문제가 아니었다. 사람들이 풍기는 향수 냄새는 원래 요가 스튜디오에서 금기에 속했다. 요가 매트 옆에 휴대폰을 놓아 두는 모습도 낯설었다. 소리를 꺼 놓아도 대나무 바닥을 따라 진동이 느껴졌다. 사람들은 뛰다시피 스튜디오로 들어와 재빨리 옷을 갈아입고 시작 직전에 서둘러 매트를 깔았다. 요가 수업의 마지막 정리 동작은 '죽은 자의 자세'라고 하는 평온하고 나른한 사바사나 자세인데, 주위를 둘러보면 나 혼자 남아 있을 때가 많았다.

이 수업에서 가장 특별했던 점은, 동작 중간중간에 요가 강사가 해 주는 말이 다른 수업과는 매우 달랐다는 것이다. '저 바깥' 세상의 속도와 빡빡한 일정, 시간에 쫓기는 나날을 헤쳐 나가게 해 줄 요가의 장점을 강조하는 말들이었다. 강사는 몇 번이고 이런 말들을 되풀이했다. "이 요가를 책상으로 가지고 돌아가세요. 아무도 이걸 빼앗을 수 없습니다. 자기 자신을 위해 그렇게 하세요. 지금 여기서 하고 있는 것보다 중요한 일은 없습니다." 클래스는 나직한 목소리로 중얼거리는 강사의 말로 마무리되었다. "삶은 바로 여기에 있습니다. 삶은 바로 여기에 있습니다 ···." 물론, 돈은 없어도 시간이 넉넉한 대학원생이던 나에게 필요한 말은 아니었다. 그렇지만 자기 마음과 현재에 집중하고, 삶과 업무 사이에 균형을 유지하는 것은 누구나 갖춰야 할 소중한 기술일지 모른다. 정말 그럴까?

한참 시간이 지난 뒤, 밴쿠버 시내에 있는 어느 기업 빌딩의 엘리베이터를 탔다가 거기 놓인 요가 광고지를 발견했다. 요가 학원 아르바이트와 특별 요가 수업이 떠올랐다. "당신의 삶이 더 나아지기를 꿈꾸나요? 아침에 일어나면 사무실에 들어가기가 두렵지 않나요? 지쳐서 퇴근할 때 삶이 달라지기를 소망하나요? 시너지 요가와 함께라면 가능합니다." 요가 클래스는 고층 빌딩 어딘가에 있는 회의실에서 1인당 15달러에 주 2회, 낮 12시부터 12시 45분까지 열렸다. 다른 인구, 즉 관리자들을 겨냥한 문구도 있었다. "회사가 복지를 위해 투자하는 1달러는 3달러의 비용 절감과 혜택으로 돌아옵니다."

지금의 자본주의 체제 아래에서는 수없이 많은 사무직노동자들이 9시부터 5시까지 책상에 앉아 힘들게 일을 한다. 사무직노동자는 택시 기사처럼 시간적 질서의 변방으로 밀려나 있지 않다. 또, 비즈니스 출장을 자주 다니는 사람들의 시간적 요구를 유지하기 위해 구축된 특권적인 시간 아키텍처 내에 있지도 않다. 시간적 차원에서 주목해야 할 것은, 사무직노동자들이 가장 정상적인 시간이자 가장 구조화된 시간성으로 받아들여지는 환경에서 살아가고 있다는 점이다. 9시부터 5시까지의 노동은 단순한 작업 시간의 범주를 넘어서는 시간적 정상성temporal normativity으로 확장된다. 9시부터 5시까지의 노동은 주말, 은퇴, 금요일의 해방감, 저녁 시간의 할인, 매일의 출퇴근, 2주간의 휴가와 긴밀한 관계가 있다. 텔레비전 편성도 '9시부터 5시'라는 정상적인 리듬에 맞춰서 짜여진다.[1] 저녁의 황금 시간대에는 9시부터 5시까지 일한 노동자들에게 앉아서 일하는 생활의 위험을 경고하는 내용의 프로그램이 방송된다. 그 방송에 따르면, 앉아서 생활하는 삶은 여러 심혈관 문제, 암, 비만을 낳는 느리고 조용한 살인자다. 이 질환들은 전자장치의 속도, 계기판, 책상 위의 컴퓨터, 텔레비전 등이 만들어 낸 삶의 신체적 부산물이다.[2] 삶은 여기에 있지 않다. 삶은 바로 여기에 있다. 9시에서 5시까지 일하는 사람들은 시간질서의 안팎에서 동시에 존재한다.

지난 10여 년 동안 앉아서 보내는 삶의 위험성이 널리 알려지면서, 많은 기업들이 건강과 생활습관 관리를 중시하게 되었다. 회사들은 회사 체육관, 걷기 동호회, 골프 연습장, 저칼로리 저염 식품을 내놓는 카페테리아를 지원한다. 하버드 경영대학원은 달라이 라마에게 부탁하여 티베트 승려들을 MRI로 스캔했다. 기업 업무 환경에서 명상이 지니는 장점을 증명하려고 한 것이다.[3] 《사무실 요가Yoga for the Desk Jockey》 같은 가이드북은 직원들이 침대에서 빠져나오는 순간부터 집으로 돌아올 때까지 요가와 명상을 계속하는 방법을 알려 준다. "하루를 맞이하는 호흡법을 익히고 나면 운전을 할 때도, 자전거를 탈 때도, 걸어서 출근할 때도, 심지어 버스에 서 있는 동안에도 에너지를 저장할 수 있다."[4] 요가, 마사지, 영적 치유는 최근 들어 기업 웰빙에 추가되었다. 영국 기업들은 '업무 건강' 복지 플랜의 일환으로 직원들이 기氣 치료와 같은 영적 활동을 선택할 수 있게 한다. 미국의 기업 복지 계획이나 캐나다의 라이프웍스에서도 비슷한 상황이다. 근무일-주말-공휴일의 반복 속에서, 기업 요가는 근무시간의 정상적 템포를 의도적으로 거스르는 대안적인 시간성으로 등장했다.

군이 마르크스주의를 참고하지 않아도, 사무실 요가가 자본에 이득이라는 사실은 분명하다. 마르크스에 따르면, "필요 노동시간 necessary labor time이 단축되기 때문에 노동자는 생산성을 향상시켜 준 자본에 감사를 표한다. 다음에는 10시간이 아닌 15시간 동안 노동하여 감사의 마음을 증명해야 한다."[5] 더 나아가, 슬라보예 지젝 Slavoj Žižek은 《믿음에 대하여On Belief》에서 서구 불교가 글로벌 자본주의의 완벽한 이념적 동반자라고 주장한다. "소위 '서구 불교'의 명상적 태도는 정신건강을 유지하는 것처럼 보이면서 자본주의 역학에 완전히 참여하는 가장 효율적인 방법이다. 만약 막스 베버가 지금 살아 있다면, 그는 분명히 '도교 윤리와 글로벌 자본주의 정신'이라는 제목으로 《프로테스탄트 윤리》의 후속편을 썼을 것이다."[6] 과로를 부추기는 윤리가 일반화되고, 신체는 노동자의 자아 전체, 즉 신체적·물질적·정신적 웰빙을 돌봐 주는 회사와, 그리고 경제 시스템과 행복한 계약 관계를 맺는다. 사무실 요가는 다루기 쉽고 생산적인 신체를 만들어 낼 자본주의의 또 다른 문화 테크놀로지라고 할 수 있다. 그러나 사무실 요가에는 더 따져 보아야 할 구석이 많다.

앉아 있는 신체는 속도를 줄여야 하는 동시에 높여야 하는 글로벌 자본의 대상이다. 앉아 있는 삶은 단지 하루 종일 앉아 있는 생활의 신체적 부산물이 아니라 체계적인 장소다. 세계 자본 속에서 다양한 지위를 갖는 개인과 인구의 구조적 위치인 것이다. 기업 환경에 등장한 요가 강사는 사회적 통제의 한 형태인 시간적 감성time sensibilities의 유지가 얼마나 중요한지를 보여 준다. 앉아 있는 삶을 재보정해 주는 요가 강사는 시간 인프라를 관리하는 출장 기술자이다. 이 재보정은 시간성 규제와 노동 훈련의 한 형태다.

이 특수한 재보정 형태는 일상을 지배하는 기업 구조에 저항하는 것으로 비춰질 수 있다. 근무시간의 일부(자유 시간이나 휴식 시간)를 할애하면 기업 자본주의의 목표가 저해되는 것으로 보이기 쉽다. 그러나 그 형태가 무엇이든 간에, 재보정은 저항과는 거리가 멀다. 재보정은 차별적으로 운영하는 시간관리의 정상화 형식이다. 사회적 통제의 한 형태인 재보정은 보통 억압적이라고 받아들여지는 공간에서의 규율이기 때문에 그 존재를 인식하기가 어렵다. 게다가 재보정은 자유 시간의 형태로 업무 공간 전반에 걸쳐 나타나기 때문에 그 공간의 규율에 저항하는 것으로도 보인다. 그러나 시간은 권력구조에서 자유롭지 않고 그 자체가 자유로운 것도 아니다. 사무직노동자의 시간은 어떻게 쓰이든 간에 특수한 방식으로 조직된다. 사무직노동자의 새로운 시간 경험은 앉아 있는 생활의 테두리 안에 있다. 말하자면, 단단하게 고정되어 있다. 사무실 요가는 기존 업무가 계속 진행되지만 새로운 시간 감각 속에서 이루어진다는 생각을 갖게 한다. 이 새로움은 앉아 있는 생활을 입맛에 맞는 것으로 조리해 준다. 요가는 노동자의 시간 감성에 바탕함으로써, 또 앉아 있는 시간을 창조하고 관리함으로써, 자본이 앉아 있는 신체를 생산하도록 돕는다.

속도 담론은 다른 목적에 쉽게 동원될 수 있다. 요가가 기업에 큰 어려움 없이 침투해 들어가는 것도 그 때문이다. 요가는 고용주들에게 일의 속도와 능률을 유지시켜 준다고 약속한다. 반대로 직원들은 요가가 속도를 늦춰 준다고 생각한다. 요가 강사들은 자신들이 독립적인 존재, 방관자, 심지어 경제 시스템에 대항하는 반군이라고 상상한다. 자신들은 이 시스템과 관계 없다는 것이다. 강사들은 요가가 관련된 모든 이들에게 이득이면서 사회적 변화를 가져오는 저항의 실천이라고 여기며 이 영역에 진입한다. 그러나 요가 강사는 생명관리정치적 시간경제 안에 기생하는 존재다. 기술과 속도에 대한 거친 잠언들을 주워섬기며 혼란스럽고 난해한 지식으로 무장한 출장 요가 강사는, 위기의 사무직노동자를 책상 앞 삶에 더 잘 적응할 새로운 시간적 주체로 탈바꿈시킨다.

출장 요가 강사와 치유사들은 매일 여러 사무실들을 오간다. 대부분 대형 웰빙 기관에 소속되어 있다. 대체로 출장 요가 강사들은 불교, 힌두교, 동양의학의 가르침을 뒤섞어 이야기하면서 강한 기업가정신을 옹호한다. 중앙 기관에서는 이들을 여러 사무실에 나누어 배치한다. 몇몇 강사들은 입소문을 타고 회사들과 직접 접촉하며,

자기 서비스를 홍보하는 웹사이트도 운영한다. 전업 출장 요가 강사는 일주일에 7개에서 15개의 수업을 진행한다. 직장 요가 수업은 대개 45분에서 1시간 정도다. 강의는 요가 수업을 위해 잠시 비운 지하실이나 회의실에서 이루어진다. 직원들은 보통 한 회당 10달러에서 15달러 정도의 수업료를 내고, 강사는 수업당 50에서 200달러 정도를 받는다. 회사 관리자들은 오후 세션이나 반나절 정도 걸리는 워크숍에 참석할 때가 많다. 제공되는 서비스, 필요한 강사 수, 참가 인원 등에 따라 다르지만 대형 요가 업체들은 이런 행사가 열리면 200~800달러 정도를 요구한다. 회사에서 직원들을 위해 정기적으로 요가를 제공하는 경우, 사무직 직원들은 일반적으로 일주일에 한 번에서 두 번 정도 요가 클래스에 참석할 수 있다.

시간적 질서 속의 속도 치유사

리디아가 소유한 요가 회사는 브리티시컬럼비아주 밴쿠버에 있다. 200명 이상의 요가 강사가 이 회사 소속이다. 리디아에게 잠재고객에게 어떻게 접근하는지 물었다. 리디아는 관리자들과 인사 담당자들에게 접근하는 '판촉 전략'을 알려 주었다. "사무실에서 요가를 하면 돈을 절약하고 직원들이 일을 더 잘하게 될 것"이라고 설득한다는 것이다. 그녀는 인사 담당자와 대화할 때 사용하는 메모 샘플을 건넸다. "요가 수업에 들어가면 다른 말을 할 수 있겠지만, 회사의 문턱을 넘어갈 때는 생산성 얘기만 합니다. 그래야 해요.” “관리자들은 체육관에 가서 땀 흘리고 달리고 엔돌핀을 얻으면 좋다는 건 알지만, 요가는 잘 모릅니다.” 리디아는 “몇 가지 포인트가 있다”고 했다. 메모의 맨 앞부분에는 이렇게 써 있었다. “업무 스트레스가 직원 결근 원인의 60퍼센트 이상을 차지한다.” 그녀는 “직원에게도 회사에도 요가가 이득이라는 것을 관리자들이 알게 하는 것”이 포인트라고 했다. “증명하거나 측정할 수 있는 주장이 아니기 때문에 우리는 최대한 설득력을 발휘해야 합니다.”

허가를 얻으려면 생산성을 내세우는 것이 중요하겠지만, 이 말에 동의하지 않는 강사들도 있다. 노스캐롤라이나 롤리더럼 지역의 리서치 트라이앵글 파크 근처 커피숍에서 켄드라를 만났다. 그녀는 미국의 어느 주요 제약회사 본사에서 막 수업을 마치고 나온 참이었다. 켄드라는 10년 동안 요가 강사로 일했고, 5년 동안 회사 출장 요가 클래스를 지도했다. 한 달에 한 번, 일요일 오후에는 롤리에서 ‘사무실 요가’ 워크숍을 연다. 요가 클래스에는 사무실 환경을 떠올리도록 요가 매트와 의자를 비치해 둔다고 했다. 그녀에게 리디아의 자료를 보여 주었다. 리디아의 방식은 켄드라와 맞지 않는 것 같았다. “오, 와우.” 그녀가 외쳤다. “이건 다 생산성 향상 얘기네요. 전 그런 말은 안 합니다. 그런 생각도 안 해요. 전 사업적인 관점이 아니라 요가적인 관점에서 접근합니다.” 나는 “요가적인 관점”이 무슨 뜻인지 물었다.

켄드라는 사무실 환경에서의 요가 연습이 “모든 것에서 벗어나는 시간”이라고 생각한다. 요가의 시공간은 근무시간의 시공간적 질서에서 벗어나 있다는 것이다. 켄드라는 요가는 요가일 뿐이라고 단호하게 말했지만, 곧이어 회사 측에서 요가의 시작과 끝에 다 함께 내는 옴 소리를 좀 작게 해 달라고 요구한 적도 있다고 털어놓았다.

캣은 밴쿠버에서 주로 활동하는 요가 강사다. 브리티시컬럼비아주의 동남부에 있는 교도소, 학교, 기업에서 요가를 가르친다. 그녀도 장소에 따라 요가가 달라지지는 않는다고 주장했다. 요가 수행은 항상 시간과 공간의 초월이라는 것이다. 캣은 보편성을 강조했다. "요가는 몸과 마음의 연결입니다. 언제 어디서나 누구나 할 수 있어요. 모든 사람에게 필요합니다." "전 어디서 가르치든 상관없어요. 요가는 어디에서든 해야 하는 거니까요." 하지만 캣도 직장에서 가르칠 때는 "영적 요소"를 줄인다고 했다. "요가 선생님으로서 씨앗을 심는 책임이 있지만, 배우는 사람들은 그 회사의 문화를 의식할 수밖에 없겠죠."

브리티시컬럼비아에 있는 대형 회사의 본사에서 내준 임시 공간에서 반사요법, 기 치료, 최면요법, 인도식 머리 마사지를 운영하는 나비나는 시간 절약 차원에서 회사에 큰 도움을 주는 서비스를 제공하고 있다고 자부한다.

직장 생활은 출근하고 또 출근하고 점심 먹고 책상에 앉아 전화기를 귀에 붙이고 있는 일의 반복이지요. 직장 공간을 벗어나 제 개인 스튜디오에서 서비스를 받는 분들이 많아졌으면 좋겠지만, 오랫동안 회사 환경에서 일해 보니까 직장에서는 육체, 정신, 영혼의 관리를 회사 바깥에 맡길 시간이 많지 않다는 걸 알게 됐어요. 우리가 이런 속도 속에서 살고 있으니까, 저는 제 고객들에게 직장에서 서비스를 해 드릴 수 있어서 정말 기뻐요. 짧은 30분 동안만이라도 시간을 내서 자기 자신을 돌보는 거니까요.

그러나 나비나는 직원들이 회사 사무실의 기 치료실에 오면 외부에서 서비스를 받을 때와 달리 짧은 시간만 서비스를 이용할 수 있다고 지적했다. "회사에서는 기 치료와 반사요법만 가능하죠." 리디아는 사람들이 "스트레스를 더 많이 받기 때문에" 사무실 요가는 "아주 다르다"고 했다. "직원들은 클래스에 가는지 가지 않는지 감시받는 상태입니다. 수업 시간은 딱 55분 정도로 고정되어 있어요."

나는 강사들에게 몇 가지 질문을 던졌다. 직원들이 어떻게 그 수업을 들을 수 있는지가 궁금했다. 점심시간은 언제인가? 수업은 업무 시간 전에 진행되는가? 수업시간은 노동시간에 포함되는가? 요가 법인을 운영하는 리디아를 제외하면, 대부분은 이런 문제에 관심이 없었다. 오히려 이런 질문을 싫어했다. 다들 요가 수업의 경제적 조건과는 거리를 두고 싶어 했다. 내 질문이 요가의 진정한 목적에 반한다는 듯한 반응이었다.

캣은 이렇게 말했다. "요가를 하러 왔다고 해서 꼭 요가하는 사람처럼 생각해야 하는 건 아니니까요. 요가 세계에서라면 그런 문제에 비판적으로 접근하겠지만 여기는 그런 곳이 아니잖아요. 사람들은 그냥 요가가 필요하고 그걸 원해서 하는 겁니다." 나는 더 캐물었고, 사무실 요가 수업 대부분이 직원들의 점심시간에 이루어진다는 사실이 명백해졌지만, 그럼에도 요가 강사들은 망설이면서 그 사실을 쉽게 인정하지 않았다. 리디아는 사무실 요가의 사업적인 측면을 긍정적으로 받아들인다. "관리자들은 요가 클래스를 업무 시간에서 빼 주는 것이 아니라 직원들이 휴식 시간을 이용하는 것이라고 생각해요. 점심시간 요가를 택한 사람들은 나중에 사무실에서 점심을 먹죠." 수업이 끝난 직후 서둘러 책상으로 돌아오는 직원들의 모습이 "사무실 밖 스튜디오에서 진행되는 요가 수업의 풍경과는 아주 다르다"고도 했다. 요가 강사들이 직장인들이 언제 요가 수업을 받을 수 있는지의 문제를 애써 무시하는 것은, 자신들은 수강생들이 일하는 실제 시공간적 질서와 무관하다고 생각하는 것과 큰 관련이 있다. 강사들은 시공간적 질서를 인지하고, 그것이 억압적이라고 느끼기도 하지만, 자신들은 그 바깥에 있다고 여긴다.

요가 강사들은 자신들이 고객, 즉 수강생이나 회사와는 완전히 다른 시간 속에서 살고 있다고 주장한다. 속도의 해로움이 점점 더 쌓여 가는 이 세상에서도 자신들의 삶과 노동은 자유롭다는 것이다. 요가 강사들과의 인터뷰에서는 "이 빠르게 돌아가는 세상에서", "이 빠르게 움직이는 시대에", "모든 게 더 빨라진 지금"과 같은 표현들이 계속 등장했다. "속도의 문화"는 강사들 모두가 입에 올리는 일종의 주문 같았다. 인터뷰에서 속도가 아직 언급되기 전, 나는 강사들에게 우리가 사는 세상 속에서 자기 자신을 어떻게 규정하느냐고 물어보았다. 그들의 반응은 상당히 비슷했다.

나비나 제 역할은 모두에게 필요한 서비스를 제공하는 것이라고 생각합니다. 빠르게 변화하는 라이프스타일에서 우리가 잠시 멈춰서 숨 쉬고 긴장을 푸는 건 정말 중요한 일이죠. 바로 그렇게 하도록 돕는 일을 합니다.

켄드라 사람들은 만물의 속도로 숨 쉬는 법을 잊었습니다. 저는 그걸 가르치고 있어요. 정신과 몸의 깨달음은 거기에서 오지요. 그 빠른 속도에서 빈틈을 잡아내고 싶어요.

리디아 속도도, 업무 자체도 절대 변하지 않겠지만, 우리는 마음의 휴식을 취하는 작은 순간들을 잡아낼 수가 있습니다. 저는 직장에서 이런 순간을 맞이할 수 있는 공간을 마련하는 일을 하고 있지요. 우리는 이 빠르게 돌아가는 시대에도 그런 선택을 할 수 있어요.

매기 삶의 속도에 발맞추다 보니, 사람들은 부자연스럽고 좋지 않은 자세로 더 많은 시간을 보냅니다. 저는 제 수강생들이 그런 자세 대신 새로운 자세를 찾도록 돕는 사람입니다. 일상에서 더 나은 위치에 있게 되는 거죠.

캣 주위를 둘러보세요. 사람들은 잘 지내지 못하고 있습니다. 삶의 속도에 제대로 대처하지 못해요. 그래서 요가는 계속 유행할 겁니다. 씨앗을 뿌리는 일에 동참하고 있어서 기분 좋아요.

요가 강사들은 속도 치유사를 자임한다. 속도는 피할 수 없는 사실이다. 어느 곳이나 마찬가지고, 돌이킬 수도 없다. 그 효과를 상쇄하려면 새로운 방식이 필요하다. 요가 강사들은 속도, 테크놀로지, 직장에 나타난 변화 등을 잘 아는 전문가처럼 이야기한다.

나와 인터뷰한 강사들은 기술 관련 신조어를 자주 썼고, 입증되었다고는 하나 사실은 근거가 빈약한 증거에 의존해서 자기 주장을 폈다. 캣에 따르면, "과학적으로 증명된 것처럼, 진동성을 염두에 두면, 오늘날의 24시간은 50년 전에 비해 더 깁니다." 나는 '진동성'이 무엇이냐고 물었다. 캣은 "아무 과학자에게나 물어보세요!"라고 쏘아붙였다. 그녀는 "진동적인 힘"이 요즘의 아이들에게 분명히 드러난다고 했다. "요즘 아이들을 보세요. 애들이 너무 앞서갑니다. 인생은 50년 전처럼 단순하지 않아요. 우린 더 생각을 해 봐야 합니다. 모든 것이 순환합니다. 우리는 속도 향상 사이클의 끄트머리에 있습니다. 이제 사람들이 스스로를 돌본다면, 사물이 느려지기 시작할지도 모릅니다." 나비나는 과로에 시달리는 노동자들의 "매우 부정적인 에너지"가 그들이 사무실에서 나와 치료실에 들른 뒤 다시 책상으로 돌아가는 사이에 "스마트 에너지로 전환된다"고 했다. 나는 "스마트" 에너지가 무엇인지 물었다. 나비나는 스마트 에너지는 일종의 감성 지능에서 유래한다고 했다. "우리가 우주와 화해할 때, 우리는 적절하게 에너지를 사용"하게 된다. 그렇다면 "하루가 끝나기만을 바라면서 책상에서 시간을 낭비하는" 일이 줄어든다는 것이다. 강사들의 주장은 대체로 노동자들의 소외 경험을 그 중심에 두고 있었다.

리디아는 건물에 들어가 좋아하는 일을 한 시간 하고 나오면 기분이 좋다고 했다. "거기서 계속 일해야 한다고 생각하면 몸서리가 처져요. 하지만 지금은 한 시간만 하면 떠날 수 있죠." 강사들은 어떤 특별한 전환점을 맞이해 불행한 직장인의 삶을 '청산'하고 지금의 '치유를 서비스'하는 삶으로 넘어온 경우가 많았다. 까다로운 사람들과 오랜 시간 함께 일했던 캣에게는 교통사고가 그런 전환점이었다. 리디아는 첫 요가 수업을 듣고 허물어져 울었다. 그녀는 자신이 저널리스트가 되기보다는 사람들에게 요가를 가르치고 싶어 한다는 것을 깨달았다. "신문사에서 일할 때는, 질문하고 정보를 요구하면서 사람들을 괴롭히고 다녔어요. 어떤 영향력을 발휘하거나 좋은 일을 하고 있다는 생각은 들지 않았고요. 하지만 요가를 가르치면 사람들에게 도움이 된다고 느껴요." 리디아, 캣, 나비나는 만약 "파티션에 갇혀 있고", "책상에 묶여" 있었다면 우울했을 테고, 그랬다면 이런 삶을 정말 원했을 것이라고 했다.

이제는 기 치료 전문가로 풀타임 근무하는 나비나는 20년 이상 근무했던 바로 그 회사에서 사무실을 운영한다. "전 이 일을 하고 여기서 일하는 게 즐거워요. 제 직장 생활이 어땠는지 기억해요. 그 당시로 돌아가면 이런 요법이 필요했을 거예요. 지금 여기서 일하는 사람들은 행운입니다. 웰빙 프로그램을 선택할 수 있잖아요."

요가 강사들은 좋은 말씀을 전파하고 사람들로 하여금 자기 자신을 돌보게 하려고 사무실에 나온다.[7] 그들은 쥐떼 경주에서 빠져나온 사람들이다. 그리고 다른 사람들도 그렇게 할 수 있다는 불가능한 기대를 품고 있다. 나는 리디아에게 그녀가 만든 홍보자료를 본인도 믿고 있느냐고 물었다. 정말로 요가는 사람들의 생산성을 높이고 회사의 돈을 절약해 줄까? "네, 물론이죠. 하지만 그것 때문에 이 일을 하는 건 아닙니다. 사실 회사 쪽은 별로 신경 쓰지 않지만, 직원 수강생들이 만족하는지는 중요해요. 그리고 이건 내 비즈니스니까, 내 커리어를 위해서라도 이 일을 해야 합니다." 리디아는 요령 있게 일할 줄 아는 사람이다. "그건 관리자들이 듣고 싶어 하는 말이에요. 요가를 하고 싶어 하는 여자들뿐 아니라 회사 측이 듣기에도 솔깃할 말을 해야 합니다. 직원들이 요가를 하도록 허락하려면 그들에게도 이런 말이 필요해요. 합리화할 방법이 필요한 거죠."

출장 요가 강사들은 소비, 기술, 삶의 빠른 속도라는 '시스템'을 비판적으로 바라본다. 그러나 기업에서 일하는 치유사들은 재보정 사업을 하고 있다. 그 목표는 앉아 있는 삶과 정상적 시간질서에 정신적으로나 육체적으로 노동자들이 더 단단히 묶여 있도록 하는 것이다. 니콜라스 로즈Nikolas Rose는 신자유주의 하 직장에서 책임감 있는 시민은 알아서 자기 일을 찾고, 알아서 자기 일을 하게 될 것이라고 했다. "노동자는 의미, 책임감, 개인적 성취감을 찾고 삶과 일의 질을 극대화할 방안을 모색하는 개인이다. 따라서 개인은 목적을 위한 수단이나 임무로 간주되는 노동에서 해방되는 것이 아니라, 이제 우리가 우리 자신을 생산하고, 발견하고, 경험하는 활동으로 받아들여지는 노동 속에서 실현된다."[8] 요가 매트 덕분에 계속 새로워지는 쥐떼 경주는 끝이 나지 않는다.

질 들뢰즈Gilles Deleuze는 중앙집권적이거나 위계적인 권력 조직과는 거리가 먼, 통제와 규율의 분산을 이론화했다.[9] 기업과는 분리된 채로 활동하며 매여 있지 않은 존재인 요가 강사는 들뢰즈 이론의 실제 사례처럼 보일지도 모르겠다. 비즈니스를 해야 하는 유연 노동자는 노동자들의 자기책임을 강조하는 전문가와 권위자로서 기업 관계 분야에 재진입한다. 그리고 앉아서 보내는 삶을 더 잘 견디게끔, 현명하게 선택하고 올바로 앉고 매일매일의 선택들을 적절하게 조합하도록 지도하는 일을 맡는다. 스스로를 보호하고 향상시키려면 올바른 선택을 해야 한다는 신자유주의 윤리를 전파하면서도, 강사들은 자신들이 요가처럼, 어떠한 권력 네트워크에도 속하지 않는다고 생각한다. 그들은 노동자들의 생산성과는 아무런 이해관계가 없으며, 대다수가 선의를 갖고 사람들의 웰빙을 진정으로 바란다. 이들은 점점 속도를 높여 가는 통제 불능의 세계에서 자신들이 시간을 새롭게 바라보게 해 준다고 믿는다.

강사들은 기업 세계를 탈출했다고 기뻐하지만, 실제로는 거의 움직이지 않았다. 자율주의 마르크스주의자들은 자본에서 집단적으로 이탈하는 행위가 변증법을 넘어서는 제3의 길이라고 주장한다. 그러나 이 요가 강사들이 생각하는 저항은 기업 세계에 대한 혐오에 지나지 않는다. 저항이 아닌 혐오는 단지 책상 앞에서의 삶을 원하지 않았다는 사실을 의미할 뿐이다. 그래서 더 이상 한 회사의 통제를 받지 않지만, 생계를 위해 여러 일을 해야 하는 저임금 노동자가 되었다. 그들은 기업 정체성과는 자신들이 어울리지 않는다고 주장하지만, 동일한 기업 자본 구조 안에서 자리만 바꾸었다고 보는 편이 더 적절하다. 그들이 자본의 투자를 받지 않았다고 보는 것은 옳지 않다. 그들은 요가를 가르치는 자신이 권력 네트워크 밖에 있다고 주장하지만, 요가 수업의 중심에는 수강생들이 일하는 책상이 있다.

캣과 켄드라는 수강생들의 어깨와 등에, 다시 말해 앉아서 일하는 문화가 낳는 이상 징후에 신경을 많이 쓴다고 했다. 노스캐롤라이나주 더럼의 한 커피숍에서 만난 매기는 사무실 요가 수업과 스튜디오 수업을 둘 다 진행하는데, 스튜디오 수업에서도 자신이 하는 말과 취하는 자세는 차 안, 직장, 텔레비전 앞에서 하루 종일 앉아 있는 사람들을 겨냥한다고 했다. 매기는 요가가 "현대 생활의 위대한 대척점"이라고 주장한다. 다시 말해, 그녀에게 요가는 정상성에서의 탈출이다. "사람들이 일반적으로 어떻게 살아가는지 생각해 보세요. 앉거나 운전하거나 컴퓨터를 들여다봅니다. 요가는 그 대척점에 있어요. 요가는 아주 방어적인 자세입니다." 이 '양'과 '음'은 정반대에 있지 않다. '방어'라는 말이 핵심이다. 이 맥락에서 요가는 개선하는 것이지 대립하는 것이 아니다. 게다가 요가 연습은 규율적이고 제도적인 공간과의 관계를 재확인하는 정상화 과정에 신체를 묶어 놓는 역할을 한다. 요가 매트 위의 몸은 문화적으로나 제도적으로 특수한 몸이다. 요가 강사들은 요가를 배우는 사람들의 몸을 상당히 일반적인 용어로 지칭한다. 그들의 몸은 앉아 있고 운전하고 텔레비전을 보고 어깨가 구부정한 몸이다. 수업은 9부터 5시까지 근무하는 사람들에게 맞춰져 있다. 수업 바깥의 세계가 조직적으로 직장과 연관되어 있다는 가정 아래 진행되는 것이다. 매기는 사무실 요가가 아닌 상황에서도 요가 매트 위에 있는 뒤틀린 몸들을 바라보면 그중 상당수가 책상에서 일하다 온 사람들이라는 사실을 알 수 있다고 했다.

사무실 요가는 전통적인 요가와 이미 두 단계가 달라져 있다. 전통 요가는 호흡법이 중심이지만, 사무실 요가는 앉아서 지내는 삶에 초점을 둔다. 사무실 요가는 현대 체위體位 요가Modern Postural Yoga의 연장선상에 있다. 현대 생활의 자세—목과 등에 부담을 주는 앉아 있는 자세, 반복적인 동작들—를 유지할 수 있도록 그 반대의 자세를 취하게 하는 것이다. 현대 체위 요가는 시계로 측정하는 시간을 포함한 서양의 선형적 시간 개념을 거스르는 정신을 그 근본에 둔다. 요가 연습은 측정 가능한 시간 너머의 시간적 관점으로 전환하는 것이다. 요가의 기본 개념인 삼사라〔윤회〕는 "조건지어진 존재, 한정성, 시공간적 구속에 묶여 있는 정신"을 넘어선다.[10] 서양의 시간 개념은 그 선형성 때문에 억압적인 것으로 간주된다.[11] 반대로 삼사라의 시간 개념은 "탄생, 삶, 죽음, 환생" 사이의 순환이다.[12] 시간은 "모든 세계의 창조자이자 파괴자"이다. "끊임없이 움직이는 시간은 아무것도 우선시하지 않는다. 모든 것의 시작을 만들어 내는 동시에 모든 질서와 생명과 겉보기에 불변하는 것들을 산산조각 내며, 그렇게 함으로써 다시 창조한다. 놀라운 것은, 이 힘이 우리의 손아귀 안에 있다는 사실이다."[13] 무한성을 획득하려면 시간에서 벗어나야 한다.

이 요가 원리의 근저에는 집착이라는 문제가 놓여 있다. 서구의 시간 관념은 어떤 사건들에 묶여 있고, 탄생과 죽음, 시작과 끝을 나눈다. 선형적 시간은 환생의 순환을 부정한다. 반복의 순환인 삼사라를 받아들이는 철학에 따라, 선형적 시간이라는 무거운 부담에 대한 집착을 끊어 내는 것이 환생의 순환이다. 집착에서 벗어나면 삶과 죽음, 마음과 몸이라는 이분법적인 삶의 질곡에서 해방된다. 심신의 이중성에 대한 부담에서 자신을 해방시키는 것이다. 집착 없이 시간 속에 머무는 존재는 사건들에서 자유롭다는 인식에 도달한다. 삶과 죽음의 경계에서, 기억에서, 그리고 삶의 가능성을 제한하는 시간 이해 방식에서도 해방된다. 시간을 가로지르고 선형적 시간성을 탈각하면 일상 시간의 조건반사에서 벗어난 삶을 맞이하게 된다. 이런 관념이 5분 요가take5moment를 낳았다. 5분 요가는 사무직노동자들이 5분만 투자하면 되는 온라인 웰빙 프로그램명이다. 5분 요가 웹사이트에는 이렇게 적혀 있다. "우리는 회사원, 실업자, 퇴직자, 소셜 네트워크 이용자들이 매일매일 5분씩 건강을 관리하길 바랍니다."[14] 5분은 영원할 수 있다. 5분이면 시간 바깥으로 나가기에 충분하다.

캣은 열변을 토했다. "요가는 순간을 확장시켜요. 그게 바로 사무실 요가 수업의 내용이죠. 자신의 삶에서 현존을 얻지 못했던 장소에서 집착을 떨치고 현존을 맞이하는 것입니다. 현존을 맞이하면 시간이 확장되고 고요에 머무르게 됩니다. 직시하게 하는 겁니다." 내가 "뭘 직시한다는 건가요?" 물었더니, 그녀는 "일을 하면서 스스로를 표현하거나 규정하지 못했다는 사실"이라고 대답했다. "그렇게 사는 건 현존이 아닙니다. 요가는 자기 자신과 결합하는 것입니다, 현존이에요, 무언가에 자신을 비끄러매는 방법입니다." 캣은 요가와 현존 사이의 관계를 자세하게 설명했다. 요가를 하는 모든 사람은 일상생활에서 그 관계를 탐구해야 하며, 이 관계는 요가 수행의 시간적 양상이기도 하다. "현존에 살지 않으면 과거에 있거나 미래에 대한 걱정에 머무르게 됩니다. 그건 우리를 병들게 합니다. 사람이 그렇게 살면 안 돼요. 우리는 현재를 살아야 합니다. 항상 과거와 미래를 생각하다 보면 평생 아무것도 할 수 없게 됩니다."

그렇다면, 요가 강사의 임무는 분명하다. 책상에 앉아 있는 직원들에게 "그 순간을 확장하는" 방법을 가르치는 것이다.

공간의 규율에서 시간의 재보정으로

이론가들은 새로운 지식정보경제에서의 노동을 이야기할 때 대체로 무선 인구wireless populations의 노동착취 조건을 따질 때가 많았다. 새로운 노동유연화와 취약성 생산을 문제 삼은 현대 마르크스주의의 논쟁 대부분은 비물질노동자, 기업가형 노동자, 자유노동 네티즌, 창조노동자, 지식노동자를 언급한다.[15] 이런 논의에서 앉아서 지내는 삶이 언급될 때는, 신체가 멈춰 있을 때에도 어떤 식으로 움직이는지가 관심사였다. 예컨대 스크린 앞에 앉아 있는 신체도 이동, 공유, 연결, 생성하면서 정보를 전송할 수 있다.[16] 모바일, 이주, 재택근무에 주목하는 이 비판적 관점은 현대 노동 관행을 공간 지향적으로 이해하는 방식이라고 할 수 있다.

창조적인 분야 대부분에서 노동조건의 변화가 일어났지만, 그중에서도 앉아서 하는 일과 앉아서 사는 삶은 글로벌 자본 내에서 가장 일반화된 시간성 중 하나다. 현대에 앉아 있는 신체가 중요해진 것은 원격으로 정보를 주고받거나 특수한 정서적 결과를 낳기 때문이 아니라, 움직이지 않는 생활이 '제한 없는 흐름unfettered flow'이라는 자본주의의 꿈을 이루는 중요한 통로이기 때문이다. 앉아서 지내는 삶은 고요함의 선택이 아니라 글로벌 자본의 요구이다. 재보정 기술은 앉아서 일하는 신체 능력의 유지뿐 아니라, 노동자들에게 시간의 특정한 의미를 강조하기 위해서도 필요했다.

재보정은 노동규율을 인식하고 이론화하는 전통적인 방식에서의 시간적·공간적 범주와 잘 어울리지 않는다. 규율은 대개 공간적으로 이해되어 왔다.[17] 이 틀 속에서는 시간도 공간화되곤 한다. 여기서 신체의 움직임은 공간으로 혹은 시간의 양으로 파악된다. 따라서 마르크스의 '노동시간'은 시간에 대한 논의인데도, 시간은 궁극적으로 공간적인 범주로 표현되었다.[18] 프레드릭 테일러의 '과학적 관리'와 프랭크 길브레스·릴리언 길브레스의 '시간-동작 연구'는 시간을 측정할 수 있는 단위로 인식했다.[19] 시간은 산출물과 관련된 요소였다. 예를 들어, 푸코는《감시와 처벌Surveiller et punir》에서 규율 통제는 일련의 동작을 강요하는 것이 아니라, 높은 효율성과 속도가 가능한 조건을 만들기 위해 신체의 특정 위치에 가장 적합한 동작을 취하게 하는 것이라고 했다. "신체의 올바른 사용에서는, 시간을 올바르게 사용하기 위해, 불필요하거나 쓸모없는 동작이 있어서는 안 된다. 요구된 행위를 위해 모든 것이 동원되어야 한다."[20] 우리가 규율을 오로지 공간적인 것으로만 여긴다면, 재보정은 저항적 실천으로 보일 수도 있다. 재보정은 시간에 맞춰 움직이게 하는 것이 아니라, 겉보기에는 자유롭게 시간을 이용하거나 일터에 새로운 시간 의식을 갖고 들어오게 만드는 것이기 때문이다.

예를 들어 '요가 인 비즈니스'라는 회사는 고용주들에게 "사무직 직원들을 위해 고안된 요가 자세를 취하면 직원들의 병가나 결근이 줄어들고 직장에서 정신적 안정이 이루어져 자연스럽게 생산성이 향상된다"고 약속한다.[21] 요가 회사는 시간을 다르게 동원하면 노동자들의 신체를 규율 통제에 묶어 놓을 수 있다고 주장하는 것이다. 푸코에 따르면, 규율 권력의 순응성–유용성 체제docility-utility regime 아래에서 운동은 "삶의 시간을 절약하고, 유용한 형태로 축적하며, 이러한 방식으로 배열된 시간의 중재를 통해 인간에게 권력을 행사하는 데 도움을 주었다."[22] 푸코는 속도의 변화가 통제력을 확립한다고 보았다. 속도를 높이거나 낮추는 것 모두 규율 통제가 지닌 정치적 구조의 기본이다. 푸코는 시간과 공간이 통제를 위한 규율 메커니즘으로 사용되는 방식을 파악하게 해 줄 틀을 마련해 주었지만, 시간이 동원되는 방식은 시간과 속도를 비슷한 개념으로 보는 단순한 시각으로는 이해하기 어렵다.

사무실 요가는 직원들이 하루 종일 책상에 머물도록 회사가 고안해 냈던 전략들의 연장선상에 있다. 그러나 요가의 전략은 속도로서의 시간 개념이 아니라 재보정을 활용하는 것이다. 헨리 브레이버만Henry Braverman은 《노동과 독점 자본Labor and Monopoly Capital》 (1974)에서 사무노동이 어떻게 공장노동과 유사한 합리화와 규율 통제를 도입했는지를 설명한다. 업무량이 충분히 많아지고 합리화 방법이 정착되면 노동자 통제가 훨씬 쉬워졌다. 사무실 배치는 미적인 문제를 넘어 시간관리의 문제였다. 급수기 위치, 책상들 사이로 메시지를 주고받는 기송관氣送管 배치, 사용되는 펜과 잉크의 종류 등은 모두 사무실 공간의 효율적이고 생산적인 사용을 위한 전략적 선택이었다. 이 사소해 보이는 결정들은 시간을 절약하고 직원들의 노동력을 최대한 끌어내는 역할을 했다. 관리자들은 고심 끝에 급수기의 위치를 정했다. "물을 마시러 이동하는 직원 하나가 평균적으로 100피트를 걷는다면, 천 명이 일하는 사무실에서는 직원들이 매년 총 5만 마일을 걸어야 하며, 고용자는 그만큼의 시간을 잃어버린다."[23] 브레이버만은 이런 배치가 "공장노동자에게 족쇄를 채우듯이 사무직노동자에게도 족쇄를 채우는 좌식노동의 전통을 탄생시켰다"고 강조한다. 모든 것이 "쉽게 접근할 수 있게 배치되어 있어서, 직원들은 책상에서 멀리 떨어진 곳까지 갈 필요가, 아니 감히 갈 수가 없다."[24] 그는 파티션, 개인 책상, 전체 사무실 등의 사무실 설계에 이미 항상 내재되어 있는 노동환경의 규율 논리를 폭로한다. 의미심장하게도, 요즘 들어 좌식노동 공간의 합리화는 직원들의 신체적 웰빙에 해를 끼치는 원흉으로 지목된다. 회사들의 분기별 보고서에서도 그 유해성을 지적하면서 재보정의 필요성을 이야기한다. 푸코의 논의와 달리, 이제는 앉아 있는 신체가 한계에 다다랐다. 새로운 형태의 시간 규율이 고안되어야 했다.

그래서 요가가 등장했다. 사무실 요가는 사무실 직원의 몸과 성향을 재보정하는 질적인 시간 통제 형태이다. 사무실 요가는 시계의 똑딱거리는 소리만큼이나 담론, 신체적 개입, 호흡법에 의존한다. 노동자의 속도는 움직임의 속도를 높이거나 줄이려는 의도적인 시도로는 제어되지 않는다. 대신에 '저 바깥' 세계의 속도가 노동자들이 의미 있다고 여기는 시간 감각에 합리적으로 개입하는 방법이 된다. 사무실에 편입된 요가가 일러 주는 바는 이것이다. 후기 산업사회 업무 현장에서의 시간과 규율은 자본이 빠르게 작동하는 특정한 장소에서 하나의 테크놀로지의 지배를 받는 신체의 통제와는 거리가 멀다. 오히려 시간의 의미가 시간관리의 핵심으로 자리잡은, 권력의 분산적 탈중심화에 가깝다. 노동자들은 요가에서 '현존'을 느끼고, 사무실 요가가 내세우는 시간성은 사무직노동자의 위치를 재확립한다. 여기서 작동하는 것은 단순한 이데올로기적 규범이 아니다. 신체는 물리적으로 작용하여 특정한 시간적 태도와 행위를 만들어 낸다.

그림 11~15는 고용자와 직원 모두를 겨냥한 기업 요가 수업 광고이다. 광고에 등장하는 노동자들은 노동하면서 자기의 시간을 통제한다. 이 이미지들은 여러 가지로 독해할 수 있지만, 여기서 주목하는 바는 이 광고들이 서로 다른 소비자들을 설득하기 위해 노동시간을 활용하는 방식이다. 고용자의 관점에서 보면, 이 사람들은 근

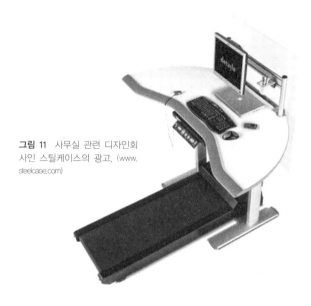

그림 11 사무실 관련 디자인회
사인 스틸케이스의 광고. (www.
steelcase.com)

그림 12 책상 위에 앉은 임원진들. 인도 찬디가르에 본부를 둔 '삶과 자아실현의 과학'이 여
는 '사무실 요가 입문' 수업 광고. (http://www.shivyogsadhna.com/news.php?news_id=13)

그림 13 "라벤더 오일과 그래놀라"가 없는 "실용 요가"에 관심이 있는 전 세계 사람들을 위한 정보 웹사이트인 요가나니머스의 사무실 요가 광고. (http://www.yoganonymous.com)

그림 14 샌프란시스코에 있는 개인 풀서비스 기업보험 중개 및 직원 웰빙을 위한 컨설팅 회사인 인터케이스의 홍보자료. (http://view.intercaresolutions.com/?s=yoga)

그림 15 영국의 성과 향상 컨설턴트들을 위한 홍보자료. (http://www.
anicecupoftea.co.uk/page/5/)

무시간에 나와 일을 하고 대부분 제자리를 지키고 있다. 직장에 어
울리는 옷을 입었고, 진지하고, 건강해 보인다. 직원들의 관점에서
보면, 이 사람들은 직장에서 가부좌를 틀고 요가와 명상을 한다. 이
들은 뒤에 있는 시계에 반항하고 있다. 사무직노동자들은 정신 없
이 바쁜 업무 위로 떠올라 시간과 공간을 초월하여 일하는 곳 위를
부유한다. 그들은 모든 것에서 차단된 상태다. 그러나, 이 이미지들
에서 노동자들은 여전히 확실하게 고정되어 있다. 이미지 속 사무
실들은 일하는 장소이자 자신을 도야하는 장소다. 시간은 가변적이
다. 그러나 책상이라는 그들의 위치는 변함이 없다.

앉아 있는 시간의 물질화를 위한 주문呪文

앉아 있는 시간은 앉아 있는 삶 속에서 구성된 감성이다. 앉아서 사는 삶의 영원한 현재다. 영적 치유를 사무실에 통합하면 현대적 삶의 두 가지 상반되는 과정이 한 곳에 모이게 된다. 하나가 기업의 재정적 이익이라면, 또 하나는 세계 속 자신의 위치에 대한 변모, 깨달음, 인식이다. 사무실 요가 강사의 진행 방식은 이때 생기는 긴장감을 효과적으로 해소해 준다. 요가 수업은 하루의 다른 시간들과 완전히 다르다. 요가를 하러 몰려왔던 사람들은 45분이 지나면 다시 우르르 사라진다. 사무실 요가 강사가 수업 중에 하는 말들은 수강생 대부분이 근무하는 중이라는 사실을 전제로 한다. 요가가 현장마다 다르다는 점을 드러내는 지점이다. 노동자들은 노동하는 나날에서 해방된다는 느낌을 줄 자세를 취하고 주문을 외운다. 직장에서 보내는 삶은 견딜 만한 것으로 변모한다. 그들의 삶이 책상이나 회사로 환원될 수 없다는 말이 여러 번 되풀이되지만, 사무실에 있는 그들의 위치는 은밀하게 계속 확인된다. 그들이 있는 곳은 여기이며, 그들은 바로 여기 있는 사람들이고, 그들은 여기 아닌 다른 곳에 있지 않다.

사무실 요가든 스튜디오 요가든, 모든 현대 체위 요가 수업에서 누구나 읊조리는 핵심적인 주문은 "자신의 몸에 귀 기울이라"이다. 몸을 밀어붙여서는 안 된다. 켄드라는 사람들에게 "마음-몸 인식"을 획득하는 방법을 가르치는 것을 기본적인 목표로 삼고 있다. 그리고 "한계에 도달하면 멈춰야 할 때를 아는 것"도 그 인식의 일부이다. "그러면 괜찮아질 겁니다. 한계가 있어요! 사람들은 이걸 알아야 합니다." 캣도 비슷한 주장을 한다. "사람들은 자기 몸에 귀를 기울여야 해요. 실제로, 직장에서의 스트레스 때문에 아무것도 하지 않고 쉬어도 신체적 부상을 입을 수 있습니다."

요가 강사는 앉아 있는 신체가 문제의 근원이라고 파악한다. 물론 앉아 있는 몸은 개인들이 더 오래 더 열심히 일해야 한다고 요구하는 글로벌 자본이 만들어 낸 불가피한 가속화의 결과이지만, 더 근본적인 원인은 자기 몸을 잘 알지 못하는 노동자들의 무지에 있다는 것이다. 런던의 요가 회사인 로터스 익스체인지는 사무실 직원들을 이렇게 설득한다. "인체는 하루에 8시간 이상 '컴퓨터 자세'로 앉아 있도록 설계된 것이 아닙니다. 현재, 너무 많은 사람들이 그 대가를 지불하고 있습니다. 여러분의 몸은 노력한 만큼의 보상을 받아야 합니다."[25] 이 광고의 초점은 몸을 무시하는 시스템이 아니라, 어떤 식으로 몸을 움직여서 노동해야 하는지를 모르는 개인의 무심함이다. 신체의 한계를 인식해야 하지만, 자본주의적 인내를 발전시키려면 신체를 잘 단련하고 적절하게 취급해야 한다. 결국 사무실 요가 수업의 목적은 한계 없는 몸을 거쳐 자본주의의 한계를 확장하는 것이다.

피에르 부르디외와 마르크스는, 신체에는 그 신체가 머무르는 물질적 세계의 사회적 조건이 담겨 있다고 했다. 몸은 사회적 세계 안에 있다. 그러나 사회적 세계도 몸 안에 있다.[26] 요가 강사는 "너의 몸에 귀 기울이라"라고 지시한다. 하지만 신체에 귀를 기울이는 것은 소수의 노동자들에게만 주어지는 특권이다. 장 뤽 낭시Jean Luc Nancy는 《몸Corpus》에서 "자본이란, 파멸, 실업, 기아로 보일 만큼의 어떤 자리와 자세에 이르도록 몸을 판매, 이동, 추방, 교체, 대체, 할당하는 것"이라고 했다.[27] 상품화하고 규율 아래 놓인 신체는 몸이 노동에 종속되어 있다는 것을 계속 상기시킨다. 앉아서 일하는 노동자들의 신체는 마치 건설노동자, 청소부, 저임금 노동자들만큼의 노동을 하고 있는 것처럼 묘사된다. 앉아 있는 삶이라는 모순적인 장소의 흥미로운 측면 중 하나는, 바로 신체적인 것the corporeal의 역할이다.

신체는 노동 과정의 중심으로 받아들여진다. 점점 더 취약성이 증가하고 직장 환경의 정동적 차원에 주의를 기울여야 할 필요성이 커진다. 사실, 자율주의 마르크스주의자들은 공장이 노동과 생활의 일반적인 상태가 된 현대 자본주의 아래에서 나타난 사회적인 삶의 구성 형태를 가리켜 '사회적 공장social factory'이라고 부른다.[28] 사무직노동자들은 손목터널증후군, 요통, 피로, 우울증, 수면 부족 등으로 고통받고 있다. 요가 수업에서 몸을 언급할 때는 실제 공장에서 노동한 신체가 아니더라도 마치 육체노동이나 공장노동을 하는 신체처럼 묘사하는 경우가 많다. 이는 사회적 공장이 육체노동을 주로 상정한 비판적 마르크스주의에서만이 아니라 현대의 기업 세계에서도 중심적인 것이 되었음을 일러 준다. 사회적 공장은 자본가들이 지친 신체들에서 더 많은 노동력을 추출할 기업 전략이자 유용한 개념이 된다.

비물질노동 주변에서 일어나는 직장 내 혁신은 신체를 다시 물질화하고, 다시 전면화하려는 것이다. 이러한 방식으로 신체는 계속해서 투자의 궁극적인 장소이자 통제 대상이 된다. 하지만 이에 대응하는 규율 형식도 시간적이다. 《영적 실천으로서의 노동Work as Spiritual Practice》의 저자인 루이스 리치몬드Lewis Richmond는 사무실에서의 영성에 관한 Beliefnet.com과의 인터뷰에서, 자신이 일하는 회사를 변화시키려 해서는 안 된다고 주장한다. "비즈니스는 비즈니스입니다. 개인이 책임질 수 있는 범위 내에서 시도해야 해요. 이건 아주 미묘한 균형잡기입니다. … 진정한 도전이죠."[29] 같은 인터뷰에서 이전에 불교 승려이기도 했던 기업 홍보 담당자는 말한다. "선승 시절에 배운 가르침 중 하나는 모든 곳이 명상의 공간이라는 것입니다. 바로 지금이 그 공간입니다. 영적인 환경에 있든, 정상적인 환경에 있든 그건 변하지 않습니다." 긴 근무시간, 고통스러운 심신과 같은 문제적인 노동조건을 처리하려 일터를 명상 공간으로 삼으려는 의도적인 계획이다. 그러나, 이는 개별적인 추구에 그친다. 소외는 노동자들에게 공유된 경험으로 인식되지 못한다. 소외는 각자 알아서 처리해야 할 문제다. 그렇게 소외는 존재의 핵심에 점점 더 깊게 스며든다.

아이디어, 정보, 경험을 생산하는 '비물질'적 사무실에서는 노동의 생산력이 의사소통과 지식의 생산에서 발생한다. 이것은 노동의 조건이자 산물이다. 사무실 요가에서는 아이디어 간에, 동료들 간에 존재한다고 가정되는 에너지의 흐름을 중시한다. 흥미롭게도, 요가 수업의 언어는 에너지 및 정보의 흐름과 그 순간적인 성격을 중시한다는 점에서 정보기술을 설명하는 방식과 유사하다. 이를테면《디지털 감각Digital Sensations》을 쓴 켄 힐리스Ken Hillis는 가상현실의 특징을 이렇게 기술한다. "이제 사람들은 아이러니하게도 리좀적인 권력 중심인 전류와 데이터의 흐름에 물리적으로 진입할 수 없을뿐더러 그것을 들여다볼 수도 없다." 그에 따르면, "보이지 않는 데이터 흐름이 권력의 중심일 때, 많은 사람들은 온라인 가상 환경과 아직 나타나지 않은 시각적 방식을 개념적으로 융합함으로써 이러한 지식-정보의 흐름을 감각적인 방식으로 경험할 수단을 찾게 될 것이다."[30] 사무실 요가 수업도 '순간', '실시간', '즉각', '지금'을 언급한다. 영국의 로터스 익스체인지는 고용주들에게 "사람들의 에너지와 잠재력을 최대한 끌어올릴 수 있다"고 약속한다.[31] 무엇이 노동과의 생산적인 시간적 관계를 재확립할 수 있느냐에 따라, 데카르트적 비신체화disembodiment와 체화embodiment 사이의 긴장이 끊임없이 다시 형성되고 있는 것이다.

로터스 익스체인지는 "요가의 일반적인 이점에 더해 서로 간의 신뢰와 소통을 낳는 재미있는 파트너 요가 포즈의 연속"이 특징인 '굽힘을 통한 밀착Bonding through Bending' 클래스를 운영한다.[32] 그러나 그 홍보자료에서 가장 중요한 것은 개발되지 않은 에너지 자원에 기울이는 엄청난 관심이다. 에너지라는 용어는 노동하는 몸의 재생 가능한 자원을 가리키고자 자주 언급된다. 즉, 에너지란 현대 자본주의가 활용하고 의존하는 노동의 비물질적 성질을 지칭한다. 약간의 노력을 기울이면 몸은 숨겨진 에너지를 분출한다. 여기서의 에너지는 지속적이고 끝없는 성질을 갖는다. 사용 후에도 저장 가능하고 재생 가능한 자원이다. 에너지는 완전히 소모되지 않는다. 시간적으로도 광범위하다. 요가는 에너지에 한계가 없고 무한하며 그 에너지를 다른 사람과 나눌 수도 있는 직원을 만들어 낼 것이다.

몸에 귀를 기울이고 반응할 수 있는 요가라는 기회는 불균등한 특권이다. 많은 신체들이 노동의 일환으로 끊임없는 고통에 노출되어 있지만, 다른 신체들은 회사에서 지원하는 금연, 기업 웰빙, 사무실 요가 등의 예방 활동에 참여하도록 권유받는다. 여기서 중요한 점은, 직원들이 앉아서 일하는 사무실 공간을 청소하고, 지키고, 제공하는 육체노동자들에게 제공되는 요가 힐링 패키지는 드물다는 사실이다. 나는 인터뷰한 모든 요가 강사들에게 회사의 저임금 노동자들도 요가를 하는지 물었다. 리디아는 이렇게 대답했다. "그렇진 않아요. 카페테리아 종업원이나 유지보수 업무를 맡은 직원들을 대상으로 광고를 하지는 않아요. 할 수도 있지만요." 어찌 보면, 이 노동자들은 그들이 육체노동자라는 것을 굳이 상기시킬 필요가 없다. 중노동 과정에서 몸에 무리가 온다는 사실을 깨닫기 위해 굳이 몸에 귀를 기울이거나 마음—몸 인식을 기를 필요도 없다. 시간적 질서 내에서 그들이 차지한 위치와 생명관리정치적 시간경제와의 관계에 따른 결과다. 사무실 요가 수업이 진행되는 공간과 같은 곳에 있는 육체노동자들은 9~5시의 정상적 시간질서 바깥에 존재한다.

같은 시간을 근무하고, 거의 비슷한 시간에 건물을 드나들어도 저임금 노동자들은 동료 직원보다는 택시 운전사에 더 가깝다.

널리 쓰이는 또 다른 주문은 수고해 온 노동자들의 신체에 보답해야 한다고 외친다. "이것이 나의 삶입니다, 받아들이십시오." 요가는 더 나은 마음–몸 인식으로 이끄는 심리치료적 개입을 시도하지만, 이는 애초에 작업자를 책상에 묶어 놓은 구조를 비판적으로 인식하려는 시도는 아니다. 오히려, 요가는 개인들이 구조적 조건을 받아들이고 자기의 웰빙은 자신이 책임지도록 하려는 개입이다. "저 바깥 세상은 잊어버리십시오. 지금 여기 있다는 것 말고는 아무것도 중요하지 않습니다." 업무에 부정적이거나 고통스러운 노동 관행을 비판하면 정신상태에 문제가 있는 사람으로 취급된다. 노동에 대한 저항은 부정적인 사고의 일환이며, 불행에 대한 건강하지 못한 고정관념의 일종이다. 건강한 노동이란 시간의 희생자로 전락하는 길을 피해 가야만 가능하다.

비신자들을 위한 불교 자기계발서인 《일에서의 각성Awake at Work》은 사무직노동자들이 자기 삶을 주도해야 한다고 권하면서 불교의 가르침을 혼란스럽고 가속화된 노동 세계에 적용한다. "속도를 의식하기만 해도 우리는 브레이크를 밟은 것이다. 다시 말해, 조금 속도가 늦춰진 것이다."[33] 시간은 아무도 기다려 주지 않기 때문에 불교 신자들은 근면하게 일한다. 어쩔 수 없이 노동에 시간을 들여야 한다면, 일을 잘해 내는 것이 현명하다. 이 책에서는 사무직노동자들이 삶의 속도에 제대로 대처하지 못하는 무능함을 내비칠까 봐 염려한다. "자동차에는 속도계가 있다. 우리는 여기에 잠깐 머문다. 의식적으로 우리가 쉼없이 움직인다는 것을 인정한다면, 우리는 우리의 손을 벗어난 업무의 희생자가 아니라 우리 속도의 주인이라는 것을 알게 된다."[34] 속도의 주인이란 무엇일까? 이 책의 맥락에서, 속도의 주인은 자기 시간을 자기가 책임지기로 결심한 사람이다. 책임이란 시간과의 관계 속에 존재한다. 사람들은 시간의 흐름 속에서 직장에서의 자기 위치를 인식한다. 노동자들이 자기 책상에 앉아 있을 때, 그들은 있어야 할 곳에 있는 것이다. 다르게 생각하는 것은 시간 낭비다.

의심이 든다면, 바로 이 인생이 자기 인생이라는 사실을 인식하는 것이 중요하다. 달라질 수는 없다. 할 수 있는 건 숨 쉬는 일뿐이다. 일이 괴로울 때, 자본 생산의 회로 속에서 육체적·정신적 고통을 느낄 때에는 자신의 몸에 귀를 기울여야 한다. 이 순간도 지나가리라. 바꿔야 할 것은 없다. 나는 있어야 할 장소에 있다. 바로 내 책상이다.

현대 체위 요가는 대처와 대응을 중시한다. 객관적인 사회적 조건이나 사회적 관계를 변화시키는 것이 아니라, 사회적 현실과 맺는 관계를 바꾸는 것이다. 다른 것은 중요하지 않다. 세상을 통제할 수는 없다. 그 대신에 체위 요가는 새로운 시간 감각을 고취하여, 낙담하거나 우울해하거나 착취당했다는 느낌이 들지 않도록 동기 부여를 꾀한다. 통증, 스트레스, 피로는 다른 곳으로 물길을 돌려서 해결해야 하는 단순한 반응에 지나지 않는다. 구조에 대한 비판으로 이

어질지도 모르는 부정적 감정들은 적당히 무마되고, 앉아 있는 시간의 초월적 현존이 그 자리를 차지한다.

신체의 한계를 고려하지 않고 잉여노동을 이끌어 내려고 하는 자본의 끊임없는 추진력을 언급한 마르크스의 논의는 직장에 나타난 이 새로운 현상을 이해하게 한다. "〔자본이 노동에 요구하는 바는〕 몸의 성장, 발달, 건강 유지에 필요한 시간을 빼앗는다. 신선한 공기와 햇빛을 누릴 시간도 훔쳐 간다. 그들을 생산 과정 그 자체에 통합시키기 위해, 식사 시간마저도 절충 대상이 된다. 따라서 보일러에 석탄이, 기계에 기름이 공급되듯이 음식은 단순한 생산수단으로서 노동자에게 공급된다."[35] 사무실 요가는 심호흡, 명상, 영적 인식을 통합하여 차분함, 집중력, 명료함이라는 감정적인 반응을 경험하게 한다. 이 반응들은 신체에서 나타나 생산양식 속으로 통합된다. 접촉으로 이루어지는 마사지, 요가, 영적 치유는 돌봄과 평온을 체험하게 하는 지극한 보살핌으로 느껴진다. 기업이 제공해 준 이 혜택이 신체와 시간적 의미를 노동에 묶어 놓는 수단이라고 인지하는 것은 어려운 일이다. 직원들은 앉아 있는 신체에 연결된 구조적 조건을 인식하거나 부정적으로 받아들이거나 비판하기보다는, 앉아 있는 신체를 더 잘 돌보는 방법을 배운다. 요가는 웰빙 문화라기보다는 계몽적 권력부여enlightened empowerment에 해당하는 극단적인 소외의 예다. 더 나아가, 사무실에서 노동하는 신체의 공간 규율에 대한 요가의 저항은 시간에 대한 투자가 생산 흐름에 소외를 어떻게 포함시키는지를 잘 보여 주는 예라고 할 수 있다. 소외된 노동은 자신을 규정하는 장소가 된다. 직장에서의 소외 극복은 노동자를 노동과 결합시킨다.

워라밸에 저항하기

나는 다양한 자리에서 이 문제를 토론했다. 친구들과, 학회에서, 그리고 동료들과 이야기할 때, 언제나 요가가 없는 것보다는 있는 게 낫지 않느냐는 말을 들었다. 한번은 발표를 마치고 나자, 청중 중 한 명이 "음, 그래도 채찍보단 낫지 않나?"라고 중얼거린 적도 있다. "왜 지친 직원들에게서 요가를 빼앗으려 하는가? 없는 것보다는 낫다. 요가가 긍정적인 변화를 가져올 수도 있다"고 충고한 분도 있었다. 사무실 요가가 노동자들이 자본에 저항하는 방식이라고 단언하는 사람도 많았다.

내 주장을 다시 정리해 보겠다. 사무실 요가는 시간 통제를 완전히 공간적인 개념으로 인식하는 경우에나 저항적인 실천으로 보일 수 있다. 미묘한 시간성 개념이 부재할 때, 다시 말해 시간이 물질적 투쟁의 현장이고, 생물정치적 개입의 대상이며, 얼마나 차별적으로 경험되는지를 인식하지 못할 때는 사무실 요가가 해방적인 시간적 실천으로 보일 수 있다. 근무 중인 근로자에게 자기를 위한 시간을 내주는 것 자체가 생명관리정치적 개입이다. 사무실 요가는 일상생활의 기업화에서 자유로운 새로운 시간을 나타내기는커녕, 시간 통제가 그 공간적 경계를 시간성 영역으로 확장하게 만들고 있음을 보여 준다. 시간 경험은 불평등한 정치적 가능성의 지평과 연관되어 있다. 따라서 우리는 시간의 계약적 개념, 즉 정치적 공간을 점유하는 방식으로서의 시간, 통제의 규율 메커니즘으로 환원된 시간에 기대지 않는 정치적인 시간 이해가 필요하다.

오늘날 우리는 제한된 공간 배치에 갇힌 시간적 주체를 되살리는 재보정 기술의 확산을 목격하고 있다. 시간을 정상적으로 보내는 방식을 지시해 주는 공간적 구성의 예가 사무실이다. 사무실이나 쇼핑몰에, 텔레비전 앞이나 운전대 뒤에 그러한 구성이 존재한다. 요가 기술들은 일상적인 삶을 정상화하는 제한적인 공간 배열과 단절되어 있다고 주장하지만, 사실은 그 배열을 강화한다. 사무실에 요가와 영적 치유가 도입되면 책상 앞에서의 삶은 일시적으로 유지된다.

지루한 노동시간은 인간 실존의 추락을 보여 준다는 질타를 오랫동안 받아 왔다. 사무실에서의 업무가 영혼이 없고, 흔해 빠지고, 따분한 일이라고 표현하는 TV 드라마들은 대중문화에 차고 넘친다. 그러나 9시부터 5시까지의 근무시간과 휴가일은 유럽 전역에서 주 35시간 근무제를 둘러싸고 벌어진 전국적인 투쟁 대상이다. 과로 문화 속에서도 법정 노동일이라는 제한이 존재하는 것은 수많은 노동쟁의, 노동자 권리 투쟁, 아동보호법 제정, 직장 여성의 재생산권 투쟁 등이 가져온 결과다. 이 투쟁은 그 어디서도 끝날 기미가 보이지 않는다. 사무실 요가의 등장이 근무시간을 줄이기 위한 투쟁을 어렵게 만든다는 주장은 생각해 볼 가치가 있다. 삶의 시간에 대한 기업적 통제는 너무나도 널리 퍼져 있다. 따라서 저항에 이용되는 메커니즘이더라도 시간성이 진지하게 받아들여지지 않는다면 소용없는 일이 된다.

시간성이 진지하게 받아들여진다면, 소위 '워라밸', 즉 일과 삶의 균형Work-life balance이라는 슬로건은 한계가 분명한 목표임을 깨달을 수 있다. 워라밸은 일하는 시간과 삶의 시간을 바라보면서, 기업의 신체 통제를 넘어서는 다른 시간적 질서는 없다고 여기는 생각이다. 워라밸 그 자체는 시간을 정확히 관리하기 위해 시간에 의미를 부여하는 방법이다. 시간적 배치의 구축은 근대 권력구조가 행하는 생명관리정치적 투자의 한 형태다. 워라밸이라는 의심하기 어려운 미덕은 자본 내에 할당된 다양한 자리들을 배치하면서 사람들을 자신이 있던 곳에 머물게 한다. 워라밸은 매력적인 말이지만, 업무의 시간과 공간을 개인 정체성의 근본으로 제도화하는 시간적 주장이다. 워라밸은 소외를 정상적인 것으로 보이게 하고, 제도적으로 용인되고 관리받게 하며, 특별하거나 맞서 싸울 가치가 없는 문제라고 생각하게 한다.

워라밸은 1970~80년대 여성운동의 지배적인 주제였으며, 여성의 시간성을 드러내는 특수한 형식이기도 하다. 여성의 직장 생활은 우리가 주목해야 할 권력-크로노그래피를 보여 준다. 여기서 나타나는 시간적 구조의 정상화는 인종이나 경제 문제와는 다른 결을 지닌다. 여성의 시간적 권력부여temporal empowerment는 백인/남성/가부장적/자본주의적 시간의 '정상적' 구조에 재보정을 가하는 능력에 기반한다. 여성의 워라밸은 취약한 개인들을 통치 제도가 요구하는 정상적 시간 속에 단단하게 고정시키는 시간관리 행위다.

회사와 결합한 요가는 정상적인 시간이라는 틀을 워라밸의 중심으로 삼아 정당화한다. 사무직노동자들은 요가와 그 비선형적인 시간성을 통해 작업에 대한 기대치를 재설정하고 새로운 시간기록계를 내면화한다. 그들은 9시부터 5시까지의 근무시간을 유지하지만 새로운 시간적 배치를 얻는다. 연중무휴 노동 상황에서도 9시~5시의 힘은 강력하다. 결국 9시~5시는 일과 삶, 가정과 직장, 노동과 여가, 생산과 소비의 분리를 확고하게 만든다. 9시~5시는 시간의 공간적 처리이며, 시간적 경계이고, 누군가는 일을 하고 있어야 할 때라는 이데올로기적 관념이다. 놀랍게도 우리의 시간적 상상력은 거기에 붙잡혀 있다.

9시~5시는 대안적인 시간성들이 저항이나 반항을 하거나 재보정을 하는 토대다. 바쁨, 속도, 가속화된 삶 등 시간과 관련된 수많은 주장들이 제기되는 바탕이다. 9시~5시가 만들어 낸 사회적 이득도 물론 존재하지만, 투쟁이 끝났다는 듯이 이 틀에 만족해서도 안 된다. 정상화로 굳어진 시간적 질서는 정치적 상상 속에서 보이지 않고 무해한 듯하나 실제로는 서서히 문제를 일으키는, 눈 뒤쪽의 아픔, 어깨뼈 사이의 통증으로 남을 것이다.

4장

느린 공간
: 또 다른 속도와 시간

2012년 새해 첫날을 며칠 앞두고 시간질서의 변화를 촉구하는 글 하나가 《뉴욕타임스》에 실렸다. 피코 아이어가 쓴 '고요의 즐거움 The Joy of Quiet'이라는 칼럼이었다. 빠르게 달음질치는 이 세상에서 '블랙홀 리조트'들이야말로 최고의 관광지가 될 것이라는 그의 주장은 페이스북과 트위터에서 큰 화젯거리였다. 블랙홀 리조트는 전화, 인터넷, 와이파이, 라디오 등이 설치되어 있지 않은 숙박 시설을 가리킨다. 이런 곳이 등장하면, 여기에 투숙하기 위해 사람들은 기꺼이 큰돈을 낼 것이다.[1] 아이어는 파스칼, 소로우, 토마스 머턴, 매클루언을 인용하면서 아무것도 하지 않고 쉬는 행위를 찬양했다. "생각할 시간과 공간을 찾기 위해 속도를 늦춰야만 한다는 생각은 새로운 것이 아니"지만, 오늘날에는 그 필요성을 떠올리게 해 줄 일들이 많지 않으므로 일부러라도 꼭 그렇게 해야 한다. "우리가 시간이 얼마나 부족한지 알 수 있는 시간이 우리에겐 충분하지 않다." 아이어는 캘리포니아 빅서의 베네딕트 수도원 근처를 거닐었을 때를 회상하면서 이 글을 마무리한다. 속도 조절에는 그렇게 많은 돈이 들지 않는다. 느림은 필수적이면서도 달성 가능한 이상이다.

아이어의 글 외에도, 《뉴욕타임스》에는 접속을 차단하고 느리게 사는 법을 알려 주는 기사들이 몇 년 동안 꾸준히 실렸다.[2] 느림은 라이프스타일 잡지, 요리책, 기업의 웰빙 자료에 앞다투어 등장했고, 대중의 상상 속에서 느림으로의 전환은 빠르게 새 시대의 표지로 자리잡았다. 문화이론가들과 '슬로라이프' 지지자들은 느림이 "타자에 대한 기쁨, 경이로움, 관용"과 더불어 "시민적 참여와 세계적 책임성의 강화"를 만들어 낼 것이라고 주장한다.[3] 그러나, 겨우 50년 전에 매클루언은 속도가 우리 시대의 특징이라고 했다.

1967년에 매클루언은 전자기술이 인간 간 연결의 속도와 패턴과 규모를 바꿀 것이며, 이 기술목적론적 발전이 지구촌을 만들어 낼 것이라고 예언했다. 매클루언이 보기에, 인종 폭력과 경제적 불평 등은 서로 연결되지 않은 문화들과 사회적 분열을 야기한 기술들 때 문이었다. 인쇄술이 지배적인 사회는 선형적인 시간 개념을 부추겼 고, 그 결과 다른 장소와 인구들이 구분되고 나누어졌다. 전자통신 의 속도가 등장하기 전에는 세계를 실감하기 어려웠으며, 사회집단 들은 서로 너무 멀고 달라서 타자와 공감하기가 불가능했다. 새로 운 전자 환경이 세계적 책임의 시대를 열 것이다. 속도는 연결과 공 감을 낳고, 전 지구적 차원에서 중심과 주변의 차이를 없앨 것이다. "전자적 속도는 모든 사회적·정치적 기능들을 갑자기 한꺼번에 무 너뜨렸고, 책임의식을 극도로 고조시켰다. 이제 흑인이나 청소년의 위상 변화는 더 이상 사회를 뒤흔드는 요소가 아니다. 제한 없는 참 여라는 정치적 감각 속에서 그들은 더 이상 억눌릴 수 없다. 전자 미 디어 덕분에, 우리가 그들 안에 있는 것처럼 그들도 우리의 삶 속에 들어와 있다."[4] 매클루언에 따르면, '전자' 미디어는 "사물과 사람들 이 자기 존재를 선언하고자 하는 갑작스런 열망"을 자극하는 더욱 빠른 속도를 낳았다.[5] 그러나 오늘날에는, 이와 비슷한 민주주의적 목표를 달성하게 해 준다고 운위되는 것이 바로 느림이다.

느리게 살기 운동을 펼치는 오스트리아의 시간감속협회The Society

for the Deceleration of Time는 빨리 걷는 사람들에게 속도위반 딱지를 발부하고 그들을 거북이와의 산책에 초대하는 식의 떠들썩한 활동을 벌여서 유명해졌다. 영국의 롱나우재단Long Now Foundation은 뮤지션 브라이언 에노Brian Eno와 스튜어트 브랜드Stewart Brand가 1966년에 만든 단체다.[6] 브랜드는 "우리 사회가 비정상적으로 위험해 보일 만큼 빨라지고 있다"고 주장한다.[7] 이 재단에서 만든 '긴 현재의 시계 The Clock of the Long Now'는 '심오한 시간deep time'―책임감 있게 행동하고 생각하도록 요구하는 시간 감수성―의 문화를 상기시키기 위한 것이다.[8] 긴 현재의 시계는 1만 년 동안 작동할 디지털-기계식 시스템으로 만들어졌다. 재단 설립자들은 이 시계가 "오늘날의 사회를 지배하는 '빠르다/더 싸다'의 사고방식을 넘어서는 '느리다/훌륭하다'를 표현한다"고 주장한다.[9] 일본에서는 나무늘보를 따라하자는 나무늘보 운동이 2000년부터 나타났다. 이 운동에 참여하는 사람들은 인간의 탐욕스럽고 파괴적이며 폭력적인 방식과 비교하며 나무늘보의 느림을 찬양한다.[10] 나무늘보 식당, 나무늘보 카페, 나무늘보처럼 살기 가이드 등도 생겨났다.

슬로라이프는 지속가능성을 추구하는 여러 노력들과도 연결된다. 일본, 북미, 호주, 이탈리아, 한국에서는 유기농 농법 도입, 동물권 운동, 향토 음식과 전통 보존 노력, 수공예 장인 보호, 도시 농장 육성 등이 활발하게 진행 중이다. 그러나 뒤에서 더 자세히 이야기하겠지만, 느림 역시 소비자의 선택이다. 느린 블로거, 느린 호텔, 느린 섹스, 느린 관광, 느린 이메일도 모두 마찬가지다.[11] 슬로라이프를 다루는 책들도 등장했다. 칼 오너리Carl Honore의 《느림의 찬양In Praise of Slow: How a Worldwide Movement Is Challenging the Cult of Speed》이나 카를로 페트리니Carlo Petrini의 《슬로푸드Slow Food: The Case for Taste》는 대중의 큰 호응을 얻었다.[12] 어떻게 느리게 살아야 하는지를 알려 주는 가이드 북을 읽고 느리게 사는 계획을 세우는 슬로라이프 추구자들은 각자의 쥐떼 경주에서 아직 완전히 물러나지는 않았으나 매우 지쳐 버린 중년층과 중산층인 경우가 많다. 느림은 온갖 영역에 출현한다.

개인 층위에서는, 모두가 시간이 모자라다는 말이 사실일지도 모른다. 민주주의 측면에서 보면, 삶을 지속 불가능하게 하는 단기적 사고가 우리의 정치적 참여를 질식시킬 수도 있다. 그럼에도 불구하고, 사회구조의 기저를 이루는 다수적 시간성을 인식하지 못한다면, 시간 경험이 개인적인 선택의 결과만은 아니라는 사실을 이해하지 못한다면, 문제적인 삶의 속도에 대한 대응으로 나타난 이 지적 반응과 진보적 사회운동들은 자신들이 비난하는 바로 그 사회적 불평등을 재생산할 위험을 품고 있다. 시간이 인식·실천되는 방식은 현대적인 삶의 속도에 대한 단순한 훈계나 불평을 뛰어넘는 급진적인 문화적 의미를 가진다.

민주주의와 공론장 이론에서 느림은 특권적인 템포다.[13] (그러나 앞서 이야기한 택시 운전사 사례에서 살펴보았듯이, 이 이론들이 단순하게 이해되어서는 안 된다.) 사색하고 숙고하는 시민은 민주적·정치적·공적인 삶의 주체라는 높은 평가를 받는다. 또한 피코 아이어에 따르면, 느림은 세계와의 거리를 제공하여 세계 속 자신의 위치를 가늠하게 한다. 따라서 세계질서 속 자기 위치를 파악하려면 속도 변화가 있어야 한다. 시간 문제에 대한 공간적 해결책이다. 공간적 해결책은 이 책 전체에서 강조하는 권력의 시간적 차원을 간과한다. 거리를 갖는다는 것은 공간적인 관계다. 게다가, 느림은 시간성이나 시간의 복잡한 다수성과도 거리를 유지하며 물러난다.

그러나 이 모든 것의 권력-크로노그래피를 알기 위해서 느림이나 어떤 속도 변화가 필요한 것은 아니다. 대신에, 권력-크로노그래피는 관련된 시간관리 인프라와 재보정 형태들, 시간적 노동과 시간 아키텍처를 제시해 줄 것이다. 이 속에서 어떤 이들은 원하는 대로 느림을 누리지만, 어떤 이들은 그렇지 못하다. 느림은 정상화된 시간적 질서를 벗어나는 것이 아니다. 느림은 그 자체의 특정한 이데올로기적이고 시간적인 주장과 그 자체로 배타적인 시간적 관행을 지닌다.[14] 느림의 목적은 친자본일 때도, 반자본일 때도, 그리고 그 중간에 걸쳐 있을 때도 있다. 이제, 시간에 대해 서로 다른 주장을 하는 슬로라이프의 네 가지 예를 검토해 볼 것이다. 그 결론은, 느림은 의심스럽다는 것이다. 시간을 억제하고 달래려고 하는 느림으로의 문화적 전환은 시간의 탈정치화다. 느림의 문화를 비판적으로 분석하면 정상성 담론이 시간과 민주주의의 관계에도 개입하고 있다는 사실을 표면화할 수 있을 것이다. 우리는 민주주의적 시간의 윤곽을 다시 그려야 한다.

느림이 그 실현을 위해 공간에 의존한다는 사실은 글로벌 자본주의 문화에 널리 퍼져 있는 공간적 편향의 징후다. 해럴드 애덤스 이니스가 주장했듯이, 시간의 공간 개념화가 지배하는 현재 중심의 문화 속에서 시간의식을 회복해야만 한다. 속도에 대한 반응으로 느림이 등장했다는 것은 정치적 상상 속에서 시간성의 부재가 계속되고 있다는 뜻이다. 더 많은 공간을 얻는 것이 시간적 문제의 해결책은 아니다. 시간의 재사유가 시급하다. 이 긴급함은 시간의 사회적 경험이 얼마나 다수적이고 불균등한지를 이해하는 것에 기반하는 시간정치의 자리를 시사한다. 느림은 개인과 사회집단이 시간 속에서 맺는 복잡한 관계들을 바꾸지도, 개선하지도 못한다.

브리티시 콜럼비아, 보웬아일랜드: 리듬의 변화

밴쿠버 하우사운드 지역의 보웬아일랜드는 3천여 명이 사는 작은 지역사회다. 수상택시로는 밴쿠버 시내까지, 여객선을 타면 노스 밴쿠버까지 갈 수 있다. 이 섬에는 재활센터, 소규모 영화학교, 요가 스튜디오, 양품점, 요리학교, 초콜릿 가게, 데이 스파, 식당들, 아침 식사가 가능한 작은 호텔이 있다. 철따라 오가는 사람들도 산다. 이들은 섬에서 여름을 보내고 다른 계절에는 섬에서 일하는 노동자들에게 집을 임대한다. 밴쿠버 본토에서 전문직이나 육체노동에 종사하면서 1년 내내 이 섬에 사는 주민들도 있다. 매일 아침 여객선을 타고 교대근무자들이 들어오고, 주민들은 그 배를 타고 섬을 나선다. 하지만 그 와중에도 많은 사람들은 섬에 그대로 머문다. 이들은 평생을 보윈에서 보낸다. 이 섬에만 관심을 두는 사람들이다. 그들은 집을 짓고 수리해 가면서 식당, 카페, 가게, 농장에서 일한다. 이곳은 슬로라이프의 섬으로 유명하다.

섬에는 식료품 가게가 두 곳 있고, 둘 다 현지인을 고용한다. 하나(루디 포테이토)는 유기농 식품 중심이고, 다른 하나(스너그 코브 잡화점)는 그렇지 않다. 루디 포테이토의 웹사이트에는 이렇게 씌어 있다. "루디는 이 지역의 사랑방입니다. 이야기를 나누고 어울리는 곳, 먹거리와 보윈아일랜드를 즐기는 곳입니다. 최근의 이슈를 두고 진지하게 대화하는 사람들이 있습니다. 어떤 음식의 재료나 유래를 두고 토론하는 사람들이 있습니다. 저녁 식사로 무엇을 먹을지 고민하는 사람들, 이야기를 나누며 웃음을 터뜨리는 사람들이 있습니다."[15] 루디 포테이토에서는 계절의 리듬이 잘 드러난다. 계절에 맞춰 나오는 농산물을 중시하기 때문에 진열대가 드문드문 비어 있다. 사람들이 좋은 삶을 누리게끔 루디 포테이토는 건강한 신체 유지와 휴식의 중요성에 언제나 신경을 쓴다. 루디 포테이토는 이 섬의 웰빙 중심지이기도 하다. 여기에서 사람들은 해독 다이어트, 요가 수업, 슬로푸드, 요리 수업 정보를 얻는다. 팅크제, 비타민, 오일, 아로마테라피 등을 모아 놓은 웰빙 전용 코너도 있다. 이 가게는 조용하다. 루디 포테이토에서 파는 물건들은 비싼 편이다. 분명히 어떤 사람들에게는 중요한 장소지만, 사회경제적으로 특정한 일부 사람들만을 위한 곳이다. 그런 사람들이 섬에 남지 않는 계절에는 매장을 찾는 사람이 거의 없을 때도 있다.

한 블록 아래의 잡화점으로 내려가면 같은 제조사의 자외선 차단제, 기저귀, 비타민 등을 거의 절반 가격에 살 수 있다. 잡화점은 고급스럽지도 않고 섬 바깥의 가게들보다 저렴하지도 않지만, 루디 포테이토보다 훨씬 크다. 보웬섬에 하루의 리듬이 펼쳐지면 잡화점은 하루 종일 북적거린다. 아침이면, 오후가 되기 전에 다 팔릴 때가 많은 일간지를 사러 사람들이 몰려든다. 밴쿠버로 가는 사람들은 한 번에 두 종류의 일간지를 산다. 금요일이면 지역 신문, 지방 신문, 전국지 세 종류를 살 것이다. 이곳은 완고하게 버티는 공론장처럼 보이지만, 그들은 곧장 페리를 타러 가서 가는 길과 오는 길에 신문을 읽는다. 많은 현지인들은 오후가 되면 가게 가까운 곳에 앉아 커피를 마시며 신문을 본다.

나는 이 잡화점에서 쇼핑하면서 섬의 계급, 젠더, 인종적 구성을 파악할 수 있었다. 한국계 캐나다인 가족이 운영하는 이 가게는 하루에 12시간, 1년 365일 문을 연다. 아침에 신문을 사러 오는 사람들이 휩쓸고 지나간 뒤에는 주로 여성과 아이들이 쇼핑을 한다. 늦은 오후가 되면, 중년의 술주정뱅이 남성들이 잡화점 주차장에 앉아서 서로 고함치거나 행인들에게 인사한다. 여름 내내, 지역 주민들이 잡화점에서 열띤 대화를 나누는 모습을 몇 차례나 보았다. 사람들은 축구장에 쓸 나무 일곱 그루를 베어 내는 계획을 두고 논쟁하고, 퍼스트 네이션스가 소유권을 주장하는 공원의 미래를 우려하기도 했다. 오후 5시면 맥주와 담배가 빠르게 사라지고, 저녁 8시에는 시계처럼 정확하게 맥주가 다 떨어진다. 매일 저녁 까불거리는 아이들과 따분해하는 10대들이 부모 심부름으로 빈 병들을 가져와 재활용품을 모으는 장소에 갖다 둔다. 공공장소의 낡은 상징인 가게 바깥 공중전화는 무언가를 사지 않고 그 앞을 어슬렁거려도 좋다는 초대장이다. 은밀한 대화를 나누거나 누군가를 만나기에 좋은 곳이다.

유기농 전문점인 루디 포테이토는 소비자 라이프스타일을 바탕으로 섬에 공론장을 구축하려는 사적인 시도의 결과다. 이곳은 시간을 점유하는 특별한 방법, 즉 숙고와 명상을 전파하기 위해 고안된 계획 공간이다. 사람의 몸과 우리 행성의 건강을 지키기 위해 삶의 시간을 보호하는 것이 그 목표다. 루디 포테이토의 존재 이유는 지역사회에 보탬이 될 어떤 시간성을 조성하는 데 있다. 시민사회의 중심인 사인적 시간이라는 개념을 옹호하는 곳이다. 반대로 잡화점은 그냥 거기 있다. 슬로라이프, 좋은 삶, 새로운 공론장과는 전혀 관계가 없어 보인다. 그러나 잡화점에서는 보웬의 시간정치가 두드러진다. 잡화점은 섬의 맥박과 깊숙하게 얽혀 있다. 바로 이 다층적이고 복잡하며 혼란스러운 리듬을, 루디 포테이토는 일부러 멀리한다. 루디 포테이토는 시간성과의 복잡한 관계에서 자유로운 정치적 공공영역이라는 꿈의 표상이다.

도쿄, 카레타 시오도메: 공중 위의 슬로라이프

도쿄는 신칸센 고속열차와 순식간에 바뀌는 하이 스트리트 패션으로 상징되는, 세계에서 가장 빠른 도시라고들 한다. 모든 것이 빠르다. 그러나 동시에, 빠른 삶을 상징하는 이 도시는 신성한 시간의 위대한 보호자이자 창조적 생산자이기도 하다.[16] 도쿄는 도시 곳곳에 눈에 띄지 않고 의도적으로 느린 풍요의 뿔을 숨기고 있다. 10대 아이들의 패션 메카인 하라주쿠로 향하는 길에서 모퉁이를 돌면 고색창연한 절터 위에 있는 코이 연못 다리를 건너게 된다. 세계에서 가장 붐비는 교차로인 시부야의 하치코를 지나면 36시간 동안 쉬지 않고 일한 비즈니스맨들이 낮잠을 자는 캡슐호텔이 있다. 도쿄에서는 속도를 늦출 수 있는 현대적인 시설이나, 바쁘고 혼잡한 환경에서 도피하도록 도와주는 오래된 공간을 찾기가 쉽다.

슬로라이프를 위한 건축물을 지을 때, 느림을 위한 구조물이 하늘로 치솟도록 설계하기는 어려운 일이다. 느림은 쏟아진 물엿이 천천히 퍼져 가면서 주위를 아우르듯이 항상 수평적이어야 할 것만 같다. 느림은 공중보다는 땅에 어울려 보인다. 그러나 긴자, 신바시, 하마마츠초 사이에 위치한 도쿄 도심 금융가의 슬로라이프 시설인 카레타 시오도메는 하늘을 향해 재빨리 수직으로 뻗어 나가면서 공간을 점유한다.

카레타 시오도메에서는 살고, 일하고, 놀고, 쉬고, 심지어 일본 전통 '문화'를 경험할 수도 있다. 사무실 공간의 대부분은 일본 마케팅 회사인 덴쓰가 사용하며, 나머지 사무실에는 대체로 미디어 회사들이 입주해 있다. 사실 시오도메는 닛폰TV와 교토통신사 본사가 위치한 미디어 캐슬(조코마치)이 있는 곳으로 유명하다. 그러나 이 단지는 단순한 사무실 공간 이상이다. 라이프스타일 커뮤니티로서의 성격도 있기 때문이다. 이 라이프스타일 복합단지는 그 이데올로기적 성격을 감추지 않는다. 건물 안에 비치되어 있는 일본어와 영어로 된 안내 책자는 이곳을 이렇게 소개한다. "슬로라이프를 원하는 사람들을 위한 풍요로운 삶." 이 커뮤니티의 웹사이트는 "느리고 소박한 삶"을 약속한다. "편안한 분위기의 카레타 시오도메는 식사하고, 스타일리시하게 변신하고, 문화를 즐길 장소를 찾는 어른들을 위한 마을입니다. 21세기식 초고층 빌딩은 4개의 다른 구역으로 구성되어 있습니다. 각 구역은 사람들이 서로 만나고 소통할 수 있는 대규모 국제 시설을 제공합니다. 비즈니스와는 완전히 동떨어진 세상인 카레타에서, 편안한 공간과 여유로운 속도를 만끽해 보지 않으시겠습니까?"[17]

카레타의 느린 공간은 도쿄를 돌아다니다 보면 쉽게 만날 수 있는 페티시 공간이 아니다. 마요네즈 밀크셰이크를 파는 마요네즈 식당, 닌자 복장을 걸친 직원들이 서비스하는 테마바 같은 곳들과는 다르다. 개장한 지 몇 년 안 되는 카레타 시오도메는 여전히 주거지나 비즈니스 공간을 매매하고 있다. 그 안은 바쁘게 돌아간다. 느리지만 분명히 생산적인 방식으로 조용히 고동치고 있다. 이 슬로 라이프스타일 몰과 리빙 센터의 등장은 도쿄의 도시 디자인과 시민 문화의 더 많은 변화를 알리는 신호탄이다. 시공간 속으로 삶을 확장하려는 욕구를 충족시켜 줄 만한 공간이 거의 없는 이 도시에서, 카레타 시오도메는 일, 여가, 놀이가 전부 가능한 장소다. 이곳은 일상에 필요한 모든 것을 한 장소에 담고 있다. 그러나 물론, 여기서도

그림 16 도쿄 카레타 시오도메 1층의 분주한 맥도널드. (저자 촬영)

공간과 시간은 구매하고 전달받을 수 있는 서비스다.

카레타 시오도메의 많은 아파트들은 청소 직원까지 포함된 풀서비스를 제공한다. 이 커뮤니티 안에는 치과, 병원, 브로드웨이 연극을 공연하는 극장, 약국, 서점, 인기 있는 뮤지엄, 카페, 디저트 가게가 늘어서 있다. 조금 아이러니하지만 패스트푸드점도 아주 많다. 카레타 시오도메 1층에 있는 맥도날드에는 항상 사람들이 붐빈다(그림 16 참조). 전통차와 유기농 음식을 내는 슬로푸드 스타일의 식당도 있다. 메인 플로어에는 50개 이상의 현대식 의자들이 흩어져 있다. 20세기의 위대한 가구 디자이너들인 찰스 임스, 해리 베르토리아, 한스 웨그너가 디자인하고 놀과 허먼 밀러에서 제작한 의자들이다. 입구 근처의 안내판에는 사람들이 슬로라이프를 내건 이 고층 빌딩

그림 17 도쿄 카레타 시오도메의 휴대폰 좌석 구역. (저자 촬영)

에 들어올 때 마주치는 다양한 의자들에 대한 자세한 설명이 적혀 있다. 이 의자들은 여기를 스타일리쉬한 장소로 만들어 준다.

메인 플로어를 걸어가면서 둘러보니 이미 모든 의자에 사람들이 앉아 있다. 어떤 의자들은 일렬로, 어떤 의자들은 미로 같은 벽 뒤나 복도 아래나 건물 모서리에 특이하게 배치되어 있다. 의자에 앉은 사람들은 대부분 꾸벅꾸벅 졸았다. 시오도메에는 축소형 공공공간인 작은 광장도 있다. 나무 조각과 벤치가 둥그렇게 배치되어 있어서 열 명 정도 앉을 수 있는 곳인데, 모든 자리마다 휴대폰 충전이 가능하다. 여기 앉은 사람들은 다들 휴대폰을 귀에 대고 속삭이고 있었다(그림 17 참조). 야외 마당으로 나가면, 나무들마다 벤치가 나무를 감싸듯이 놓여 있어서 사람들은 말 그대로 나무 그늘에 앉아 있을 수가 있다.

그림 18 도쿄 카레타 시오도메의 거북이 분수대. (저자 촬영)

뜰 한가운데에는 카레타 시오도메의 아이콘인 커다란 바다거북 조각이 자리 잡고 있다(그림 18 참조). 거북이는 두 가지 의미다. 하나는 상업이다. 또 하나는 라이프스타일과 관련이 있다. 카레타 시오도메의 안내자는 거북이가 오랫동안 상업의 신으로 여겨져 왔다고 설명해 준 뒤, 다른 한편으로는 거북이가 "새로운 '슬로라이프' 개념, 도시 라이프스타일의 새로운 변화"를 상징한다는 말을 덧붙였다.[18]

카레타 시오도메에서의 슬로라이프는 성찰을 위해 제작된 느린 속도 기념물 주위로 조직되어 있다. 거북이 조각상은 매시간 정각부터 20분 동안 분수대가 된다. 시계가 없어도 분수를 보면 일을 멈추고 20분 동안 쉴 수 있다. 거북이 분수대는 시간의 흐름을 일깨우

그림 19 택시들이 도쿄의 카레타 시오도메에서 슬로라이프를 누린 이들을 기다리고 있다. (제레미 팩커의 사진)

고, 시간이 너무 빨리 흐를 때 자기 존재의 속도를 어떻게 조절해야 하는지를 반성하게 한다. 분수는 소원을 비는 용도가 아니라 자기 손아귀를 벗어나는 시간이 주는 불쾌한 느낌을 어떻게 다루고 극복할 것인지를 성찰하기 위한 것이다. 여가, 업무, 주거에 이용되는 카레타 시오도메의 다른 층들은 철저하게 통제된다. 에스컬레이터와 회전 유리문 옆에 서 있는 경비원들이 생활권을 갈라 놓는다. 이 복합단지는 혼잡한 지하철 역 위에 자리잡았다. 택시들은 택시 정류장 앞에 길게 늘어선다. 택시 안의 운전사들은 잠을 자거나 만화를 읽거나 허공을 응시하면서(그림 19 참조), 택시 정류장을 통제하는 직원의 신호를 기다린다. 신호를 받으면 택시는 슬로라이프를 즐긴 손님을 태우고 카레타 시오도메를 빠져나간다.

이 풍요로운 슬로라이프가 하늘을 찌르는 거대한 초고층 빌딩 속에 자리잡고 있다는 사실은 시간에 대한 특정한 주장을 드러낸다. 그 주장은 공간적이다. 카레타 시오도메는 느림의 정신을 유지하도록 설계된 공간적 시설이다. 여기서 느림이란 축적할 수 있는 것, 문자 그대로 땅에서부터 지어 올린 것이다. 시오도메의 여러 면모를 관찰해 볼 때, 느린 행위와 빠른 행위는 구분되기 어렵다. 느림은 라이프스타일이다. 시간 절약을 목적으로 만들어진 하나의 구조 안에서 모든 사람의 요구를 최대한 조율한 결과다. 언제든 풀서비스가 제공된다면 인생은 쉽다. 슬로라이프를 만드는 것은 시간 낭비라고 간주되는 행위의 제거다. 카레타 시오도메는 슬로 라이프를 추구하는 사람들에게 기다림, 서두름, 출퇴근, 청소, 길을 찾아 헤메는 일, 택시 잡기처럼 무의미한 일에 '시간을 낭비하지 말라'라고 가르친다. 카레타 시오도메는 방해가 되는 것들을 제거함으로써 시간을 확보하는 곳이다. 이곳에서 실존으로 향하는 길은 항상 충만하고 의미 있어야 한다. 다시 말해, 카레타 시오도메의 슬로라이프 추구자들은 일상적인 시간관리에 수반되는 선택 자체를 할 이유도 없고, 이 세상에서의 짧은 시간을 어떻게 보낼지를 두고 고민할 필요도 없다. 카레타 시오도메에서 산다는 것은 남는 시간이 있는 풍요로운 삶을 산다는 의미다.

"슬로라이프를 '원하는' 사람들을 위해"(강조는 저자)라는 카레타 시오도메의 슬로건은 부자들의 삶에 투자하고 있다는 사실을 감추지 않는다. 더 주목할 만한 대목은, 시간이 오래 걸리는 행위를 쓸모 없거나 무의미하다고 취급하는 이곳 특유의 기준이다. '올바른 시간 적 실천'에 가치를 부여하는 행위는 사회구조에서 차이를 확립하는 시간권력의 위계를 지탱하고 확인한다. 이곳에 사는 것 자체가 시간 적 실천이다. 슬로라이프 정신에 따르면, 여기에서 시간을 낭비하는 사람들은 이곳에 거주하지 않는 사람들, 식당 종업원, 청소부, 경비원, 택시 운전사들뿐이다. 이들의 삶은 부유하지도 않고, 시간을 불행하 게 사용하도록 만드는 이 시설의 규정과 조건에 묶여 있다. 서비스 노동에 매여 있는 삶은 이 세상에서의 짧은 시간을 제대로 사용하는 것과 거리가 멀다. 임시 노동력인 카레타 시오도메의 노동자들은 시간이 부족하다는 현실을 실제로 견디고 경험해야 한다.

샌프란시스코, 슬로푸드 네이션: 시간적 회귀

2008년 늦여름, 미국 슬로푸드와 국제 슬로운동에 속한 비영리단 체인 샌프란시스코 슬로푸드 네이션 행사에 참석했다. 노동절 기간 동안, 미국과 세계 여러 곳에서 온 8만 5천여 명이 시청 앞 광장에 모 여 서로 대화하고 강연을 듣고 식사하고 영화를 보고 음식 맛보기에 참여하면서 미국의 음식 시스템을 비판하고 그것이 속도문화와 맺 는 관계에 문제를 제기했다. 이 행사의 대체적인 주제는 식당, 유인 물, 포스터, 광고판 곳곳에 쓰여 있던 다음 구호들에 잘 담겨 있다(그림 20·그림 21 참조). '식탁으로 오세요', '느리게 움직이고 함께 먹기', '요리할 시간', '돼지고기에 투표하라!', '수돗물을 마시자', '음식 정치를 이야기하라', '당신이 먹는 음식을 알아 가세요', '보존, 퇴비, 재활용'.

국제 슬로푸드 운동은 1986년, 이탈리아 로마의 스페인광장에 있는 맥도날드 앞에서 벌어진 시위에서 시작되었다. 1970년대에 공산주의 잡지《일 매니페스타Il Manifesta》에서 요리 기자로 일했던 카를로 페트리니Carlo Petrini가 조직한 수백 명의 시위자들은 펜네 그릇을 들고 맥도날드 외곽을 행진했다. 곧이어 페트리니는 국제적인 슬로푸드 운동을 일으켰다. 현재 150여 개국 수십만 명의 회원이 슬로푸드 운동에 동참하고 있다.[19] 슬로푸드 운동은 환경친화적인 미식가, 식당, 요리사, 농부, 도시계획가, 식료품점, 농업 전문가, 정책입안자, 교육자 등이 모여 식탁 위의 이슈를 중심으로 사회변화를 모색하는 활발한 글로벌 네트워크로 발전했다. 이들은 농부와 협동조합을 연계하는 동시에 생물 다양성을 장려하고 유전자변형식품을 반대하며 지역 음식문화를 보호한다. 이처럼 슬로운동은 지속 가능성을 중시하고 정책 변화를 꾀하는 장기적 노력이자 느린 혁명이다. 이들은 빠른 삶을 막연한 문화적 징후로 여기면서 단순히 반대하는 것이 아니라 정치적 변화를 추진한다. 이 운동에 참여하는 이들 중에는 위기에 처한 농업과 음식 전통을 구출하고자 EU에 무역과 농업정책 변화를 요구하는 로비스트들도 있다.

어느 날 오후, '예산에 맞춘 슬로푸드' 워크숍에 참석했다. 홀푸드가 공동 후원하는 행사였다. 중년 여성들과 젊은 부부들이 많았

그림 20 샌프란시스코에 있는 한 주류 매장은 슬로푸드 네이션에 '슬로푸드 친화적인' 와인을 지원하고 있다. '슬로푸드 친화적인' 와인은 유기농 포도와 지속 가능한 농법으로 생산된 와인을 가리킨다. (저자 촬영)

그림 21 슬로푸드 네이션의 구호 중 하나인 "Let's Go Slow". (저자 촬영)

다. 4인분의 식사 예산은 40달러였다. 사회자는 신나게 외쳤다. "슬로푸드에는 돈을 아끼는 재미가 있습니다, 아끼는 건 재미있으니까요. 그렇죠?" 트러플 오일, 지속 가능한 방식으로 제조된 와인, 유기농 닭, 루꼴라가 나왔고, 후식은 복숭아 컴포트였다(그림 4.7 참조). 캘리포니아 와인 회사 직원이 지속 가능한 와인의 맛이 경이롭다고 찬사를 보냈고, 우리는 모두 시음해 보았다.

페트리니는 슬로푸드 선언에서 "조용한 물질적 쾌락에 대한 확고한 방어만이 널리 퍼진 빠른 삶의 어리석음에 대항할 유일한 방법"이라고 주장한다.[20] "기술은 인간이 된다는 것의 의미를 잊게 만들었다."[21] 페트리니는 슬로운동이 "이전 세대들이 누렸던 자연스러운 리듬으로 돌아가도록 고취"한다고 보았다.[22] 슬로푸드는 진보적 사회운동이라고 자임한다. 그러나 이 운동은 상업적인 모델을 추구했기 때문에 성공할 수 있었다.

신체의 자연스러운 리듬을 찾아 자연으로 돌아가고 제철 과일과 채소를 먹는다고 해도, 세계의 저임금 노동자들 중에서 가장 큰 집단이 농장 노동자들이라는 사실은 변하지 않는다. 또한 패스트푸드든 슬로푸드든, 미국의 식당 종업원들이 받는 돈이 생계비에 미치지 못한다는 사실도 바뀌지 않을 것이다.[23] 토비 밀러Toby Miller는 "훌륭한 맛이 더 나은 시민권의 신호이자 수단이 되었다"고 지적하면서 미국의 음식정치 풍토를 비판했다.[24] 그러나 슬로푸드와 불평등한 시간 생산 사이의 관계는 계속 감추어져 있다. 슬로푸드는 훌륭한 맛을 정치로 착각하는 부르주아적 시도의 흔적이 있다. 시간성

그림 22 '예산에 맞춘 슬로푸드' 워크숍에 마련된 식사. (저자 촬영)

에 초점을 맞추면, 이 운동을 생산적으로 정치화할 수단을 마련할 수 있다.

슬로푸드 네이션에 참석한 경험은, 슬로푸드가 윤리적 관계 형성에 도움을 주는 시간정치보다는 특정한 공간에서나 가능한 개인주의적이고 시간적인 실천을 배우는 것에 가깝다는 확신을 주었다. 슬로푸드 운동이 중시하는 시간은 '자연의 시간'이다. 그 시간은 지구의 시간일 수도, 계절의 변화일 수도, 생체시계를 뜻할 때도 있지만, 자본주의 이전과 산업화 이전의 시간을 의미한다는 것만은 분명하다. 슬로푸드 운동은 '본질적인' 시간 경험을 되찾을 수 있으리라고 기대하고, 그런 일이 가능하다고 여긴다. 그러나 시간의 자연화와 공간적 특권화가 결합되었기 때문에 슬로푸드의 시간정치는 마비 상태에 빠진다.

국제 슬로푸드 운동의 상징인 달팽이는 시간과 공간 사이의 긴장을 표출한다. 빠른 세계 속 달팽이의 생존은 그 껍데기에 달려 있다. "코스모폴리탄이자 사려 깊은 달팽이는 문명보다 자연을 선호하고, 자기 껍질을 등에 이고는 스스로를 감당한다. 현대 세계의 유혹에 영향을 받지 않는 이 생물은 액운을 막는 부적처럼, 너무 조급해서 느끼거나 맛보지 못하고, 너무 탐욕스러워서 방금 집어삼킨 것을 기억하지 못하는 자들의 과오를 폭로한다."[25] 달팽이의 도상학은 더 단순했던 때를, 더 크고 빠른 동물들 앞에서 살아남기 위해 달팽이가 발버둥칠 필요가 없었던 시기를 그린다. 달팽이는 맞서 싸운다기보다는 침입을 허용하지 않는다. 달팽이는 껍질 속으로 숨어서 보호받아야 할 공간과 영향받지 않는 시간성을 지킨다. 달팽이는 완벽하게 침착하고 차분하다. 너무나 힘이 부족해도 그 상황을 인내하면서 제 운명을 감당한다. 달팽이는 속도를 이긴다. 껍질은 속도의 균형을 가져온다. 달팽이는 침략자를 등지고 버텨 낸다.

슬로푸드 운동은 빠른 속도를 자랑하는 힘들—세계화, 테크놀로지, 자동차, 패스트푸드점—을 막아 주는 '껍질'이 있는 공간들을 중심으로 전개된다. 이 운동은 저녁 식탁, 농장, 밭, 주방, 슬로푸드 식당, 도시 정원, 치타슬로Cittaslow(슬로시티), 지역 등의 저항적 공간에 집중한다. 공공광장처럼 꾸며 놓은 곳에 설치한 고풍스러운 가두연단이 슬로푸드 네이션 행사의 중심이었다. 사람들이 거기에 올라

연설하고 대중을 끌어모으게 하려는 것이었다. 주요 야외 행사인 '식탁으로 오세요'는 식사 테이블을 가운데 놓고 예정된 토론과 대화를 진행했다(그림 23 참조).

치타슬로연맹은 이탈리아의 브라와 키안티에서 1999년에 처음 등장했다. 현재 일본, 핀란드, 호주, 한국, 터키, 영국, 캐나다, 독일 등의 18개국 120개의 도시가 슬로시티연맹에 가입했다. 브라와 키안티의 시장들은 페트리니와 손잡고 도시 인구가 5만 5천 명을 초과하지 않아야 한다는 내용이 담긴 슬로시티 헌장을 작성했다.

그림 23 슬로푸드 네이션의 슬로건 '식탁으로 오세요come to the table'는 함께 모여 식사하자는 뜻이지만, 활발한 대화의 중요성을 의미하기도 한다. 광장에 놓인 식탁에서 공개 토론과 대화가 펼쳐졌다. (저자 촬영)

우리는 삶의 질을 즐길 시간을 갖는 사람들이 사는 도시를 찾고 있다. 훌륭한 공공공간, 극장, 상점, 카페, 숙박업소, 역사적 건물, 훼손되지 않은 풍경을 간직한 축복받은 도시. 전통 공예 기술이 일상적으로 사용되고, 느리고 유익한 계절 변화가 낳은 지역 생산품을 만날 수 있는 도시. 지역사회의 중심이 건강한 음식, 건강한 생활, 즐거운 삶에 있는 도시.[26]

치타슬로연맹은 "삶이 편안한 도시들의 국제 네트워크"를 지향한다. 연맹에 속한 도시들은 3년마다 재승인을 받으며 슬로라이프를 지킨다. 도시계획과 건축을 연구하는 폴 녹스Paul Knox는, 치타슬로는 "공동체의 진정한 본질"을 보여 주는 곳, "난폭한 자동차의 방해 없이 산책할 수 있는 도시, 사람들이 만나고 앉고 이야기하고 공동 생활을 즐길 풍부하고 다양한 공간이 있는 도시"라고 했다.[27]

지역local이라는 용어는 무언가가 자연스럽고 진정한 것이라고 주장하는 수단이며, 느리고 훌륭한 삶을 의미하는 가장 지배적인 공간 표지이기도 하다. 여기에는 지역 공간이 변혁적인 시간정치의 궁극적인 현장이라고 보는 페티시즘이 있다. 모든 음식은 사실 지역 음식이지만, 슬로푸드가 생산지에 갖는 관심이 언제나 지역에서 공급된 음식만을 의미하는 것은 아니다. 슬로푸드 네이션의 음식 박람회 홀에는 전통 음식들 곁에 '진정한 지역성authentic locals'을 강조하는 포스터들이 가득 붙어 있었다. '전통 지역 음식'에 대한 이야기들도 무수히 많았다. 그러나 공간을 기리는 이 행위들은 시간권력의 차별성을 포함한 다른 복잡한 조건들을 무시했다.

예를 들어, 슬로푸드 지지자들은 멕시코 어느 지역의 옥수수 토르티야를 찬양하는 특집 다큐멘터리를 만들었다. 새벽 4시에 일어나 요리를 시작하는 여자들의 이야기를 담은 영상이다. 슬로푸드라는 상상력을 사로잡는 이 이야기는 전통과 진정한 토르티야에 초점을 맞추지만, 이른바 전통적인 토르티야 생산이 열악한 노동조건 속에서 젠더적으로 편중된 노동으로 이루어진다는 사실은 감추고 있다. 토르티야 만들기는 만드는 사람(여성)의 젠더적이고 계급적인 맥락에 따라 구조화된 차별적인 시간적 관계를 반영한다. 지역운동은 농부, 유기농 포도를 수확하는 사람들, 토르티야를 만드는 이들이라는 타자들에 대한 페티시다. 실제로 그들이 어떻게 시간을 협상하는지에는 전혀 관심을 기울이지 않는다. 슬로라이프 지지자들이 더 '자연스러운' 시간 경험을 상상할 밑바탕이 되어 주는 그 사람들은, 공간에 고정되어 고된 노동을 하는 실제 지역민들이다.

슬로푸드 운동은 자신들의 행위가 삶의 속도와 돈으로서의 시간 개념에 모두 저항하면서 또 다른 시간 경험을 하게 하는 것이라는 착각에 빠져 있다. 그러나 슬로푸드 운동의 구성원들은 질적으로 훌륭한 시간quality time이라는 경제적 개념 하에 활동한다. 그들은 시간 관리를 더 잘하기만 하면 된다고 생각한다. 시간은 모든 사람이 가지고 있는 것이고, 모든 사람이 접근할 수 있는 것이며, 개인적으로 올바른 선택을 하기만 한다면 창출해 낼 수 있는 것이라고 생각한다. 슬로푸드 USA 웹사이트에는 이렇게 적혀 있다. "슬로푸드는 속도를 늦추는 시간을 갖는 것입니다. 가족이나 친구들과 함께 삶을 즐기는 시간을 갖는 것입니다. 무언가를 느리게 하면 매일매일이 풍요로워집니다. 파스타를 처음 단계부터 만들어 보세요. 신선한 과일에서 직접 향기로운 오렌지 주스를 짜 보세요. 와인 한 잔과 치즈 한 조각을 천천히 음미해 보세요. 일어서서 먹지 말고 앉아서 점심을 즐겨 보세요."[28] 모든 느린 행위가 더 나은 농업정치나 지속가능성의 실천과 맞닿아 있다고 여기는 이 운동은 라이프스타일 정치를 선언한다.

이 논리를 시간 말고 슬로푸드에 투자되는 다른 자원, 즉 음식에 적용해 본다면, 이 두 가지를 이야기하는 방식에 엄청난 차이가 있음을 알 수 있다. 굶주림, 환경오염, 비만에서 보듯이, 음식정치에는 불균등성이 잠재해 있다. 예컨대 물은 불평등하게 이용되고 불공평하게 사유화된 자원이다. 가뭄이 들 때도 있다. 물은 오염되기도, 위험을 가져오기도 한다. 물은 수영장이나 넓은 잔디밭을 가진 사람들에게 낭비되기도 한다.

슬로푸드 네이션에서 진행된 어느 음식 예산 관련 토론에서, 자신을 '음식운동가'라고 소개한 어떤 사람은 슬로푸드란 시간에 우선순위를 매기는 것이라고 했다. "우유, 치즈, 고기를 구하기 위해 제가 가장 좋아하는 농장에 두 시간 동안 차를 몰고 가는 것은 돈과 시간을 들일 가치가 있는 일입니다. TV를 보는 대신에 저는 그렇게 합니다." 텔레비전 시청보다 음식을 구하러 운전하는 쪽을 택하는 것이 더 정치적인 행위라는 생각이다.

문화인류학자들은 슬로푸드와 패스트 푸드 사이의 이원론적인 담론 구성에 의문을 제기한다. 현대적인 음식정치 이론의 핵심에는 잘못된 이분법이 존재한다는 것이다.[29] 슬로푸드 시장과 호주의 맥도날드에 대한 문화기술지 연구들은 슬로푸드 운동의 생태적 프로젝트와, 이 운동과 긴밀하게 엮인 자동차 중심 문화 사이의 모순을 지적한다. 실제로 자료들을 검토해 보면, 일부 슬로푸드는 패스트푸드점보다 자동차 의존도가 훨씬 높다. 패스트푸드와 슬로푸드 문제는 속도 이슈에 매달릴 것이 아니라, 건강이나 지속가능성과 관련된 문제들로 초점을 옮겨야 한다. 토비 밀러가 말했듯이, "패스트푸드는 자본주의의 시간적 규율에 따라 효율성을 찾아가는 구조적 조정 과정을 압축한다."[30]

식품 시스템을 시간적 관점으로 바라보려면 노동정치를 이해해야 한다. 밀러에 따르면 "일상적인 노동과 환경파괴가 패스트푸드를 지속시킨다. 착취당하는 노동자와 훼손된 공간에 의존하는 서비스산업 모델이 패스트푸드다."[31] 그렇다면 하나는 아주 느리고 하나는 아주 빠르다면서 패스트푸드와 슬로푸드의 대립에 초점을 맞추는 것은 잘못이다. 이 대립은 두 가지 음식 경험 모두의 바탕을 이루는 노동착취 조건에서 우리의 시선을 돌리게 한다. 슬로푸드와 패스트푸드의 생산은 그 가능성의 조건인 불균등한 시간정치에 입각해 있는 것이다.

슬로라이프의 추구는 농업정치, 지역정치, 속도에 대한 저항 등 모든 영역을 시간의 배타적인 정치화로 귀결시켰다. 다양한 프로젝트를 펼치지만, 어떤 것이 더 정치적으로 효과가 있는지는 따져 보지 않는다. 오렌지를 짜는 일부터 유전자변형식품을 거부하는 일까지 모두 '느림' 아래에 귀속된다. 이들의 상상 속에서 빠른 속도는 건강을 악화시키고 환경을 파괴하는 것이다. 《신경정치: 생각, 문화, 속도Neuropolitics: Thinking, Culture, Speed》에서 윌리엄 코널리William Connolly가 주장했듯이, "속도에 대한 분노가 뻔히 눈에 보이는 제도적 원인에는 도전하지 않는 태도와 결합되면서 비난 일색의 문화가 나타났다."[32]

빠르게 움직여야 하는 몸이 노동조건이나 젠더, 인종, 계급, 이민 상태에 따른 더 큰 구조적 차이에서 비롯된 결과일 때도, 빠르게 움직이는 사람들은 무책임한 사람으로 취급된다. 슬로푸드 네이션에서 만난 가장 느린 사람은 행사장 밖에서 패스트푸드를 파는 사람이었다. 그는 지난 이틀간 장사가 잘 안 됐고 다른 곳으로 옮길 수도 없는 상황이라며 행사가 얼마나 더 길어질 것 같냐고 물었다(그림 24 참조). 그의 노점에서 음식을 사 먹는 사람들은 슬로푸드 행사장에서 일하는 인부들뿐으로, 그들은 이 행사의 '일부'가 아니었다. 노점상이든 청소부든 슬로푸드 네이션 행사장의 노동자들은 이 운동의 느림/빠름이라는 이분법 때문에 곤란을 겪고 있었다. 캘리포니아 농장 노동자들을 위해 활동하는 한 노조 관계자는 슬로푸드 행사에 참석해 "농장 노동자들이 풀타임으로 일하더라도 가난해질 시간조차 없다면, 그건 착취"라고 주장했다. 그러나 그의 말은 슬로운동이 관심을 가질 만한 시간정치에 해당되지 않았다.

그림 24 슬로푸드 네이션에서의 느린 하루. 행사장 밖에서 손님을 기다리는 아이스크림 노점상. (저자 촬영)

슬로푸드 운동의 속도 비판은 시간을 공간적으로 이해하는 시각에 기반한다. 이런 시간 개념은 느린 문화를 만들어 내느라 바쁘게 움직이는데도 완전히 그 바깥에 놓여 있는 개인과 사회집단에 해를 끼친다. 슬로라이프를 즐길 새로운 공간을 만들어 내고 상징적인 '지역'을 치켜세우기 위해 에너지를 투자하지만, 노동자는 인식되지 못한다. 가난한 이주자 농민들은 논외로 치부되고 아름답고 풍족한 농장에만 관심이 쏠린다. 슬로푸드 운동은 글로벌한 의존 관계에는 신경을 쓰지 않고 글로벌한 지역the global locals(혹은 진정한 타자

authentic Others)만을 염려한다. 슬로푸드 전문점은 찬양하지만, 서비스하는 직원에겐 무관심하다. 이 모든 경우에, 자연의 시간은 자연의 경험을 배달해 주는 사람들 덕에 높이 평가받는다. 그 경험은 농장 노동자들이 느끼는 자연 경험과는 아주 다를 것이다. 식탁, 주방, 여러 '지역'들과 같은 슬로푸드의 공간은 샌프란시스코의 저녁 식탁에서 한참 떨어진 수많은 다른 공간과 다른 시간성들에 떠맡긴 재보정에 의존한다.

슬로라이프스타일에는 신자유주의적 모순이 가득하다. 시간이 마치 라이프스타일 선택의 문제인 것처럼 시간을 보내는 방식은 개인의 책임이라고 하면서도, 느림은 우리가 달성할 공공선인 양 떠받든다. 시간 라이프스타일은 신중한 여러 번의 선택이나 시간적 실천으로 형성되지만 공익적인 것도 아니고 시간을 공익으로 바꿔 놓지도 못한다. 진정한 시간성을 인식하기 전까지는, 느리게 사는 것은 진보적 행위일 수 없다. 슬로라이프 정신은 도덕적 결정권자 위치를 참칭하고 어떻게 시간을 보내야 하는지를 규정한다. 속도를 맹종하는 어리석은 시민이 아니라 윤리적이고 사려 깊은 인간이 되라고 한다. 이 명령을 충실하게 따르는 슬로라이프 지지자들은 올바르게 먹는 법(지역 음식을 먹는다, 유기농을 먹는다, 다른 사람들과 둘러앉아 천천히 신중하게 먹는다), 올바르게 소비하는 법(지역 음식을 먹는다, 자기 먹거리를 스스로 재배한다, 슬로푸드 식당을 이용한다), 적절하게 시간을 보내는 법(사려 깊게, 신중하게, 숙고를 거듭한다), 훌륭한 교통수단을 고르는 법(자전거를 타거나 걷는다)을 배운다.

슬로라이프는 올바름을 내세우지만, 그건 시간을 낼 수 있는 사람들에게나 가능하다. 슬로라이프 지지자들은 자신들의 담론 영역을 재검토하고 삶의 조건으로서의 속도가 만든 구조적 불평등을 인식해야 한다. 또한, 라이프스타일을 선택할 때 단순히 속도만을 따질 것이 아니라 특권이 없는 인구의 시간성을 고려할 방법을 마련해야 한다.

미국, 스테이케이션: 느림에서 멈춤으로

2008년 여름, 미국의 금융위기는 공공영역에서나 사적 영역에서나 더 큰 경기둔화로 이어졌다. ABC 방송은 '전국 재택 주간National Stay at Home Week'이라는 이름으로 방송을 편성하여 미국 시민들에게 여행 대신에 집에서 텔레비전을 시청하라고 권했다. "유류 가격 상승, 경기 하락, 지구온난화. 나가지 말고 집에서 멋진 ABC TV를 즐기세요." 느린 시대가 출현했다. 시장이 침체되면서, 많은 미국인들의 삶도 침체를 겪었다. 집에서 즐기는 슬로라이프는 대형 텔레비전 방송사나 대형 마트 같은 미국 기업들이 내놓은 새로운 경제 지침이었다. 기름값이 오르고 테러 공포가 남아 있는 상황에서, 미국 중산층들은 움직이지 말고 집에 있으라는 신호를 받았다. 금융위기 때문에 많은 사람들이 집을 잃고 있는 동안에도 다가올 여름휴가를 위한, 집에서 누리는 안전을 강조하는 새로운 아메리칸 드림이 태동하고 있었다.

미국에서 탁 트인 도로와 하늘과 강은 신이 부여한 자유의 표상이다. 그러니 부동성Immobility을 조금씩 증가시켜서 집에 머물러야 한다는 상황이 불러올 문화적 충격에 대처해야 했다. 공간을 가로질러 여행하는 것은 미국에서 공공의 권리이지만, 교외에 있는 폐쇄적인 개인 주택 또한 미국적이다. 2008년 여름에 등장한 '위대한 미국적 스테이케이션the great American staycation'은 가정 내부 공간과 바깥으로 확장된 공간이라는 이중적인 미국적 가치를 새로운 아메리칸 드림으로 통합하는 문화적 · 경제적 실천이었다. stay와 vacation의 합성어인 '스테이케이션staycation'은 집에서 보내는 휴가를 일컫는 신조어다.

2008년 봄, ABC의 아침 프로그램인 '굿모닝 아메리카Good Morning America'는 육아 정보 코너에서 다가오는 느린 여름을 어떻게 보낼지를 이야기하다가 스테이케이션을 소개했다. 여기서 '느리다'는 것은 국제 · 국내 여행을 할 만한 재정적 여유가 없는 상황을 뜻한다. 이 프로그램은 여름 내내 이 주제로 방송했다. 다른 방송사들도 결국 스테이케이션을 다루기 시작했다. 2008년 봄과 가을 사이에 ABC, NBC, Fox, CBS, CNN의 아침 프로그램들은 라이프스타일 전문가, 대형 유통업체 관계자, 스테이케이션 애호가들을 연이어 출연시켰다. 2008년 6월 CNN의 주요 기사 중 하나는 코네티컷주 사우스 윈저에 사는 한 남자가 휴가를 가지 않고 모은 돈으로 스테이케이션을 계속 즐길 수 있는 집을 마련했다는 내용이었다.[33]

이 궁전 같은 집에는 농구 코트, 수영장, 온수욕장, 정원, 배구 코트가 있었다. 그만 한 땅이 없는 사람들을 위한 정보를 소개하는 프로그램도 있었다. 같은 주에 CBS의 '디 얼리 쇼The Early Show'에는 '시간이 없는 소비자들'에게 새로운 상품 정보를 알리는 회사인 BehindtheBuy.com의 편집자가 출연했다. 이 라이프스타일 컨설턴트는 "집을 떠나지 않고도 떠나 있는 기분이 들게" 할 새로 나온 필수품들을 소개했다. 에어컨이 달린 패밀리 사이즈 텐트, 야외용 프로젝터 텔레비전 스크린, 최신 기술로 만든 빙수 제조기, 소형 맥주통, 미니 골프 키트, 정원 호스에 연결해 빠르게 세팅할 수 있는 수영장 등이었다. 이 프로에서는 기름값이 그리 높지 않을 때라도 스테이케이션은 큰 장점이 있다고 주장했다. 스테이케이션을 즐기는 어떤 사람은 이렇게 인터뷰했다. "휴가 갔다 오면 남는 건 사진밖에 없잖아요. 하지만 이런 것들은 영원히 가지고 있을 수가 있거든요."[34] 그런 물건들을 만지작거리면서 집에만 틀어박혀 있는 모습은 아무래도 좀 안돼 보이는 것이 사실이다. 그러나 방송사에서는 책임감 있는 시민이라면 집에 머물러야 한다는 식으로 묘사했다.

린 스피겔Lynn Spigel은 《TV를 보기 위한 공간Make Room for TV》과 《꿈의 집에 오신 것을 환영합니다Welcome to the Dreamhouse》에서 이 주제를 폭넓게 다루고 발전시켰다.[35] 전후 1950년대의 가정 공간은 "〔가족들이〕 집이라는 가족만의 안전한 공간에 머물면서도 사회 통념에 어긋나는 욕망의 공간으로 상상적으로 이동하게 하는 교통수단"을 제공했다는 관찰이다.[36] 그때로부터 60여 년이 지난 후, 시장과 광고는 창의적으로 개입하여 스테이케이션을 탄생시켰다. 그러나 가정 내부 공간과 '저 바깥의' 외부 세계 사이의 괴리로 발생하는 교외 주택가의 불안을 달래 줄 또 다른 수단도 나타났다. 대형 주택 건설 회사들은 스테이케이션에 맞춘 개축이나 내부 디자인 변경 수요에 대비했다. 홀리데이인과 힐튼호텔은 ABC 방송 앵커들을 초청하여 스테이케이션 휴가를 보내는 이들에게 마치 고향 마을 호텔에 묵는 듯한 경험을 제공한다고 홍보했다. ABC의 '아이위트니스 뉴스Eyewitness News'는 유통업체들과 여름휴가철에 초점을 맞췄다. 타깃, 콜스, 월마트는 스테이케이션 관련 물품들의 가격 인하에 나섰다. 테라스용 가구, 그릴, 방향제, 향초 등이다. 집에 머문다고 해서 꼭 돈이 덜 드는 것도 아니었다.[37]

미국의 휴가 규정이나 관행의 맥락 안에서 스테이케이션을 파악해 볼 필요도 있다. 경제정책연구센터Center for Economic and Policy Research가 최근 펴낸 보고서인《휴가 없는 나라No-Vacation Nation》에 따르면, 미국은 노동자들의 유급휴가를 보장하지 않는 유일한 경제 선진국이다.[38] 정부가 정한 기준이 따로 없는 상태에서, 미국인 중 25퍼센트에게는 유급휴가나 유급휴일이 없다. 스테이케이션은 애초에 직장을 구하는 것조차 어려움을 겪는 노동 빈민층을 위한 것도 아니고, 실업자나 최근에 직장을 잃은 사람 또는 집을 빼앗긴 사람들을 위한 것도 아니었다. 스테이케이션을 즐기는 사람들은 수영장과 텐트를 설치할 뒷마당이 있는 중산층 교외 거주자들이었다. 2009년 여름, 웹스터 사전에 공식적으로 '스테이케이션'이 등재되었다.[39] 느린 시대를 맞이한 미국은 새롭고 대중적인 과거 시간을 재빠르게 찾아냈다. 한계를 드러낸 좋은 삶good life의 대안을 모색하고 사회적 변화를 요구하는 움직임이 먼 지평선에 희미하게 떠오르고 있을 때 나타난 스테이케이션은 슬로라이프의 이데올로기적 변형이었다. 전국적인 변화가 일어나고 있었다. 사람들은 계산기를 두들겼다. 미국의 과시적인 소비문화에 대한 비판이 주류로 자리잡는 듯했다. MSNBC와 Fox의 저녁 뉴스에서는 "미국인들은 과소비, 과잉활동, 과잉욕망에 사로잡혀 있는가?"라는 질문을 던졌다. 모두가 그렇다고 동의하는 것처럼 보였다.

　느리게 사는 것은 진보적인 행위처럼 받아들여졌다. 느림은 미국 기업들이 즐겨 쓰는 말이자 국민정신을 표출하는 단어가 되었다. 스테이케이션은 미국 경제에도 핵가족에게도 또 당연히 '환경'에도 좋은, 모두의 입맛에 맞는 느림의 한 형식으로 출현했다. 스테이케이션은 진취적인 개인, 가족적 가치, 소비자 시민성consumer citizenship, 국가 전반의 건강성에 이로운 것이었다. 어찌 보면, 스테이케이션은 경제위기에서 눈을 돌리게 하는 동시에 과소비의 죄책감을 완화해 주는 것이었다. 미국 중산층 핵가족은 올여름 한 번이라도 집에 머물면 국가부채를 갚는 데 도움을 주게 될 것이다. 사적인 집은 어떤 목적지로 바뀌었다. 위기가 끝나기를 기다리는 흥미진진한 장소가 창조된 것이다.

　'위대한 미국적 스테이케이션'을 옹호하는 사람들은 집에 머무는 것의 미덕을 찬양하는 와중에 미국인들의 정신에 자리한 온갖 어두운 구석을 드러냈다. 여행길에 나서는 것은 미국인의 권리였으나,

그 길을 찾기가 쉽지만은 않았다. 길은 여러 갈래로 갈라져 있기 때문이다. 스테이케이션은 편협한 가족적 가치에 내재하는 외국인혐오 경향에 포획되었다. CNN의 '위크엔드 리포트the Weekend Report'는 앞서 언급한 방송 이후, 어느 인생 상담 코치의 인터뷰를 내보냈다. "문화나 언어가 달라서 낯설어하거나, 외국 돈을 계산하다가 실수하거나, 짐을 잃어버릴까 봐 걱정하는 그런 일들이 없기 때문에" 스테이케이션이 미국인들에게 더 잘 어울린다는 주장이었다.[40]

스테이케이션은 고립, 소비, 도피, 공포의 문화를 지속시키면서 바로 그 때문에 국가경제에 상당한 이득을 준다. 집에서 머물면서 쇼핑하고, 그릴에 음식을 굽고, 텔레비전과 영화를 보는 일들은 매스미디어와 대형 유통업체들이 계획한 경제적 지침에 따르는 행위였다. 스테이케이션 유행은 교외의 일상적인 삶과 유사한 문화현상이었다. 그러나, 이 진부한 생활의 느린 평범성이 이번에는 열광을 이끌어 냈다.

경기침체는 바쁘게 움직여야 한다는 국가적 감각을 뒤흔들었다. 그 감각은 미국식 중산층 소비를 정당화하는 상상적인 속도이자 경로였다. 스테이케이션은 바로 이 즈음에 등장했다. 미국인들이 그들의 모빌리티와 그들이 살아가는 현장이 더 큰 지정학적 힘에, 그리고 그 힘들이 지탱해 주는 불균등하고 불평등한 사회 시스템에 구조적으로 묶여 있다는 것을 막 깨달으려고 하는 순간이었다. 스테이케이션을 띄우는 것은 속도와 경로의 변화에서 위협을 느낀 자들에게는 꽤 훌륭한 투자였다. 3대 대형 방송사, 대형 마트, 금융 전문가, 그리고 미국인들에게 소비에 나서야 한다고 촉구한 조지 W. 부시, 이들이 모두 나서서 미국인들에게 집에 머무는 법을 알려 주려고 애썼다.

이 경제적 지침의 근본 목표는 자본이 위기를 맞이하면서 '좋은 삶'의 대안이 발아할지도 모를 그 순간에도 자본의 이동을, 제약 없는 모빌리티라는 환상을 유지하는 것이었다. 문화적 변화가 지속적이고 한계 없는 움직임 속에서 살고자 하는 억누를 수 없는 욕구를 부술 수도 있었다. 자본의 순환이 정체될 수도 있었다. 하지만 아니었다. 대신에 자본의 순환은 효과적으로 느려졌고, 새로운 장소로 재배치되었다. 문화적 변화는 중산층의 꿈이 머무는 안정적인 장소인 가정을 쇄신하면서 다시 궁극적인 목적지로 만드는 방향으로 설정되었다.

움직이지 않는 시민은 자본을 위협한다. 폴 비릴리오는 《극의 관성Polar Inertia》에서 영구적인 모빌리티 상태가 자본주의의 핵심이라고 주장했다.[41] 스테이케이션은 움직이는 부동성mobile immobility의 일종이므로 비릴리오의 틀과 완벽하게 일치한다. 흐름은 계속 흘러야 한다. 사람들이 유동하지 않고, 정태적이고, 정지해 있을 때, 시장은 침체에 빠진다. 광고산업은 다양한 상품을 약속하여 아주 약간의 만족을 낳으면서 불만 상태를 조성한다. 결국 개인은 거의 만족하지만 실제로는 결코 만족하지 않는 상태에 놓이게 된다. 일종의 대기 상태인 스테이케이션은 이 자기만족적인 불만을 만들어 내는 완벽한 방법이다.

자본주의사회에서 삶의 주관적이고 경험적인 측면은 시간과의 관계를 통해서, 그리고 주체가 올바르다고 믿는 경로에 머무는 행위를 통해서 경험된다. 경기침체와 에너지 위기는 속도와 에너지 흐름, 시간의 위기다. 자본이 의존하는 모빌리티와 템포, 속도와 경로는 저항적인 재편성에 불안정해지고 취약해졌다. 스테이케이션은 경기침체와 금융위기의 새로운 요구를 충족시키기 위해 교외 지역 생활 방식이 갖는 템포를 재보정한다. 스테이케이션을 하라는 지시를 따르는 것이 반드시 새로운 형태의 허위의식은 아니다. 그것은 시간과 모빌리티에 대한 기존의 문화적 불안에 의존하는 기술적·경제적으로 강화된 주체성의 한 양식이다.

그러나 스테이케이션의 독특하고 의미 있는 점은, 자본가들과 권력 규율 제도, 이 경우 거대 미디어들이 사람들의 시간을 통제하고 공간 속 움직임을 조정하는 새롭고 혁신적인 방법을 만들어 냈다는 것이다. 가정, 노동, 여가의 시간적·공간적 차원을 재영토화하는 스테이케이션은 속도의 변화를 다룰 공간의 재편이다.

결론: 느린 공공성이라는 신화

《최악의 정치The Politics of the Very Worst》에서 폴 비릴리오는 이렇게 말했다. "세계의 척도는 우리의 광대한 자유다. 세계의 광대함을 아는 것은, 만약 우리가 그것을 이용하지 않는다 해도, 인간의 자유와 위대함의 일부다."[42]

문화이론가 웬디 파킨스Wendy Parkins와 제프리 크레이그Geoffrey Craig는《느리게 살기Slow Living》에서 이탈리아에 1년간 체류하며 슬로라이프를 겪은 경험을 기술했다. 이들에 따르면, "휴식이나 재충전을 위해 사색에 전념하고 집중하려면 적어도 일정 시간 동안, 특정한 공간이나 장소에서 몸도 정신도 후퇴해야 한다. 빠르거나 시끄러운 곳, 혹은 두 가지가 뒤섞이는 곳을 피해야 한다. 따라서 느린 공간은 조용한 공간이기도 하다."[43] 특정한 공간들은 올바른 시간 실천을 가능하게 한다.

슬로라이프는 우리의 일상을 구성하는 서로 다른 시간성들 사이의 협상을 동반한다. 이 협상은 더욱 조심스럽게 시간을 사용하겠다는 다짐에서 비롯된다. 슬로라이프의 실천 속에는 무언가를 위한 '시간을 갖는 것'이 관심을 쏟고 숙고하면서 의미 있게 투자한다는 것을 의미하는 특정한 시간 개념이 함축되어 있다. 따라서 느리게 산다는 것은 시간을 들이는 일들이 주는 기쁨이나 그 목적을 고려하면서, 아무렇게나 하지 않고 주의 깊게 실행한다는 의미가 된다.[44]

슬로라이프의 상상 속에서는 시간이 우리 모두가 똑같이 접근할 수 있는 것처럼 취급된다. 시간적 차이란 사람들이 시간을 다르게 대하기 때문에 나타난다는 것이다. 예를 들어, 이들에게 시간의 다수성multiplicity은 한 사람이 일상적인 기반 위에서 시간 사용을 선택하는 여러 가지 방법을 의미한다. "다른 사람과의 윤리적 관계에 도움이 되는 시간성을 창조하는" 것은 바로 자기 시간을 관리하는 능

력이다.[45]

이 느림의 담론에서 지배적인 감각은, '좋은' 정치적 시민이 되려면 초월해야 한다는 것이다. 필요한 시간을 뽑아내거나, 일상에서 부딪히는 관계들 속에서 스스로를 추상화하는 일은 모두 일종의 초월이다. 하지만 바로 그 초월의 가능성을 좌우하는 것이 일상의 관계들이다. 느림은 그 고정된 체계나 신성한 공간 바깥에 존재하는 다양한 요구나 물질적 전제 조건을 인식하지 않으며 인식할 수도 없다. 이 물질적 관계들의 대부분은 빠른 속도로 진행되고, 신중하지도 않고, 평범하다. 느림은 물질적 관계의 리듬을, 그 가능성의 조건을 감춘다.

느림은 적절한 시간적 질서를 자연화하는 정상화 전략이다. 느림은 시간의 속도와 구조를, 그리고 그것이 나타나야 할 공간을 조직한다. 느림은 해방적인 시간 관계를 만드는 대신에, 사람들의 삶에 제도적 공간 권력이 다시 자리잡게 한다. 속도 문제에 대한 공간적 해결책은 사람들의 시간 의식에 작용하여 자본에 갇힌 관계 속에 그들을 고정시킨다. 시간적 상상이 없다면, 슬로푸드 옹호자들은 슬로푸드 선언이 규정하는 명시적인 가치 체계와 올바른 행위 속에 임금노동자, 야간 교대근무자, 농장 노동자, 슬로라이프가 유지되도록 서비스하는 사람들을 포함시키지 못할 것이다. 슬로라이프를 실천하는 사람이 야간 교대근무를 할 수 있을까? 정상화된 시간이나 예외적인 시간의 질서 바깥에서 느린 시간의 정치가 가능할까? 슬로푸드 식당의 식탁을 재빨리 치우는 사람은 누구인가? 테이블이 세

팅되도록 급히 설거지를 하는 사람은 누구인가?

느림을 강조하여 공간을 재확립하려는 시도는 시민 생활의 수많은 민주주의적 딜레마를 해결하기 위해 새로운 공간에, 템포와의 새로운 관계에 초점을 맞추는 좌파의 정치적 기획 중 하나다. 속도를 느리게 조절한다고 해서 느린 공간의 생명관리정치적 시간경제가 어디로 사라지는 것은 아니다. 소수의 사람만이 경제적으로나 문화적으로 그 공간을 점유할 수 있다. 그 공간이 진보적이고 정치적이고 지속 가능하다고 말할 수 있는 사람은 그보다 더 적을 것이다. 막 조성되고 있는 느림의 인프라는 정치적 스펙트럼의 양 극단까지 미치는 사회적·정치적 삶의 모든 영역에서의 공간적 편향을 보여 준다. 공간문화적 상상이 지나칠 때, 시간의 문화정치는 타격을 입는다. 더 많은 공간이 꼭 더 민주적인 시간으로 향하는 길인 것은 아니다. 빌딩과 테마파크에서 나타나는 느림의 공간화 속에서, 느린 공간은 불균등한 시간성들을 유지시킨다.

느린 공간을 다룬 이 장의 결론은 느림 속에 내재하는 정치적 가능성을 구원해야 한다는 것이 아니다. "느리게 가라"는 지침은, 앞서 문제 삼았던 "존재하는 곳에 현존하라"나 "나는 내 시간을 통제한다" 같은 주문들과 마찬가지로, 시간성을 더 깊이 있게 이해하는 방식으로 교체되어야 한다. 이 책의 마지막 장에서는 정치적 함의가 깊은 비판적 관점인 시간성과 함께 세계 속에 머물 수 있는 몇 가지 방식을 제시해 볼 것이다.

시간적 공공영역을 향하여

이 책은 도쿄 시부야 건널목을 권력-크로노그래프에 입각하여 관찰하면서 시작되었다. 이 상징적인 환경의 리듬 속에서, 나는 세계가 빨라지고 있다는 통념이 이 순간을 정확하게 묘사하는 것이라기보다는 글로벌 자본의 공간적 상상력이 징후적으로 드러나는 이데올로기 생산 담론에 가깝다는 주장의 발판을 마련했다. 속도문화를 비판하는 이론적 접근들은 다양한 인구의 특정한 템포를 만들어 내는 제도적·문화적·경제적 배치에 충분한 관심을 기울이지 못했다. 근시안적인 속도 비판 이론들은 차별적인 시간적 관계들이 어떻게 불평등을 조직하고 영속시키는지를 추적하지 않았다. 속도 향상을 우려하는 시각은 시간이 아니라 공간을 향했다. 그 내러티브들의 바탕에는 민주주의의 공간적 미덕을 위협하는 새롭고 제멋대로인 템포를 비판하는 태도가 깔려 있었다.[1]

그런 관점은 시간과 공간을 삶 속에서 밀접하게 관련된 사실이라기보다는 경쟁적인 문화적 가치로 그려 낸다. 일상에 대한 문화적 접근을 토대로 시간을 검토해 보면, 속도를 불안해하는 태도는 아주 다른 방향에서 해석될 수 있다. 시간과 그 관리를 개인적 차원에서만 조명하면 타인의 시간을 착취하는 것이 정상적인 행위로 보이게 된다.

이론적인 차원에서, 또 일상 문화의 차원에서 제기될 수 있는 이 이중적인 문제점은 권력-크로노그래피를 이 책에 도입하게 만든 원동력이기도 하다. 다양한 인구들이 몇 분 동안, 몇 시간 동안, 더 나아가 살아가는 동안에 겪는 권력관계의 핵심으로 시간성이 어떻게 작동하는지를 탐사하는 방법이 권력-크로노그래피이기 때문이다. 시간은 계급, 젠더, 인종, 이민자 지위, 노동을 포함하는 수많은 사회적 차이들의 교차 속에 존재한다. 시간적 관점은 불평등을 통찰하게 하고 사회적 차이의 다차원성을 인식하게 한다. 시간성을 일단 인식하게 되면, 어디에서든 우리는 시간성을 찾아낼 수 있다.

시간성

속도 담론은 지금도 계속 유행하고 있다. 현장, 바탕, 위치, 장소, 접속, 흐름, 네트워크, 형태 등은 권력을 이해하고 이름짓기 위해 속도 비판에서 즐겨 쓰는 공간적 은유들이다. 이 책의 관점은 권력이 시간적으로 작동하는 방식을 좀 더 면밀하게 검토할 길을 열고, 시간에 초점을 두는 전환을 꾀하게 해 줄 것이다. 이때, 시간time은 시간성을 의미하는 새로운 용어로 표현되어야 한다. 시공간에 주목하는 비판적인 문화 담론 속에 차이를 드러내는 살아 있는 시간이 자리잡기 위해서는 시간성temporality이라는 용어의 도입이 필요하다. 시간성은 시간 속에서 세계를 경험하게 하여 오랫동안 가시화되지 않았던, 시간을 둘러싼 정치적인 투쟁들을 호명한다.

이 책은 다수의 시간성에 초점을 맞춘 여러 사례들을 제시한다. 비즈니스 여행자, 택시 기사, 요가 강사, 사무실 직원, 슬로라이프 추구자. 시간적 불평등은 속도 담론이 시간을 이해하는 지배적인 방식으로 자리잡을 때 강화된다. 대부분의 인구는 삶의 빠른 속도를 경험하는 것이 아니라 다양한 제도, 사회적 관계, 노동 배치가 요구하는 시간적 기대치에 맞춰 재보정을 하라는 구조적 요구에 직면한다. 고도로 차별화된 시간 관계 속에서, 우리가 모두 자기 시간을 통제하는 기업가여야 한다는 사고방식도 늘어났다. 누군가의 시간성은 테크놀로지 속도로 결정되는 것이 아니다. 생명관리정치적 시간경제 아래에서 배당된 위치가 낳은 결과가 시간성이다.

여러 정치적 스펙트럼에 걸쳐 있는 광범위한 주체들이 생명관리정치적 시간경제를 유지시킨다. 웰빙을 내세우는 직장, 생산성 향상 약물을 만드는 약제회사, 자극적이지 않은 식사를 제공하는 고급 슬로푸드 식당 등이 그러한 예들이다. 자본은 특정한 시간성에 투자한다. 다시 말해, 일부 노동자 및 소비자들의 삶과 라이프스타일의 시간 측정은 자본의 뒷받침이 있어야 가능하다. 여기에 포함되지 않는 사람들은 지배적 시간성에 봉사하기 위한 재보정에 들어간다.

신자유주의의 핵심 특징 중 하나는 광범위한 투자 중단이다. 보건, 복지, 기타 공공서비스에 대한 국가의 개입을 축소시키는 것이다. 그러나 모두가 동일한 방식으로 투자 중단을 경험하지는 않는다. 신자유주의의 중심 역설 중 하나는 대부분의 신체가 국가의 투자를 받지 못하는 반면, 일부는 시장을 통해 더 배타적인 수단으로 재투자를 받는다는 사실이다. 투자받은 이 신체들은 현대 자본주의에서 가장 중요한 존재들이다. 그들은 생존하기 위해 일할 필요가 없다. 살아가기에 충분한 부를 가지고 있지만, 과시적인 소비나 다른 이데올로기적인 이유 때문에 일한다. 시간에 대한 개입은 기술 주도적이고 속도 통제가 불가능한 문화 속에서 일상의 풍경을 가로지르며 새로운 시간적 경험—한낮의 요가 수업, 아로마테라피, 가벼운 비행기 여행, 느긋한 식사—을 하라는 초대장이다.

사무직노동자, 슬로라이프를 추구하는 사람, 비즈니스 출장을 자주 가는 사람들은 근무시간만이 아니라 자기 삶에서도 시간의 의미를 통제하라는 부추김을 받는다. 의미 있는 시간을 탐구하는 일은 시간관리를 돕는 광범위하고 배타적인 시간 아키텍처 덕분에 가능하다. 시간 아키텍처는 기술, 상품, 정책, 계획, 프로그램, 그리고 타인의 노동으로 구성된다. 수면 포드, 사무실 요가, 슬로 리조트에서 보내는 휴가, 그 어디에서든 시간 아키텍처는 특정 집단의 시간적 중요성을 높이면서 다른 집단의 시간은 착취하는 동일한 권력구조를 지속적으로 확인하고 유지시킨다.

새로운 시간적 관리 형태와 함께 새로운 시간적 착취 형태도 나타났다. 시간적 관점은 오랫동안 지속된 구조적 불평등의 악화를 새롭게 통찰하게 한다. 택시 기사들이 바쁜 사람들을 실어 나른다. 호텔 노동자들은 투숙객의 시차 적응을 돕도록 훈련받는다. 전 세계 호텔에서 수면 컨시어지가 일하고 있다. 다른 사람을 대신에 줄을 서는 것으로 돈을 버는 사람들도 있다. 콜센터 직원들은 지구 반대편에 있는 사람들의 업무와 여가를 돕기 위해 여러 시간대를 넘나든다. 슬로푸드 식당은 빠르게 움직여야 하는 홀 직원과 적은 급여로 장시간 설거지를 하는 불법체류 노동자를 고용하고 있다.[2] 농장에서 일하는 이민자 출신 노동자들은 밭에서 유기농 포도를 따다가 일사병에 걸리거나 수분 부족을 겪는다. 그러다가 사망하는 경우도 많다.[3] 권력-크로노그래피는 어떻게 해서 어떤 사람들은 사회적 가능성을 갖는 여가 시간을 계속 잃어버리는 대신에, 다른 사람들에게는 풍요롭고 의미 있고 생산적인 매 순간을 제공하게 되는지를 깨닫게 한다.

생존하기 위해 일해야 하는 사람들, 시간적 가치가 덜한 주체들에게는 의지할 만한 시간 투자 시스템이 없다. 정상적 시간 바깥에 존재하는 이 사람들의 시간성은 다른 이들의 시간을 지탱해 주어야 한다. 자본이 고안한 시간 유지의 아키텍처가 이들의 요구를 충족시켜 주지 못하기 때문에, 이들은 그들만의 메커니즘을 만들어 낸다. 앞서 시간관리의 하위 아키텍처라고 부른 것이 바로 그런 메커니즘이다. 택시 운전사들의 일상적인 시간 경험이야말로 '즉각적인' 삶에 가장 가까울 것 같지만, 흥미롭게도, 이들은 바깥 세상이 빨라졌다고 생각할 가능성이 가장 낮은 사람들이다.

택시 기사에게는 지배적인 템포가 없다. 다른 이들의 시간적 요구만 있을 뿐이다. 운전사들은 자기의 시간이 타인이 요구하는 시간에 맞춰 구조화된 상황에서도 제 시간을 붙잡으려고 고군분투한다. 그들은 차에서 잠을 청한다. 그들은 멈춰서 쉬거나 재보정을 하기 위해 비공식적 경제, 즉 하위 아키텍처에 의존한다. 주차하기 좋은 장소가 나타날 때까지 오줌을 참고, 쉽게 휴식을 취하기가 어렵기 때문에 물과 카페인을 적게 섭취하려고 노력한다. 승객들의 요구, 시내 교통의 리듬, 운전하는 시간에 따라 속도가 빨라지거나 느려진다. 택시 기사들에게는 먼 미래까지 가능성의 시간이 펼쳐지지 않는다. 살아 있는 이 시간이 훨씬 더 직접적이다. 시간의 균형을 어떻게 맞출지 생각할 시간이 없다. 과거는 뒤로 사라졌고 전망은 불확실하다. 미래의 꿈속에는 언젠가 택시 운전을 그만둘 것이라는 희미한 희망이 담겨 있다.

사물의 시간적 질서

이 책에서 짚어 낸 불균등한 시간의 풍경은 정상화의 시간질서 아래 놓여 있다. 비즈니스 여행객들은 자신들이 정상적인 시간의 레이더 바깥에서 날아다닌다고 믿는다. 아주 소수의 사람들만이 견뎌 낼 수 있는 예외적 시간성 속에서 살고 일한다는 것이다. 그들이 살아가는 장소와 시간이 이 믿음을 강화시킨다.

택시 기사들은 자신들의 시간과는 다른 시간을 가리켜 "저 정상적인 시간"이라고 부른다. 그러나 이 정상적인 시간은 억압적이다. 점잖지 못하고 일반적이지 않다고 여겨지는 야간 노동에 종사하는 택시 기사들은 비즈니스 여행자들처럼 언제나 시간 바깥에 있다고 느낀다. 에이브러햄은 낮 시간을 싫어하고 그가 "낮 사람들"이라고 부르는 이들과 어울리기를 꺼리면서도, 인정받을 만하고 가치가 높은데도 자신은 그 일부가 아닌 시간질서의 존재를 인식하고 있다. 낮에 적응하기가 어려웠고, 점점 햇빛이 싫어졌고, 낮에 마주치는 사람들의 태도가 불편해진 그는 결국 밤새 일하는 편을 택했다. 반대로 빌리는 정상적 시간질서에 맞춰 택시 운전사로서의 삶을 구조화하는 방식을 선택했다. 그는 9시부터 5시라는 비즈니스 시간이 '일하기에 적절한 시간'이라는 정당성을 갖는다고 확신하면서, 이에 따라 최선을 다해 일한다.

사무실 요가는 정상적인 것으로 취급되는 업무 시간을 표면적인 저항의 장소로 삼거나 일과 삶의 균형을 유지하는 궁극적인 장소로 이용한다. 요가와 영적 치유가 근무시간에 포함되면서, 사무직노동자는 9시에서 5시라는 시공간적 배치를 활용하기 위해 '지금이라는 힘'을 파헤치라고 요구받는다. 출장 요가 강사들은 답답했던 과거의 시간에서 탈출하여 직장 세계의 시공간적 제한에서 벗어났다고 여길 때가 많다. 그들은 자기 시간을 스스로 조절하는 사업가가 되었고, 다른 사람들이 사물의 시간적 질서 안에서 더 나은 삶을 살 적절한 성향을 갖도록 돕는 일을 하고 있다고 생각한다.

슬로라이프는 9시부터 5시의 시간을 넘어 삶에 침투해 들어오는 빠른 속도를 방어하려는 경향이 강하다. 슬로라이프를 추구하는 이들은 그 대안으로 9시에서 5시까지의 쥐떼 경쟁에서 벗어나려고 하거나 이 시간 안에서 '주의 깊게' 시간을 보낼 방법을 찾는다. 이들은 합리적이고 사려 깊은 숙고의 과정이 느림을 선택하게 한다고 주장한다. 느리게 사는 삶의 목표는 선禪의 경지에 오르는 것이 아니다. "느려지거나 빨라져야 할 때"를 분별하는 능력과 지식을 얻는 것이다. 슬로푸드 운동에 참여하거나 카레타 시오도메를 오가면서 슬로라이프를 지향하는 사람들은 자신들이 현명하고 이성적이며 합리적인 선택을 하고 있다고 생각한다. 완전한 슬로라이프의 주체는 제 신체를 초월하여 올바르게 느린 숙의가 이루어지는 공론장 속에 존재하는 데카르트적 시민이다. 느림의 정치적 한계는 여기에서 가장 명백하게 드러난다.

이 책에서는 시간성의 정치적 가능성을 발전시키기 위해 노력하였다. 책의 시작 부분에서 인용했듯이, 해럴드 애덤스 이니스는 시간과 공간에 관한 문화적 관념이 가능성의 기술적 한계를 반영할 뿐만 아니라 권력의 불균형을 나타낸다고 했다. 민주주의 문화에서 국가권력과 시장을 견제하려면 균형잡힌 시공간적 접근이 꼭 필요하다. 정상화된 시간의 경계에 도전하고 저항하지 않는다면, 시간의 정치는 적절한 것이 될 수 없다. 시간정치는 단순히 민주적 공간을 유지하고 노동, 생활, 여가 영역을 분리하는 것보다 훨씬 더 복잡한 대상과 씨름해야 한다.

무엇보다 강조하고 싶은 것은, 민주주의의 공간적 범주를 시간화하는 급진적인 시공간의 정치가 필요하다는 사실이다. 공공영역은 지금도 진행 중인 급진적인 개혁 프로젝트를 실천해야 하는 장소다. 이제 시민의 삶에서 일반적인 두 공간, 공공도서관과 지하철을 짚어 볼 생각이다. 하나는 공공공간이고, 또 하나는 대중교통 공간이다. 시간적 공공영역temporal public 개념은 두 가지 주요 원칙을 갖는다. ① 우리는 모든 사회적 공간을 통과하는 중이라고 이해해야 한다. ② 우리가 시간 속에서 살아가는 방식을 정치화하면 시간을 집단적 투쟁으로 다시 상상하게 된다. 시간 위에 구축된 권력구조를 날카롭게 인식한다면, 이는 **틈새시간의 정치**politics for the meantime가 될 것이다. 권력에 동조하지 않고, 위기에 빠져 있는 타인들의 시간을 주의 깊게 인식하는 정치다.

시간적 공공영역

밴쿠버 공공도서관의 아침

밴쿠버 시내의 공공도서관은 평일 오전 10시에 문을 연다. 도서관 앞 광장에 가득 들어찬 커피숍과 식당은 오전 7시부터 점차 바빠진다. 매일 아침 똑같은 풍경이 펼쳐진다. 오전 9시 반이면 사람들이 나타난다. 도서관 문 앞에 모인 사람들은 바닥에 앉거나 벽에 기댄다. 9시 45분이면 50여 명이 모인다. 58분이 되면 100명까지도 늘어난다. 경비원들이 9시 59분에 문을 열지만 아무도 들어오지 않는다. 앞줄에 있는 사람들은 시계를 들여다보면서 10시가 되기만을 기다린다. 나는 거의 한 달 동안 평일 아침마다 이 장면을 보았다. 이 결연한 도서관 이용자들이 누구인지는 쉽게 알아볼 수 있다. 그들은 벤쿠버의 노숙자들이고, 대부분 남자이며, 책가방과 노트북 대신에 침낭, 모포, 보온병을 들고 있다.

10시가 되면 경비원들이 고개를 끄덕이고, 조용한 공간이 소란스러워진다. 노숙자들이 몰려 들어와 도서관 이곳저곳으로 흩어진다. 어떤 사람들은 왼편의 엘리베이터 쪽으로 몰려간다. 8층에 있는 개인용 좌석을 확보하려는 것이다. 또 다른 노숙자 무리는 무료로 인터넷을 이용할 수 있는 자리로 뛰어간다. 오른쪽의 화장실로 향하는 사람들도 있다. 아무도 서로에게 말을 걸지 않는다. 이들은 각자의 루틴대로 움직인다.

한 시간 정도 지나면 도서관은 글을 쓰거나 책을 읽거나 인터넷 서핑을 하는 사람들로 가득 차지만, 잠을 자는 사람들도 있다. 도시의 노숙자들은 잠자기 위해 이곳에 온다. 하지만 공공도서관에서는 수면이 금지되어 있으므로 다른 일을 하는 척하면서 자야 한다. 공용 인터넷 좌석이 있는 2층에서는 어떤 남자가 컴퓨터 앞에 똑바로 앉은 채 마우스에 손을 얹고 서핑에 열중한다. 흠잡을 데 없는 자세이긴 하지만, 그는 푹 잠들어 있다. 도서관의 꼭대기층에는 도시가 내려다보이는 개인용 좌석이 있다. 11시 정도만 돼도 자리가 없다. 바쁜 일을 하고 있는 것처럼 보이는 이 사람들은 사실 곤히 잠들어 있지만 언뜻 보면 알아차리기 힘들다.

2011년 6월 한 달 동안 나도 이곳에서 책을 썼다. 옆 자리 사람들의 패턴도 알게 되었다. 그중 한 명인 60대 일본계 캐나다 남성은 매일 아침마다 나타났다. 그는 20개가 넘는 신문과 전단지를 들고 와서 자기 자리에 펼쳐 놓는다. 신발을 벗어 옆으로 치운 후에 슬리퍼를 신는다. 그는 다다미처럼 깔려 있는 신문에 머리를 묻고 쉰다. 창가에는 보온병과 차 한 잔이 놓여 있다. 어떤 각도에서 보면 신문들을 뒤지며 연구에 몰두하는 모습처럼 보인다. 이 좌석은 그가 묵는 여관이다. 몇 자리 옆에는 다른 방식으로 잠들어 있는 젊은 남자가 있다. 시험 공부를 하느라 책 속에 깊이 파묻혀 있는 것처럼 보이는 이 사람은, 탁자 사방에 책더미를 쌓아 사적인 공간을 확보했다. 책을 높이 쌓아서 효과적으로 숨을 수 있다. 책들은 창문에서 들어오는 빛을 막아 낮에도 밤처럼 잠들게 돕는다.

경비원들은 도서관 내부를 돌아다닌다. 그들은 잠자는 사람들이 누구인지 알고 있다. 하지만 이 지친 영혼들이 도서관에서 시간을 현명하게 보낸다면, 나가라는 요구를 받는 일은 없을 것이다. 방문자들은 경비원들의 눈을 피해 가방을 정리하고, 화장실에서 씻고, 공공장소인 도서관의 개방 시간에는 허용되지 않는 여타 기본 욕구들을 해결한다. 즉, 여기에서 정상적 시간성normalizing temporality은 잠들지 않고 열심히 일하는 시간이다. 시간질서의 규칙들은 잘 확립되어 있다. 대체로 밴쿠버 공공도서관은 진보적인 도시 공간으로 받아들여진다. 노숙자들에게 개방되어 있다는 사실도 그런 평가를 뒷받침한다. 시민정신의 분명한 의무 중 하나는 노숙자들에게 낮 동안의 쉼터와 활동 공간을 제공하는 것이다. 도서관 디자인은 이 취지와 잘 어울린다. 로마의 콜로세움처럼 생긴 이곳은 악천후를 피할 쉼터와 잠을 보충할 숨겨진 공간을 제공한다.

경비원들이 이 공간을 지키는 동안, 그들은 시간적 질서를 지키는 것이다. 도시 노숙자들에 대한 도서관의 진보적인 입장은 궁극적으로 공간적이다. 도시는 정확하게 시간에 맞춰 움직이기만 하면

공간을 제공한다. 생산성을 지향하는 도덕적인 시간 사용은 여기서 겉으로 표현되지 않은 질서다.

E 노선 타기

뉴욕 브루클린에서 일용직 노동자들은 지하철 E 노선을 '움직이는 호텔'이라고 부른다. 열차는 몇 시간 동안 몸을 기대고 잠을 자거나 식사를 하는 쉼터가 된다. 경제 상황이 나빠져 뉴욕의 많은 불법체류 노동자들이 임시로 머무던 곳들이 점점 줄어들었기 때문에, 뉴욕시의 대중교통 체계에 속하는 E 노선은 불법체류 노동자들의 시간 인프라에서 중요한 접속점이 되었다. '틈새시간meantime'의 시간성을 위한 시간관리의 하위 아키텍처 속에 있는 한 지점인 것이다.

E 노선은 뉴욕 지하철에서 가장 오래 탈 수 있는 노선이므로, 뉴욕시가 제공하는 쉼터보다 노동자들의 시간적인 요구에 더 잘 부합한다. 뉴욕에서 살고 일하는 많은 이주민 노동자들은 지하철에 타서 끝까지 앉아 있는 것을 일상적인 재보정 전략으로 삼는다. 사실 지하철에서 자는 것은 많은 뉴요커들도 택하는 재보정 방법이다.[4] 그러나 다른 사람들이 '일하러' 가는 동안 열차에서 자고 있는 이 '바람직하지 않은' 자들은 비난의 대상이 되곤 한다.[5] 이주민 노동자들이 E 노선에서 잠들어 있는 모습은 힘든 노동과 연결되는 것이 아니라, 받아들여질 만하고 정상적인 생산양식 바깥에서 살아가는 삶을 의미한다.

뉴욕시가 제공하는 노숙자 쉼터는 아직 시민으로 인정받지 못한

체류자들에게 주어진 공간질서의 중심이다. 쉼터는 보호를 목적으로 하는 시설이지만, 사람들을 어떤 장소에, 더 중요하게는 어떤 시간에 묶어 두기 위한 곳이다. 이곳에 머무는 사람들은 아무 때나 들락거릴 수 없다. 이주민 노동자들에게 쉼터에서 산다는 것은 일자리를 잡을 만큼 일찍 나올 수 없다는 것을 의미한다. '정상적인' 쉼터 운영 시간에서는 노동자들이 일하기 시작하는 때가 아직 밤이다. 아침 6시가 되면 가장 많이 벌 수 있는 일자리, 하루 종일 할 수 있는 일이 없어진다. 쉼터의 문이 열릴 즈음에 일을 시작하면 밤 늦게까지 일해야 한다. 그렇게 되면 '허용 가능한' 통금 시간을 넘기게 된다. 밤에는 문을 걸어 잠그는 쉼터의 공간적 제약은 노동자들의 시간성과 충돌한다. 쉼터 운영 시간은 일반적인 '하루'의 한계를 구성하는 정상화 개념을 반영하고 있다. 쉼터는 어떤 시간적 질서를 고수한다. 이 노동자들은 다른 이들을 위해, 그 질서의 유지를 위해 일해야 한다. 그러나 이 시간적 질서는 노동자들의 특정한 시간적 요구를 인정해 주지 않는다.

일용직 노동자들이 처한 지정학적 상황은 시간정치적chronopolitical 딜레마를 가중시킨다. 쉼터에 머물다가는 신원이 확인되고 추방될 위험이 있다. 열차 안에 있으면 잠을 잘 수도 있지만 무엇보다 익명으로 머물 수가 있다.[6] '움직이는 호텔'이라는 말은 이 노동자들이 처해 있는 지정학적·시간장치적 긴장을 드러낸다. 공간적 배제와 제한에 근거하는 이주자의 위상은 시간적으로 경험된다. 이주자들의 시간적 경험은 단순히 시간질서의 리듬을 어기는 선에서 그치지 않는다. 의료와 같은 여타의 시간관리 형식들을 확보하기도 어렵다. 정해진 자리에서 벗어나면 일종의 시간적 투자 중단을 경험하게 된다. 이는 끊임없이 마주하는 시공간적 곤경이다.

노숙자 쉼터, 도서관, 지하철은 모두 도시의 일상을 구성하는 공간적 질서의 일부분이다. 그러나 이 사례들은 인구의 질서와 규제가 시간적이라는 사실을 드러낸다. 여기에는 시간질서에 맞추기 위해 항상 최선을 다해야 한다는 문화적 기대가 존재한다. 공공장소에서는 제때에 제대로 모습을 드러내야 한다. 밴쿠버의 노숙자들은 시간적 질서를 지켜야만 편히 쉴 공간을 확보할 수 있다. 그러나 이들에게 필요한 것은 시간적 곤경에 대한 관심이다. '움직이는 호텔'의 노동자들과 밴쿠버 공공도서관의 노숙자들은 대중과 융화되려고 하지도 않고, 기술 발전과 가속화된 자본주의의 속도를 따라잡으려고 하지도 않는다. 대신에 이들은 시간에 맞춰 살아가는 전략을 택한다. 나아가 시간을 생존 전략으로 삼기도 한다. 이들을 구제하는 공간적 형식은 그 구제 대상인 이 인구들과는 잘 어울리지 않는다. 공간과 시간에 접근하는 방식에 문화적 불균형이 존재하는 것이다. 밴쿠버의 노숙자와 뉴욕의 불법체류 노동자, 이 두 인구가 시간 바깥에 놓여 있는 상황을 해결해 줄 충분한 공간이나 자유로운 시간은 없다.

시간 속의 공공영역

우리의 정치적 상상력은 공간적 제약 아래 놓여 있다. 공론장 이론가, 철학자, 점유운동가, 구제활동가, 공공공간 운동가, 공항 설계자들은 모두 공유 공간의 이상적인 모습을 비슷하게 이해하는 사람들이다.[7] 공유 공간Shared space은 내재하는 사회적 선善이자 민주주의적 가능성의 조건으로 받아들여질 때가 많다. 아이리스 마리온 영Iris Marion Young은 1990년대에 민주주의 및 대중 이론을 이야기하면서 "숙의민주주의deliberative democracy라는 상상적 통합은 거짓되고 과장되어 있다"고 지적했다.[8] "정치를 가능하게 하는 통합은 함께 모여 있다는 사실에서 온다. 사람들은 지리적으로 근접하고 경제적으로 상호의존하면서 누군가의 활동과 추구가 다른 사람들의 활동 수행 능력에 영향을 준다는 것을 발견한다. 정치체는 함께 살고 서로 붙어 있는 사람들로 구성된다."[9] 그러나 이 책에서 앞서 이야기한 것처럼, 민주주의와 사회적 변화의 공간적 이상을 실현할 수 있는 공통적인 시간 경험과 보편적으로 자유로운 시간은 존재하지 않는다. 요컨대, 공간적 다원주의를 통한 공공영역의 급진적인 변화는 시간적 다원주의를 필요로 한다.

공공영역public은 대개 공간적 구성체로 이해되지만 시간적인 것이기도 하다. 공공영역이 권력-크로노그래피를 지닌다는 사실은 공공적 시공간이라는 균형 잡힌 개념을 요구한다. 모든 것에 걸친 권력-크로노그래피의 인식은 시간이 자기 자신과 타인에게 행사되는 권력의 구조적 관계라는 사실을 인식하는 것이다. 권력-크로노그래피는 차이가 공유 공간 덕분에 동등해지는 장소인 생산적 정치 공간이라는 개념에 도전한다. 우리는 사회생활의 어느 한순간에,

-

우연한 마주침으로써 시간과 공간을 공유한다. 그러나 근본적인 차원에서 볼 때, 공간에 함께 모이는 일의 기저에 놓여 있는 불균등한 시간정치를 희생하면서 꾸게 된 꿈이 바로 공유 공간이다.[10] 공간을, 어느 한순간을 다른 이들과 공유하는 것은 동기화된 권력관계의 일부분일 때가 많다.

자유로운 시간을 위한 공간이라는 생각에 집착하는 것은 정치적으로 허망한 일이다. 그리고 그 집착은 불평등한 시간적 정치를 유지하게 만드는 중심이기도 하다. 이 책에서는 어떤 개인에게나 자율적이고 자유로운 시간이 가능하다는 상상에 기반하는 정치와 윤리를 문제 삼았다. 시간적 공공영역temporal public 개념은 자율적이지 않은 시간 속에 놓인 공공영역을 이해하기 위한 것이다. 비판적 시간정치는 공공공간에서의 자유로운 시간 대신에, 타인의 시간에 얽매인 다층적인 관계적 시간을 인식하는 데에서 출발한다.

통과 중인 공공영역

시간적 공공영역의 입장에서 보면, 모든 공간은 지나쳐 가는 공간이다. 속도이론은 통과 공간transit space을 공공공간의 격하된 타자라고 본다. 속도이론의 시각에서, 통과 공간은 지하철역이나 공항 터미널처럼 어떤 지역의 시간이나 지리적 세계 공간의 제약에서 자유로운 하이퍼 모빌리티의 평화로운 공간이다. 그러나 시간적 공공영역은 공공공간과 사적 공간 사이의 대립에 기초하지 않는다. 오히려, 시간적 공공영역은 모든 사회적 공간이 공공영역을 생산한다

는 인식에 기반한다. 전통적으로 통과 공간이라고 여기는 장소들
―공항, 호텔, 쇼핑몰, 기차역, 버스 차고지―에는 여러 가지 시간적
상태가 존재한다. 기다리는 시간, 마음대로 쓸 수 있는 시간, 상념에
잠기는 시간, 급하게 따라잡아야 하는 시간, 잠을 자는 시간, 휴식
시간 등이다.

  공항에서는 지상 관제사, 보안 요원, 수하물 적재 기사, 택시 기
사, 호텔 종업원, 비행기 승무원 등 많은 노동력이 비행 일정을 지
원한다. 이 인구들은 시공간적 경험과 관련된 변화를 겪을 뿐만 아
니라, 더 큰 시간적 질서 안에서 어디에 존재하는지에 따라 서로 다
른 정치적 가능성의 지평을 갖는다. 어떤 공간에 있고 그들이 유지
시키는 시간성이 무엇이냐에 따라 그들이 누구인지도 결정된다. 따
라서, 시간적 공공영역의 지정학적이고 시간정치적인 요소는 한쪽
에 고결한 공간이 있고 다른 쪽에는 민주적으로 유해한 시간이 있
다는 식의 대립적인 특성을 갖지 않는다. 시간과 공간의 관계는 복
잡하며, 오래 지속된다. 시간적 노동과 시간관리 아키텍쳐의 구성
은 위치에 따라 달라진다. 내가 살고 있는 롤리 더럼에서는 공항에
서 비즈니스 여행자들의 구두를 닦는 사람들이 대개 흑인 남성들이
다. 하지만 토론토에서는 나이가 더 많은 남아시아 남성들이 주로
그 일을 한다. 시공간적 정치spatio-temporal politics는 서로 다른 두 문화
적 환경 속에서 구두를 닦는 동일한 일에 다른 인구가 배치되는 이
유를 설명해 준다.[11] 통과 공간은 매개와 모빌리티의 구체적 체계이
자 자본, 사람, 상품, 정보가 순환하는 물질적 공간이다. 통과 공간

은 글로벌 자본의 전환 지점 역할을 하면서도, 매우 구체적인 지역적 관계들까지 포함한다. 이곳은 시간질서를 지배하고 제도화하는 핵심 현장이다. 교차하고 가로지르는 장소인 이곳은 그 질서의 내용인 다양한 시간성, 다양한 일정표의 모순으로 가득 차 있다. 이 관계들을 인식하는 공공영역 개념은 이 관계들을 소위 '진정한 공공공간'을 위협하는 탈정치적인 것으로 치부하는 경향보다 훨씬 더 큰 정치적 잠재력을 가지고 있다. 여기에서 보듯이, 공공영역의 정치화는 공간만이 아닌 시공간을 다룬다는 것을 의미한다.

권력-크로노그래피는 집이나 사적인 공간처럼 일반적으로 통과 공간으로 인식되지 않는, 고정된 곳이라고 여겨지는 공간을 유동적인 곳으로 만든다. 다양한 시간성들 간의 관계를 전면화하기 때문이다. 시간적 상상력을 발휘하면, 이동이라는 측면에서 바라보지 못했던 직장, 집, 유기농 식료품점과 같은 공간들이 고도로 정치적인 이동 공간임을 깨달을 수 있다. 모든 사회적 공간을 통과 공간이라고 여길 때, 우리는 정치적이고 공적인 삶이 지니는 시간적 우연성을 인식하게 된다. 또한 사생활 속에 존재하는 특정한 권력 형태인 여러 겹의 시간적 상호의존성도 파악할 수 있다. 시간성은 닫힌 문 뒤에서 일어나는 불평등을 통찰하게 한다.[12] 예를 들어, 가정은 다양한 시간성으로 구성된 공간이며 상품, 자본, 정보, 사람의 순환 속에서 하나의 접속점이다. 일을 하고, 청소부나 가정부를 고용하고, 온라인 뱅킹을 하고, 어떤 회사가 보낸 택배를 받는 공간이라면, 집은 통과 공간이다. 가정을 통과 공간으로 이해할 때, 공간은 새로운 방식으로 정치화된다. 가정에서의 젠더적 관계가 시간의 렌즈를 통해 다르게 인식되고, 노동관계도 새롭게 조명된다는 뜻이다. 주말을 여유롭게 보내려고 주중에 집과 마당을 정리하는 행동도 시간의 정치경제 속에서 이해되어야 한다. 이성애적 가부장적 글로벌 자본에는 시간적 가치에 따라 젠더, 인종, 계급적 차이를 갖는 일정이 존재한다. 시간적 공공영역은 차별적 시간정치를 수면 위로 끌어올리는 공공영역 이론이다.

시간 속에서 세계를 살아가는 법

여러 학문 분야에서 공간을 이해하는 방식을 크게 바꿔 놓은 권력 기하학 개념을 내놓은 지 몇 년 후, 도린 매시는《공간을 위하여For Space》에서 "공재성coevalness*이란 서로에게 영향을 미치는 상황에서 서로를 인정하고 존중하는 자세"라고 했다. 공재성은 "참여의 상상적 공간"이자 "어떤 태도"이며, "공간과 시간을 배경으로 하는 개념"이다. 공재성은 "일종의 정치적 행위다."[13] 매시에 따르면, 아무리

---

* 공재성共在性(coevalness)은 인류학자 요하네스 파비안Johannes Fabian이 제시한 개념으로, 동일한 시대에 함께 존재하고 있다는 감각 혹은 사실을 뜻한다. 파비안은《시간과 타자 Time and the Other》(1983)에서 아프리카를 타자화하면서 서구 문명과 동시간대에 살고 있지 않다고 여기는 인류학적 태도를 가리켜 '공재성의 거부the denial of coevalness'라고 했다.

공간적으로 구별되더라도 우리는 공시간적cotemporaneous 주체로서 동시에 존재한다. 이 책에서 밀고 나간, 시간을 달리 바라보는 관점은 정치적 행위로서의 공재성을 함축한다. 공시간적이려면 불균등한 시간의 뒤엉킴을 인식해야 한다. 시간의 한계가, 타인의 시간적 취약성 생산이 어떤 함축을 지니는지가 전면에 드러나야 한다. 공재성을 정치적 행위로서 시간적으로 인식한다는 것은 불균등한 시간의 풍경 속에서 자신이 서 있는 장소를 관계적이고 시간적인 위치로 인식한다는 의미다.

하이데거Martin Heidegger의 《건축, 거주, 사유Bauen, Wohnen, Denken》는 관계적 세계 형성의 한 형식으로서 시간 개념을 사유하게 한다. 서로 관계하는 일련의 시간성들은 하이데거가 말하는 "시간적 관여의 세계worlds of temporal involvement" 속에 존재한다.[14] 《존재와 시간》에서 하이데거는 존재는 시간을 통해 스스로를 확인하며, 시간은 존재의 기초라고 했다.[15] 세계는 지리적 거리나 물리적 공간의 한계 속에서 경험되는 것이 아니다. 누군가의 세계는 '손 안에 있는' 것과의 '가까움'으로, '도구와의 만남'으로 가늠된다.[16] 세계의 경험, 세계의 구성은 시간적으로 우연성을 가진다. 이 관계는 반대편의 풍경에 의미를 부여하는 연결을 낳는 다리로 비유된다. 강둑은 다리가 놓여야 비로소 둑이 된다. 시간적 관점은 시간적 한계와 관계적 시간 세계를 드러나게 하고 의미 있게 만든다.

시간 속에서 세계를 살아가기 위해서 인류학이나 시간 이론이 필요한 것은 아니다. 특정한 장소나 속도가 요구되는 것도 아니다. 시간적 자각과 함께 사회적 세계를 살아가면 족하다. 물론, 우리는 이 사회적 세계를 모두 동일한 방식으로 공유하고 있지는 않다. 시간의 정치는 자유로운 시간을 만들기 위해 애쓰는 것이 아니라 그 구속에서 시간을 자유롭게 만드는 것이다. 이 말은 나의 시간과 다른 이들의 시간이라는 개인주의적 개념에 갇히지 말아야 한다는 뜻이다. 시간에 관련된 오늘날의 주요 관심사인 시간의 통제와 관리를 넘어, 사람들이 관계 맺는 시간적 세계를 떠올려야 한다. 달리 말하자면, 시간적 자각이란 누군가의 시간관리가 타인의 시간을 빼앗을 가능성을 있다는 사실을 깨닫는 것이다.

우리는 일상의 사회적 구조 속에서 나타나는 여러 가지 재보정 요구들을 인식할 수 있어야 한다. 재보정을 둘러싼 협상은 어디에서, 누구에 의해, 누구를 위해 이루어지는 것일까? 우리는 우리에게 약속된 새로운 시대와 새로운 공간을 즐길 수도 있다. 시간이 얼마 없다며 한탄할 수도 있다. 어떻게 해야 시간관리 체제에 잘 포함될 수 있을지를 고민하고 있을지도 모른다. 그러나 무엇보다 우리가 먼저 배워야 할 것은 시간적 관점이다. 시간적 새로움이나 속도에 대한 저항이 어떤 새로운 취약성을 낳는지를 묻는 것도 좋은 출발점이다. 느려지거나 빨라지는 속도의 변화는 누구의 시간과 노동을 재편성하는 것일까?

시간적 관점은 자유로운 시간을 더 많이 확보하려고 하지 않는다. 이 고정관념에서 시간을 자유롭게 하기 위해 노력한다. 시간은 너의 것과 나의 것으로 나눌 수 있는 것이 아니라, 서로 단단하게 묶여 있는 집단적인 것으로 다시 상상되어야 한다. 시간이라는 렌즈로 바라본 세계는 이전과 엄청나게 다른 모습일 것이다. 나는 이 책을 여기에서 마무리짓겠다. 서로 뒤엉킨 시간 속에서, 우리는 이제 무엇을 해야 할 것인가?

서론 시간성의 재인식

1   Howard Rheingold, *Smart Mobs: The Next Social Revolution: Transforming Cultures and Communities in the Age of Instant Access* (Cambridge: Basic Books, 2003), xiii.

2   앞의 각주에 언급된 라인골드의 책, 첫 장의 제목은 '시부야 에피파니'이다. 시부야에 다녀온 후, 나는 라인골드도 이 교차로에 서서 가속화된 기술문화의 사회적 가능성을 주장했다는 사실을 깨달았다.

3   Paul Virilio, "The Overexposed City," in Paul Virilio, *Lost Dimension*, trans. Daniel Moshenberg (New York: Semiotext(e)), 9-27.

4   Paul Virilio, *Politics of the Very Worst* (New York: Semiotext(e), 1999), 17.

5   Virilio's *Speed and Politics* (New York: Semiotext(e)), was translated to English in 1986.

6   조너선 크래리는 24/7 자본주의의 등장으로 수면의 종말과 시민들의 정치적 철수가 나타났다고 본다. Jonathan Crary, *24/7: Late Capitalism and the Ends of Sleep* (London: Verso, 2013). 로버트 하산은 사회생활을 지배하는 24/7 네트워크와 단축된 사고방식이라는 특징을 갖는 '크로노스코픽 사회'를 내세운다. Robert Hassan, *The Chronoscopic Society: Globalization, Time, and Knowledge in the Network Economy* (New York: Peter Lang, 2003) and his edited volume with Ronald E. Purser, eds. *24/7: Time and Temporality in the Network Society* (Stanford: Stanford University Press, 2007). 하트Hardt와 네그리Negri는 이 24/7 세계가 노동의 정치적 잠재력을 재구성한다고 본다. 존 톰린슨John Tomlinson은 느림과 속도 사이에 질서 있는 균형이 잡힌 속도문화에 관심을 둔다. *The Culture of Speed: The Coming of Immediacy* (Thousand Oaks, CA: Sage, 2007). 존 아미티지John Armitage 와 조앤 로버츠Joanne Roberts는 크로노토피아와 크로노디스토피아 사이에 존재하는 빠른 계층과 느린 계층 간의 양극화 증가를 논했다. *Living with Cyberspace: Technology and Society in the 21st Century* (New York: Continuum, 2003). 질 리포베츠키Gilles Lipovetsky는 현대의 '하이퍼모던'을 발견한다. *Hypermodern Times*, trans. Andrew Brown (Malden, MA: Polity, 2005). 지그문트 바우만Zygmunt Bauman은 공간에 갇혀 있는 지역민들과 방랑자들로 가득한 액체 근대를 이야기하며, 새로운 시간적 이분법이 등장했다고 주장한다. 한편에 자유롭고 가볍게 시간을 오가는 이동 엘리트나 관광객이 있다면, 다른 한편에는 공간의 무게에 짓눌리는 사람들이 있다. 공간은 찬양받거나 존경받거나 애도의 대상이다. *Liquid Modernity* (London: Blackwell, 2000); James Gleick, *Faster* (New York: Vintage, 1999); the online journal edited by Ben Agger, *Fast Capitalism*, http://www.uta.edu/huma/agger/fastcapitalism/edintro.html.; Heather Menzies, *No Time: Stress and the Crisis of Modern Life* (Vancouver: Douglas and McIntyre, 2005); Bernard

Stiegler, *Technics and Time, 2: Disorientation*. trans. Stephen Barker (Stanford: Stanford University Press, 2009)

7   David Abram, *Spell of the Sensuous: Perception and Language in a More-than-Human World* (New York: Vintage 1997); James W. Carey, *Communication as Culture: Essays on Media and Society* (New York: Routledge, 1989); Peter Galison, *Einstein's Clocks, Poincare's Maps: Empires of Time* (New York: W. W. Norton & Company 2003); Paul Glennie and Nigel Thrift, *Shaping the Day: A History of Timekeeping in England and Wales 1300–1800* (Oxford: Oxford University Press, 2009); Jay Griffiths, *A Sideways Look at Time* (New York: Putnam, 1999); David Harvey, *The Condition of Postmodernity: An Enquiry into the Origins of Cultural Change* (Malden, MA: Blackwell, 1989); Stephen Kern, *The Culture of Time and Space, 1880–1918* (Cambridge: Harvard University Press, 1983); Moishe Postone, *Time, Labor, and Social Domination: A Reinterpretation of Marx's Critical Theory* (New York: Cambridge University Press, 1993); Wolfgang Schivelbusch, *The Railway Journey: The Industrialization and Perception of Time and Space* (Berkeley: University of California Press, 1987); and E. P. Thompson, "Time, Work, Discipline and Industrial Capitalism," *Past and Present* 38 (1967). 시간성과 동기화 사이의 관계는 시계의 출현에서부터 실시간의 지배와 속도의 문화까지 이어지는 시간 개념 변화의 역사에서 핵심적인 부분이다. 시간적 동기화 역사 밑바탕에는 한때는 신성하고 연속적이었으나 지금은 단편적이고 불연속적인 것이 된 시간 개념이 자리한다. 시간은 한때 감각적이고 자유로운 것이었다. 다양한 시간적 방언으로 표현될 수도 있었다. 떠오르는 태양, 달, 변화하는 계절, 잠의 역사에 관한 17세기 문헌에 등장하는 눈 감는 단계 중 하나인 창조적인 에너지가 샘솟는 촛불 시간 같은 것들이다. 시계 등장 이전, 이 개념은 삶을 낭만적으로 표현해주었다. Abram, *Spell of the Sensuous; and A. Rogers Ekirch, At Day's Close: A History of Nighttime* (New York: Norton and Co., 2005); and Griffiths, *A Sideways Look at Time*. 시간의 정치경제사는 시간을 재는 통제 권력이 작업장의 노동자를 관리하고 소외시켰다고 본다(Thompson, "Time, Work, Discipline and Industrial Capitalism"). 이 권력은 신체와 경제 시스템을 동기화한다. 세계시간 표준화는 지역적이거나 사적인 시간을 희생시키면서 제국주의 강대국들의 교통 체계가 작동하게 했다. 이는 신성한 시간의 강요에 해당하는 예이기도 하다. Carey, *Communication as Culture; Kern, The Culture of Time and Space; and Schivelbusch, The Railway Journey*. 시간 인식 변화, 그에 따른 마음의 병, 그리고 새로운 고속 교통수단이 느리게 움직이는 사람들을 산산조각 낼 것이라는 두려움 등은 모두 유럽 산업화 초기에 '고속' 열차와 전차에 대한 상상의 일부였다. 시간의 산업화가 톰슨이 생각했던 것보다 대중적인 것이었다는 주장은 Glennie and Thrift, *Shaping the Day*를 참고할 것.

8   Enda Duffy, *The Speed Handbook: Velocity, Pleasure, Modernism* (Durham, NC: Duke University Press, 2009).

9   Marshall McLuhan, *Understanding Media: The Extensions of Man* (Cambridge: mit Press, [1964] 1994), 93.

10 *Politics of the Very Worst*에서 비릴리오는 속도의 폭정을 염려한다. "실시간은 시민이 반사적으로 행동하게 하고 반성을 파괴하므로 전통적 폭정과 크게 다르지 않다." (87) 원격-공공성과 원격-존재는 전통적인 정치 시스템의 느린 상호주관성을 대체한다. *Desert Screen: War at the Speed of Light* (London: Continuum, 2002)에서 비릴리오는 이렇게 말했다. "정치는 성찰의 시간에 달려 있다. 오늘날, 우리는 더 이상 반성할 시간이 없고, 우리가 보는 것들은 이미 발생되어 있다. 그리고 우리는 즉시 반응해야 한다. 실시간 민주주의가 가능할까? 그렇다, 그것은 권위주의 정치다. 그러나 민주주의를 정의하는 것은 권력의 공유다. 공유할 시간이 없을 때 무엇을 공유할 것인가." (43)

11 Zygmunt Bauman, *Globalization: The Human Consequences* (New York: Columbia University Press, 1998). "제1세계 사람들은 과거와 미래에서 격리된 일련의 사건들을 겪으면서 영원한 현재에 산다. 이들은 항상 바쁘고 항상 시간이 부족하다. 매 순간이 제한적이기 때문이다"(88). 바우만은 느린 계급을 이렇게 표현한다. "반대편 세계에 고립되어 있는 사람들은 채울 것이 없는 풍부하고, 불필요하고, 쓸모없는 시간에 짓눌려 있다. 그들의 시간에는 아무 일도 일어나지 않는다. 그들은 '시간을 통제'하지 못하지만, 공장 시간의 얼굴 없는 리듬에 따라야 했던 과거와는 다르게, 시간의 통제를 받는 것도 아니다"(88).

12 정치경제학자인 빈센트 모스코Vincent Mosco와 허버트 쉴러Herbert Schiller는 선언적인 비릴리오, 바우만, 매클루언의 연구에 중요한 수정을 가한다. 모스코는 *The Digital Sublime: Myth, Power, and Cyberspace* (Cambridge: mit Press, 2005)에서 비릴리오와 매클루언 같은 이들이 디지털 시대와 그 사회적 형태에 "신성한 보호막"을 제공한다고 주장했다(82). 모스코와 쉴러의 연구는 "지리학의 죽음"이나 "역사의 종말"이라는 무비판적 주장을 경계하게 하며, 새로운 미디어와 기술에 대한 비판적인 분석도 가능하게 한다.

13 "역사, 즉 신체, 계급, 권력의 거칠고 불안정한 아날로그는 새로운 디지털 시작으로 밀려난다." Vincent Mosco, *The Digital Sublime* (82). 정치경제학도 살아 있는 경험에서 추상화된 것이므로, 정치경제학은 모스코의 아날로그적 신체와 권력의 세계를 완전히 다루지 못한다. 시간성에 대한 생명관리정치적 분석은 구체적인 정치경제적 분석을 가능하게 할 것이다. 신체를 자본주의 생산의 중심에 놓기 때문이다. Donald Lowe, *The Body in Late-Capitalist USA* (Durham, NC: Duke University Press, 1995).

14 모이세 폰스톤Moishe Postone(*Time, Labor, and Social Domination*)은 노동자 통제를 위한 시간 기록 장치들의 역할 측면에서 자본과 금융을 연구했다. 그는 가속화된 자본과 기술로 인해 발생하는 새로운 사회적 배치를 파고들면서 여가 시간과 노동시간의 양이 어떻게 변화했는지도 추적했다. 그의 논의는 마르크스가 말한 사회적 필요 시간과 유사하다. "사회적으로 필요한 노동시간이란, 특정 사회의 정상적인 생산조건과 그 사회의 지배적인 평균적 노동숙련도와 노동강도 하에서, 어떤 사용가치 생산에 필요한 노동시간이다." Karl Marx, *Capital: Volume 1; A Critique of Political Economy 1867* (London: Penguin, 1992), 129. 사회적 필요 노동시간은 인간 활동 속도의 변화 측정에 핵심적인 개념이다.

15 Thompson, "Time, Work, and Industrial Capitalism." 동기화 과정에는 영국의 선례와 세계표준시의 시행이 큰 역할을 했다(Carey, *Communication as Culture; Kern, Culture of*

Time, 1983; and Schivelbusch, *The Railway Journey*). 동기화의 역사는 일상의 상호작용에서 동기화의 미시정치를 탐구하게 해 준다. 자연 시간과 자본 시간의 동기화는 동기화가 불가능한 패턴과 효과를 갖는다. "동기화의 해체가 나타난다. 강제적인 시간과 공간 양식의 이완이다"(Ursula Franklin, *The Real World of Technology*, Toronto: Anansi, 1999, 151). 지구의 움직임과 동기화된 존재로서의 시간적 패턴이, 그 본질적 기능에서 분리된 것으로 변화한다는 주장이다. 즉, 시간과의 진정하고 자연스러운 관계가 점점 더 위협받고 있다는 것이다.

16 Adrian Mackenzie, *Transductions: Bodies and Machines at Speed* (New York: Continuum, 2002). 맥켄지는 시계만이 아닌 폭넓은 시간의 매개물을 염두에 둔다. "모든 기술적 매개는 사회공학에서의 생물적 요소와 비생물적 요소 사이의 관계를 변형시킨다"(95).

17 Kern, *Culture of Time and Space*. See also Michelle Bastian, "Fatally Confused: Telling the Time in the Midst of Ecological Crises," *Journal of Environmental Philosophy* 9, no. 1 (2012).

18 퀴어 이론에서도 시간성에 관한 중요한 성과들이 나왔다. 퀴어의 시간성을 다룬 아래의 두 연구는 시간적 차이의 감각과 시간 바깥으로 벗어난 신체들을 인정한다. Judith Halberstam, *In a Queer Time and Place: Trans gender Bodies, Subcultural Lives* (New York: New York University Press, 2005) and Lee Edelman, *No Future: Queer Theory and the Death Drive* (Durham, NC: Duke Uni versity Press, 2004). 그러나, 그들의 연구에서 지적된 시간적 정상성과 퀴어 시간성은 권력-크로노그래피를 필요로 한다. 권력-크로노그래피는 이성애중심 시간성의 정치경제와 노동정치 비판에 유용한 정치적 개념이다. Shannon Bell, *Fast Feminism* (New York: Autonomedia, 2010)은 속도의 페미니즘적 해방 가능성을 비판한다. Kath Weston's *Gender in Real Time: Power and Transience in a Visual Age* (New York: Routledge, 2002)는 미묘한 젠더화된 시공간 개념을 옹호한다.

19 도린 매시는 1991년에 처음으로 권력기하학을 언급했다. Doreen Massey, "Global Sense of Place" in *Marxism Today* (June 24, no. 38), 1991, 24-29. 시간을 유지하고 시간을 멈추게 하는 크로노그래프처럼, 권력-크로노그래피는 개인의 미세정치 차원에, 개인들이 시간을 시작하거나 일시정지하거나 멈추려고 시도하는 다양한 방식에 관심을 둔다. 크로노그래프는 그리스어 크로노스chronos(시간)와 그래프graph(도표)에서 파생된 말이다. 크로노그래프는 시간을 재거나 스톱위치 기능을 하는 시계를 말한다. 크로노그래프의 시간 측정 방식은 한 가지가 아니다. 크로노그래프 다이얼에는 눈금이 달린 하위 다이얼이 있다. 중앙 초침은 계속되는 시간을 방해하지 않고 시작하거나 멈출 수 있다. 권력-크로노그래피는 유한한 인간의 삶에는 시간 통제의 하위 다이얼만 있다는 것을 알게 한다.

20 Doreen Massey, *Space, Place, and Gender* (Minneapolis: University of Minnesota Press, 1994), 149.

21 Massey, *Space, Place, and Gender*, 151.

22 Massey, *Space, Place, and Gender*, 165.

23 닐 스미스는 매시와 유사한 방식으로 시공간 압축에 개입하여 불균등한 시간을 논의했다.

Neil Smith, *Uneven Development: Nature, Capital, and the Production of Space* (Athens: University of Georgia Press, 2008).

24 매시는 공간정치가 그 대상을 어떻게 상상하느냐에 달려 있다고 암시한다. 매시는 사회적 공간이 "상호작용에서 반드시 공간적 형태를 갖는 사회적 관계의 표현"이라고 본다. "장소place는 교차하는 사회적 관계의 교차가 나타나는 특정한 순간이다"(*Space, Place, and Gender*, 120). 권력기하학은 시간성으로의 개입도 가능하게 한다. 매시 덕분에 가능해진 교차의 지리학은 시간성이 물질적이고 사회적인 투쟁 형태로 작동하는 방식을 상정할 수 있도록, 속도 문제 너머로 나아가는 길을 마련한다. 매시의 권력기하학은 지배적이고 복잡한 공간적 상상력에 강력하게 도전하지만, 규율 속 공간의 특권을 다룰 수단을 보장해 주지는 않는다. 이는 매시의 한계라기보다는 또 다른 개입의 필요성을 의미한다. 후기 저작인 *For Space* (Thousand Oaks, CA: Sage, 2005)에서 매시는 같은 시간에 살아 있는 존재로서의 공시간성co-temporality 감각에 기초하는 정치를 모색한다. 공시간성을 인식하는 정치는 시간의 상호의존성에 관심을 두어야 할 것이다. 권력-크로노그래피는 매시가 강조한 시공간을 도입하여 시공간의 균형을 모색할 수단이다.

25 에드워드 소자는 공간적 전환을 "창의적이고 비판적인, 공간적/지리적, 시간적/역사적 상상력의 효과적인 균형을 모색하려는 시도"라고 요약했다. Edward Soja, "Taking Space Personally," in *The Spatial Turn: Interdisciplinary Perspectives*, ed. B. Warf and S. Arias (New York: Routledge, 2009), 12.

26 시간은 여러 사회 이론에서 다양한 방식으로 다루어진다. Barbara Adam's *Timewatch: The Social Analysis of Time* (Cambridge, UK: Polity, 1995). 시간은 방어되어야 할 것으로 논의되기도 한다. James Carey's work on the Sabbath (*Communication as Culture*). 그러나 시간이 차등적 권력관계로서 논의되지는 않았다.

27 로날드 월터 그린은 공간적 유물론 특집에서 공간적 전회의 한계를 지적했다. "오늘날, 공간적 전회는 잘 알려져 있다. 따라서 공간적 전회는 인적이 드문 길로 접어드는 것이 아니라 혼잡한 교차로에 들어가는 일처럼 보인다." Ronald Walter Greene, "Spatial Materialism: Labor, Location, and Transnational Literacy," *Critical Studies in Media Communication* 27, no. 1 (2010): 105. 팀 크레스웰은 모빌리티가 공간적 역학에 그치지 않는다고 주장한다. 모빌리티 연구는 공간화된 시간과 시간화된 공간 모두를 연구하는 행위라는 것이다. Tim Cresswell's *On the Move: Mobility in the Modern Western World* (New York: Routledge, 2006).

28 Nigel Thrift, "Time and Theory in Human Geography: Part I," *Progress in Human Geography* 65 (1977): 65.

29 Torsten Hägerstrand, *Innovation Diffusion as a Spatial Process*, trans. A. Pred (Chicago: University of Chicago Press, 1967). 해거스트란트의 궁극적인 관심은 오직 시간이나 균형 잡힌 시공간 접근법만이 표현할 수 있는 삶의 구체화와 질이라는 문제를 지리학에서 다루는 것이었다. 그는 다양한 시공간 경로들을 탐색하고 개념화하여 개인이 환경과 접하는 방식을 정치적으로 의미있게 만들었다. Alan Pred, ed. *Space and Time in Geography: Essays*

Dedicated to Torsten Hägerstran (Lund, Sweden: cwk Gleerup, 1981) and Don Parkes and Nigel Thrift, *Times, Spaces, and Places* (New York: John Wiley, 1980).

30 Nigel Thrift, "Owners Time and Own Time: The Making of Capitalist Time Consciousness, 1300-1880," in *Space and Time in Geography: Essays Dedicated to Torsten Hägerstrand*, ed. Allan Pred (Lund, Sweden: cwk Gleerup, 1981).

31 Mike Crang, "Rhythms of the City: Temporalized Space and Motion," in *TimeSpace: Geographies of Temporality*, ed. Jon May and Nigel Thrift (London: Rout ledge, 2001), 187-207; and Mike Crang, T. Crosbie, and S. D. N. Graham, "Technology, Timespace and the Remediation of Neighbourhood Life," *Environment and Planning A* 39 (2007).

32 Harold Adams Innis, *The Bias of Communication* (Toronto: University of Toronto Press, 1951). 해럴드 이니스는 문명의 지속을 위해서는 공간과 시간 사이의 균형을 유지해야 한다고 주장한다. 새로운 미디어의 도입은 시공간 편향에 변화를 가져오고 궁극적으로는 문화를 변화시킬 것이다. 따라서 새로운 미디어를 견제하여 항상성을 유지하는 균형 감각이 필요했다. 예를 들어, 이니스는 공간과 시간 사이의 균형을 무시하면서 인쇄기가 제도화된 방식 때문에, 미국에서는 항상성의 가능성이 절망적이라고 주장한다. 시간과 공간을 변화시키는 새로운 기술들의 능력은, 그 기술들이 자본주의 및 경제적·문화적 제국들과 연결되어 있기 때문에, 기술-문화-권력 간의 관계를 사유할 때의 막다른 골목이 아니다. 오히려 사유의 시작 지점이다.

33 Innis, *The Bias of Communication*, 6. 이니스의 미디어 및 문화연구에 대해서는 아래의 글을 참고할 것. Jody Berland, *North of Empire: Essays on the Cultural Technologies of Space* (Durham, NC: Duke University Press, 2009).

34 이니스에 따르면, 특정한 복합적 미디어 형태의 등장은 사회적·경제적·문화적 투쟁에서 비롯되는 것으로, 이 투쟁은 정치조직들만이 아니라 물리적인 지리 환경과 밀접한 관계가 있다. Harold A. Innis, *A History of the Canadian Pacific Railway* (Toronto: University of Toronto Press, 1971). 무엇보다 이니스는 미디어 테크놀로지에 관한 정치경제학자로, 시간과 공간 관념이 형성되는 전략적 기반인 문화의 중요성을 인식하고 있었다. Harold A. Innis, *Empire and Communication* (Toronto: University of Toronto Press, 1950/1972).

35 Innis, *Empire and Communication*, 7.

36 Innis, *Bias of Communication*, 24.

37 공공영역Public은 이론적 상상 속에서 공간적 구조물로 나타난다. 이상적 공공영역과 다른 공간의 차이는 여러가지로 나타난다. 공론장public sphere(agora)과 사적 영역private sphere(oikos)에 관해서는 Jürgen Habermas, *Structural Transformations of the Public Sphere* (Cambridge: mit Press, 1999); 공공공간public space과 대립 공간oppositional space은 Nancy Fraser, "Rethinking the Public Sphere: A Contribution to the Critique of Actually Existing Democracy," in *Habermas and the Public Sphere*, ed. C. Calhoun (Cambridge: mit Press, 1992); 인류학적 공공공간anthropological public space과 비장소nonplace는 Marc Augé *Non-places: Introduction to an Anthropology of Supermodernity*

(London: Verso, 1995); 공공공간public space 속도 공간speed spaces은 Chris Decron, "Speed-Space," in *Virilio Live: Selected Interviews*, ed. John Armitage (London: Sage, 2001), 69-81을 참고할 것. 자유민주주의가 공간 논리에 치우쳐 있다는 사실은 공공영역이 어디에 존재하는지를 계속 묻게 된다는 점에서 명확하게 드러난다. 공공영역은 지방, 글로벌, 서발턴, 국가, 지역에 속하는가? 여기 있는가, 저기 있는가? TV 토크쇼는 새로운 공공영역인가? Sonia Livingstone and Peter Lunt *Talk on Television: Audience Participation and Public Debate*, (London: Routledge, 1993). 오늘날의 인터넷은? Mark Poster, *Information Please: Culture and Politics in the Age of Digital Machines*, (Durham, NC: Duke University Press 2006). 새로 나타나는 최신 기술들은 사회 공간을 변화시키고 공간에서 개인들이 상호작용하는 방식을 바꿀 수 있느냐는 질문을 받게 된다(Adriana de Souza de Silva and Jordan Frith, *Mobile Interfaces in Public Spaces: Locational Privacy, Control, and Urban Socia bility*, [New York: Routledge, 2006]).

38 Seyla Benhabib, Michael Warner, Craig Calhoun, and Nancy Fraser in Craig Calhoun, ed., *Habermas and the Public Sphere* (Cam bridge: mit Press, 1992).

39 William Scheuerman, *Liberal Democracy and the Social Acceleration of Time* (Baltimore, MD: The Johns Hopkins University Press, 2004).

40 Sheldon Wolin, "What Time Is It?" in *Theory and Event*, Vol. 1. Issue 1, 1997. 이 에세이는 정치적 지지층이 시간을 공유해야 한다는 민주주의적 기대가 정상화되는 현상을 잘 포착한다. 정치적 시간과 사회적 시간의 괴리가 지적되고 느린 시간의 필요성이 옹호된다.

41 Nicholas Garnham, *Emancipation, the Media, and Modernity: Arguments about the Media and Social Theory* (New York: Oxford University Press, 2000). 니콜라스 간햄에 따르면, 부르주아 공론장은 커피하우스, 도서관, 신문과 같은 시민사회 제도의 네트워크를 통해 유지되기 때문에 새로운 정치계급이 된다. 공론장이라는 이상을 뒷받침하는 것은 사적인 시민이 된다는 것이 약속하는 자유로운 시간의 보장이다.

42 Arjun Appadurai, *Modernity at Large: Cultural Dimensions of Globalization* (Minneapolis: University of Minnesota Press, 1996); Manuel Castells, *The Rise of the Network Society* (Malden, MA: Blackwell, 1996); Saskia Sassen, *Globalization and Its Discontents* (New York: New Press, 1998); and Saskia Sassen, "Spatialities and Temporalities of the Global: Elements for a Theorization," *Public Culture* 12, no. 1 (Winter 2000). 사스코아 사센의 세계화 논의는 세계화나 다수적 모더니티의 맥락에서 현대의 공간적 · 시간적 정치에 대한 광범위하고 훌륭한 설명을 제공했다. 사센은 지역, 국가, 세계에 내재된 다양한 시간성을 고려한다. 그러나 그의 연구에서 시간이라는 요소는, 서로에게 흘러들어가는 복수의 모더니티를 의미한다고 해도, 속도나 공간화된 시간에 가깝다. 권력-크로노그래피가 대상으로 삼는 다수적 시간성은 공간적 경계나 실체로 인해 생겨난 현대의 시간적 지층들이 아니다.

43 Lisa Parks's "Kinetic Screens: Epistemologies of Movement at the Interface" in *Media/Space: Place, Scale and Culture in a Media Age*, ed. Nick Couldry and Anna McCarthy (London: Routledge, 2004). 이 훌륭한 책은 권력-크로노그래피 접근법과 유사하다. 컴퓨

터와 텔레비전 소비에 초점을 둔 파크스의 연구는 '인터페이스 앞에서의 삶'을 다루는 새로운 방법으로서, 인터넷 사용자의 특권적 행보에만 주목하는 기존 미디어 연구에 도전한다. 아르준 아파두라이는 Modernity at Large(고삐 풀린 현대성)에서 문화적 흐름의 여러 차원들을 설명하기 위해 다섯 가지 풍경 혹은 상상적 세계를 가정한다. 인종 양상(ethnoscape: 관광객과 난민처럼 다양한 집단들의 이동), 기술 양상(technoscape: 국경을 넘나드는 테크놀로지의 속도), 미디어 양상(mediascape: 정보의 분배), 금융 양상(financescape: 빠르게 이동하는 글로벌 자본의 배치), 이념 양상(ideoscape: 허구와 실제 풍경 사이의 선이 흐릿해지는, 흐름의 맥락에서 상상의 역할) 등이다. 개별 행위자들은 "이 풍경들의 마지막 지점"이지만, 이러한 풍경들은 "결국 더 큰 구성체를 경험하고 만드는 행위 주체들이, 이 풍경들이 제공하는 것이 무엇인지에 대한 그들의 감각 속에서 이끌어 나가는 것"이다(33). 권력-크로노그래피에서 중요한 것은 이 풍경들이 얼굴을 맞대는 친밀한 대면 집단, 디아스포라 공동체, 다국적기업에까지 이르는 다양한 행위자들과 관련된 원근법적 구조라는 것이다. 그럼에도 불구하고, 이 풍경들을 바라보는 아파두라이의 초점은 궁극적으로 공간적이다.

44 개인이나 사회집단들이 어떻게 시간을 다르게 경험하는지는 인류학, 사회학, 철학, 지리학의 중요 주제였다. 사회학자인 바바라 애덤은 시간이 만드는 차이를 연구한 선도적인 이론가다. 애덤의 시간경관 이론theory of the timescape에서는 공간, 시간, 맥락이 상호적이며 동등하게 중요하다고 본다. 애덤은 생물학, 젠더, 환경, 디지털 시간, 신체 시간, 시계 시간, 사회적 시간 등의 다양한 차이들 속에서 세계를 구성하는 시간적 풍경의 다수성, 사회적 시간의 다수성을 포착하려고 했다. Barbara Adam, *Time and Social Theory* (Cambridge, UK: Polity, 1990); and Barbara Adam, *Timewatch: The Social Analysis of Time* (Cambridge, UK: Polity, 1995). 애덤은 사회적 시간의 젠더적 본질이 공공생활로의 접근이 부정되는 시간적 타자화로 경험된다는 것을 지적했다. Barbara Adam, *Time* (London: Blackwell, 2004). 애덤의 연구는 현상학적이거나 실존적인 틀을 넘어, 서로 다른 시간 구성들을 탐구하는 중요한 연구들과 관련된다. 여기에서는 일상생활 세계에서의 시간성과 지식 사이의 관계 탐구가 중심이다. Carole Greenhouse, *A Moment's Notice: Time Politics across Cultures* (Ithaca, NY: Cornell University Press, 1996). 애덤은 시간지리학과도 친연성을 갖는다. 시간지리학은 사람들이 서로 다른 시간성과 사회적 시간을 어떻게 다르게 경험하는지를 연구하며, 이는 지식과의 서로 다른 관계나 상호주관적 관계의 네트워크 내에서의 다른 위치를 반영한다. Pierre Bourdieu, "The Attitude of the Algerian Peasant Toward Time," in *Mediterranean Country Men*, ed. J. Pitt-Rivers (Paris: Mouton and Co. 1963). 시간지리학자는 체계로서의 차이로 받아들여지지 않는 차이들을 보여 준다. 애덤은 현대 사회이론이 뉴튼 과학이나 고전적인 이원론 철학에 뿌리박고 있어서 표준 시간, 원자력, 컴퓨터, 글로벌 통신 등으로 대표되는 현대 세계를 적절하게 설명하지 못한다고 주장한다. 앙리 르페브르는 특정 공간을 점유하는 리듬이 시간이라고 보았다. 르페브르에게 리듬은 공간 속의 시간이나 지역적 시간, 시간적 장소의 관계를 의미한다. Henri Lefebvre, *Rhythmanalysis: Space, Time and Everyday Life*, trans. S. Elden and G. Moore (Continuum: London, 2004), 230. 리듬은 귀 기울여 듣고 분석해야 한다. 리듬을 들을 수

는 있지만 볼 수는 없다. 르페브르는 리듬의 비교에 초점을 맞췄다.

시간의 위계 개념은 속도이론의 개념과도 유사하다. 리프킨은 이 개념을 사회학에 도입했다. Jeremy Rifkin's *Time Wars: The Primary Conflict in Human History* (New York: Simon and Schuster, 1987). 그는 부자의 시간과 빈자의 시간 사이의 사회적 갈등이 임박했다고 주장한다. Edward T. Hall, *Dance of Life: The Other Dimension of Time* (New York: Anchor, 1983). 홀은 나라마다 다른 시간적 접근에 서로 다른 문화적 속성이 존재한다고 보았다. 이 상호문화적 또는 비교 접근은 시간이 상호의존적으로 경험되고 구조적인 것이라기보다는 개별적으로 공간화된다는 문제를 안고 있다. 시간은, 어떤 민족, 문명, 인구, 장소들은 시대에 뒤떨어져 있다는 식의 공간적인 선형성에 종속되어 있는 것처럼 취급된다. 시간적으로 차이를 설명할 때는 특정 집단의 시간을 언급하는 경우가 많다. 유색인의 시간은 더 느리고, 여성의 시간은 유동적이며, 민족 집단들은 과거로 격하된다. 특정 정체성에 초점을 두면 시대착오적인 경향이 나타난다. 파비안은 관찰자의 시간보다 대상자의 시간이 항상 뒤처진 것으로 취급되는 인류학 내의 긴장을 논한 바 있다. Johannes Fabian, *Time and the Other* (New York: Columbia University Press, 1983). 시간적 차이는 본질적인 생물학적 차이로 환원되거나 속도를 높여서 극복해야 하는 것으로 제시된다. 권력-크로노그래피는 리듬의 상호 의존성을 중시하며, 개별 시간 형태들을 비교 분석하지 않는다. 시간의 경험과 담론은 언제나 이미 관계적이다.

45 Massey, *Space, Place, and Gender*, 148.

46 매시에 따르면 "서로 다른 사회집단들, 서로 다른 개인들이 이 흐름이나 상호 연결과의 관련 속에서 아주 다른 방식으로 배치된다." 149.

47 Joel Garreur, "The Great Awakening: With a Pill Called Modafinil, You Can Go 40 Hours Without Sleep—and See into the Future," *Washington Post*, accessed June 17, 2002. http://wallycourie.com/1Classes%20Fall%2004/Drugs/washPost-Provigil.html.

48 Timothy Ferris, *The 4-Hour Workweek: Escape 9–5, Live Anywhere, and Join the New Rich* (New York: Crown Publishers, 2007).

49 Michel Foucault, *The History of Sexuality*, trans. Robert Hurley (New York: Pantheon, 1978), 141.

50 시간적 차별의 생명관리정치는 생명을 대상으로 하는 현대 권력 제도의 차별적인 투자로 구성된다. 통치는 특히 생명 문제의 관리를 위한 전략, 규제, 기술로 이루어진다. Nicholas Rose, ed., *Foucault and Political Reason: Liberalism, Neo-liberalism and Rationalities of Government* (Chicago: University of Chicago Press, 1996). 지정학적으로 보면, 자본은 노동자와 소비자의 라이프스타일에 투자를 한다. 여기에는 다양한 주체가 참여한다. 프리먼은 '시간의 정상화chrononormativity'를 "각각의 인간 신체를 가장 높은 생산성을 발휘하도록 조직하기 위한 시간 이용"이라고 정의한다. Elizabeth Freeman, *Time Binds: Queer Temporalities, Queer Histories* (Durham NC: Duke University Press, 2010), 3.

51 Lauren Berlant, "Slow Death (Sovereignty, Obesity, Lateral Agency)," *Critical Inquiry* 33, no. 4 (2007). 로렌 베를랑은 푸코에 기반해 생명권력의 시간적 측면을 전면화한다. 특

히 자본 하의 만성적이고 심각한 비만을 주목한 베를랑은 신체의 느린 소비라는 맥락에서 생명권력을 규정한다. "건강을 구성하는 것을 관리, 규율, 재보정하는 현장"(756)이라는 것이다. 자본이라는 기계 안에서의 신체 희생은 자본 노동력의 위기를 가져올 빠른 파국으로 일어나는 것이 아니라, 느리고 고된 속도로 발생한다.

52 Foucault "Chapter 11" of *Society must be Defended: Lectures at the College de France 1975–1976*, ed. Mauro Bertani and Alessandro Fontana (New York: Penguin, 2003), 239-264.

53 점점 외주화되는 최근의 노동 형태에 관한 논의는 Arlie Hochschild's *The Outsourced Self: Intimate Life in Market Times* (New York: Metropolitan Books, 2012)를 참고할 것.

54 Innis, *Bias of Communication*, 33-34.

1장 호화로운 시차 적응

1 John D. Kasanda and Greg Lindsay, *Aerotropolis: The Way We'll Live Next* (New York: fsg, 2011). 미국 기업들이 벌써 1927년에 "비즈니스 경쟁에서 앞서가기 위한 먼 만남의 장소"에 도달할 수단으로 하늘을 재구성하고 있었다는 사실은 흥미롭다. Alastair Gordon, *Naked Airport: A Cultural History of the World's Most Revolutionary Structure* (New York: Metropolitan Books, 2004), 33. 1960년대에 공항은 "사업가의 도시"로 선언되었고《월스트리트 저널》은 비즈니스 여행자에게 "기업 집시"라는 이름을 붙여 주었다(Gordon, Naked Airport, 186). 통과 공간transit space의 거주 및 업무 적합성은 '체류 시간dwelltime'이라는 말로 요약된다. 저스틴 로이드에 따르면 "기다림을 시간낭비로 경험하거나, 지루해하거나, 주변 환경에서 소외되는 대신, 도시 여행자는 대중교통을 이용하여 여가와 일에 유용한 경험을 축적할 수 있다." Justine Lloyd, "Dwelltime: Airport Technology, Travel, and Consumption," *Space and Culture* 6, no. 2 (2003), 94. 체류 시간의 상품과 서비스가 증가함에 따라 공항은 일상의 밀물과 썰물에 익숙해진다. 교회에 가고, 쇼핑하고, 먹고, 매니큐어를 바르고, 일하고, 처방전을 받을 수도 있다. 《뉴욕타임스》에 등장한 단기체류 라이프 스타일layover lifestyle이라는 말은 공항에서 기다리는 시간에 대한 이 새로운 투자를 포착하기 위한 것이다. Joshua Kurlantzick, "Project Runway," *New York Times*, March 29, 2007, accessed March 29, 2010, http://www.nytimes.com/interactive/2007/03/29/travel/escapes/20070330_airport_slideshow.html.

2 Marc Augé, *Non-places: Introduction to an Anthropology of Supermodernity* (London: Verso, 1995); M. Crawford, "The World in a Shopping Mall," in *Variations on a Theme Park: The New American City and the End of Public Space*, ed. M. Sorkin (New York: Hill and Wang); Mark Gottdiener, *Life in the Air: Surviving the New Culture of Air Travel* (Lanham, MD: Rowman and Littlefield, 2000); Fredric Jameson, *Postmodernism, or, The Cultural Logic of Late Capitalism* (Durham, NC: Duke University Press, 1991); and Paul

Virilio, *Pure War* (New York: Semiotext(e), 1997). 마크 고트디에너Mark Gottdeiner의
말은 이 모든 연구들이 공유하는 지점을 보여 준다. "우리가 비행기 여행으로 보내는 삶에
적응하면서 더 많은 시간을 보내게 되는 독특한 환경인 공항은, 노트북, 워크맨, 신용카드,
휴대전화, PDA로 무장한, 무신경하고 독립적인 개인이라는 새로운 사회적 인물형을 만들
어 내거나 강화할 수 있을 것인가?"(34).

3   Paul Virilio, *Crepuscular Dawn* (New York: Semiotext(e), 2002), 74.

4   Paul Virilio, *Pure War* (LA: Semiotext(e), 1997), 77-79.

5   Virilio, *Pure War*, 77.

6   Manuel Castells, *The Rise of the Network Society* (Malden, MA: Blackwell, 1996). 마누엘
카스텔스는 시간 공유로 서로 연결된 이동 엘리트 계층의 사회경제적 권력에 주목한다. 공
항은 "흐름이 일어나는 공간들의 연결선" 속에 존재한다(417). 공항의 퍼스트클래스 비즈니
스 라운지와 국제 비즈니스를 위한 vip 서비스가 "흐름의 공간들이 연결된 선을 따라 전 세
계에 만들어진 폐쇄적 공간"의 발전에 따른 현상이며, 때문에 "여행자는 길을 잃지 않는다.
여행 준비, 비서 서비스, 그리고 모든 나라에서 유사하게 진행되어 기업 엘리트들만의 결속
을 돕는 접대 시스템이 존재한다"(417).

7   John Naisbit. *High-Tech/High-Touch: Technology and our Accelerated Search for Meaning.*
(Boston: Nicholas Brealey, 2001).

8   Annie Davies, "The Bra that won't get alarm bells ringing" in *The Telegraph* (May 18
2002), http://www.telegraph.co.uk/travel/724269/Bra-that-wont-set-alarm-bells-ringing.
html. Accessed June 19, 2013.

9   Stephen Arterburn and Sam Gallucci, *Road Warrior: How to Keep Your Faith,
Relationships, and Integrity When Away from Home* (Colorado Springs, CO: WaterBrook
Press, 2008).

10 Robert L. Jolles, *The Way of the Road Warrior: Lessons in Business and Life from the Road
Most Traveled* (San Francisco: John Wiley, 2005).

11 the websites http://www.womanroadwarrior.com, http://www.globalroadwarrior.com,
and http://www.roadwarriortips.com.

12 Kathleen Ameche, *The Woman Road Warrior: A Woman's Guide to Domestic and
International Business Travel*, 2nd ed. (Chicago: Agate, 2007).

13 Tracy Clark-Flory, "The End of Menstruation," Salon, February 4, 2008, accessed June
10, 2008, http://www.salon.com/2008/02/04/menstruation_2/.

14 Pico Iyer, *Global Soul: Jet-Lag, Shopping Malls, and the Search for Home* (New York:
Vintage, 2001), 160.

15 Francine Parnes, "Constant Travelers Wear Their All-Nighters as a Badge of Pride,"
New York Times, December 6, 2005, accessed September 10, 2010, http://www.nytimes.
com/2005/12/06/business/06sleep.html?_r=1.

16 Parnes, "Constant Travelers Wear Their All-Nighters as a Badge of Pride."

17 《뉴욕타임스》의 여행란이나 CNN의 여행 관련 보도에는 비행기 승객들의 분노, 폭력, 고함, 난동이 자주 등장한다. 시차증의 확대판인 새로운 항공 여행 병리학이다. 시차증 전문가인 다이애나 페어차일드는 비행 중 난동은 비행기 객실에서 재순환되는 공기로 인해 귀에 통증이 생기고, 산소가 제한되며, 심호흡이 어려워지기 때문이라고 주장한다. Diana Fairechild, *Jet Smarter*, Flyana Books, 1995.

18 Graham Lawton, "Get Ready for 24-Hour Living," *New Scientist, February* 18, 2006 (39).

19 Alexandra Gill, "Sleep No More," *Globe and Mail*, April 1, 2006, F9.

20 "Sydney research lab 'hotel' to study sleep disorders, "The Telegraph" (Feb. 7 2009). Accessed March 2010. http://www.news.com.au/breaking-news/welcome-to-sydneys-hotel-isolation/story-e6frfkp9-1111118777958.

21 Diana Fairechild, *Jet Smarter*.

22 Michel Foucault, *Care of the Self* (New York: Vintage, 1988), 101.

23 아래의 글도 참고할 것. Nikolas Rose, "Governing 'Advanced' Liberal Democracies," in *Foucault and Political Reason: Liberalism, Neo-liberalism and Rationalities of Government*, ed. Andrew Barry, Thomas Osborne and Nikolas Rose, 37-64 (Chicago: University of Chicago Press, 1996).

24 "Westin Hotels and Resorts Debuts Hotel-Room Laboratory to Combat Jetlag," Westin Hotels and Resorts, press release, June 25, 2008. Accessed March 27, 2010, http://www.newscenter.philips.com/main/standard/about/news/press/20080903_westin_concept_room.wpd.

25 Arthur Estrada, Amanda M. Kelley, Catherine M. Webb, Jeremy R. Athy, and John S. Crowley, "Modafinil as a Replacement for Dextroamphetamine for Sustaining Alertness in Military Helicopter Pilots," *Aviation, Space, and Environmental Medicine* (Vol. 83, No. 6 June 2012), 556-564.

26 Joel Garreau, "The Great Awakening: With a Pill Called Modafinil, You Can Go 40 Hours Without Sleep—and See into the Future," *Washington Post*, June 17, 2002, c1.

27 As quoted in Garreau, "The Great Awakening," c1.

28 Foucault, *Care of the Self*, 99-100.

29 Graham Lawton, "Get Ready for 24-Hour Living," Issue 2539, February 18, 2006, 34-39. Accessed June 19, 2013. http://www.newscientist.com/article/mg18925391.300 -get-ready-for-24hour-living.html.

30 Lawton, "Get Ready for 24-Hour Living," 39.

31 Tim Cresswell, *On the Move: Mobility in the Modern Western World* (New York: Routledge, 2006).

32 Patricia Ticineto Clough, "Introduction" in Patricia Ticineto Clough and Jean Halley, eds., *The Affective Turn: Theorizing the Social* (Durham, NC: Duke University Press, 2007), 4.

33 Rachel Sherman's *Class Acts: Service and Inequality in Luxury Hotels* (Berkeley: University of California Press, 2007). 럭셔리 호텔에서의 계급과 노동을 다룬 책. 서먼은 집 바깥에서 집을 갈구하는 이 욕망을 "엄마의 집이라는 환상"을 갈구하는 것이라고 해석한다. 호화 서비스 내의 돌봄은 의료서비스의 사유화에서 빠져 있는 바로 그 돌봄이다(46-47). 서먼은 완벽하게 보살펴 주는 어머니라는 환상이 이 호화 서비스의 수익을 보장해 준다고 지적한다.

34 Kerry McDermott, "Now You Can Catch the Dreamliner," *Daily Mail UK Mail Online*, December 14, 2012, accessed June 19, 2013, http://www.dailymail.co.uk/news / article-2247892/Boeing-787-Dreamliner-Qatar-Airways-unveils-jetlag-busting-aircraft -operate-Heathrow.html.

35 Emirates Airlines, "Welcome to Emirates," accessed March 27, 2010, http://www. emirates.com.

36 Laurie Ouellette and James Hay, *Better Living through Reality tv: Television and Post-welfare Citizenship* (Malden, MA: Blackwell, 2008).

37 http://www.okura.nl/en/services/jetlag-program.html. Accessed June 19, 2013.

38 http://parktoronto.hyatt.com/hyatt/pure/spas/treatments/massage.jsp, http://www. foxprovidence.com/dpp/rhode_show/rhode_show_got_blue_thumbs_pda_mas sage_20090602. Accessed June 19, 2013.

39 http://www.cntraveler.com/spas/2009/07/Spa-Plus-The-Businessperson. Accessed June 19, 2013.

40 http://www.nemorelax.com (accessed March 25, 2010). 공공장소에서의 휴식은 일상적인 일이 되었다. 쇼핑몰에서는 중앙 홀에 안마 의자를 배치해 둘 때가 많다. 이케아는 지쳐 나가떨어질 때까지 쇼핑한 고객들을 위해 혼잡한 쇼핑몰 중앙에 낮잠 호텔을 만들었다.

41 Jolles, *The Way of the Road Warrior*, 192.

42 이 노동 관행과 24시간 주기를 가능하게 하는 테크놀로지에 관한 논의는 아래의 문헌을 참조할 것. Martin Moore-Ede, *The Twenty-Four-Hour Society: Understanding Human Limits in a World That Never Stops* (Reading, MA: Addison Wesley, 1993).

43 알라스테어 고든은 건축가 존 월터 우드가 1930년에 한 말을 인용한다. 훌륭한 공항은 "항공기, 승객, 상품, 우편물, 노면 운행 수단이 한결같이 부드럽게 이동하는 유기체"처럼 운영되어야 한다(Alastair Gordon, Naked Airport, 104). 공항 설계자인 조셉 허드넛은 "비행기에서 자동차로 향하는 경로는 곧장 이어져서, 사람들이 설계를 의식하지도 못할 정도로 힘이 들지 않아야 한다. 상품이 시간인 공항의 본질과 만족스럽게 일치하는 경험이다."라고 주장한다. 공항은 여러 흐름이 분리되어 서로 다른 속도로 이동하는 전환점이자 순환 기계로 여겨진다.

44 미국의 한 시장분석 회사에 따르면, 2005년에 미국의 비행기 승객들은 보안 검사를 통과한 뒤에도 평균 86분을 공항에 머물렀다. Airport Interviewing and Research Inc., "Traveler Insights." Accessed November 23, 2005. http://www.pri-air.com/air/travel .html.

45 "Airport Waiting Time Costs British Business Half a Billion Pounds," *Times of London*, March 30, 2005. Accessed April 22, 2013. http://www.thetimes.co.uk/tto /travel/ businesstravel/article1742850.ece.

46 Ameche, *The Woman Road Warrior*, 20.

47 Jeremy Rifkin, *Time Wars: The Primary Conflict in Human History* (New York: Simon and Schuster, 1987), 190.

48 Pierre Bourdieu, *Pascalian Meditations*, trans. Richard Nice (Stanford: Stanford University Press, 2000), 224.

2장 시간노동과 택시

1 나는 아래의 글에서 이 주제를 다룬 바 있다. Sarah Sharma, "Taxicab Publics and the Production of Brown Space after 9/11," *Cultural Studies* 24, no. 2 (March 2010): 183-199. See also Brett Neilson, "The World Seen from a Taxi: Students-Migrants-Workers in the Global Multiplication of Labour," *Subjectivity* 29 (2009).

2 Giorgio Agamben, *Homo Sacer: Sovereign Power and Bare Life*, trans. Daniel Heller Roazen (Stanford: Stanford University Press, 1998), 175.

3 나는 이 주제를 아래의 글들에서 다루었다. I have explored this idea at length in three different articles: "Baring Life and Lifestyle in the Non-place," *Cultural Studies* 23, no. 1 (2009): 129-148; "Taxicab Publics and the Production of *Brown Space* after 9/11"; and "Taxis as Media: A Temporal Materialist Reading of the Taxi Cab," *Social Identities: Journal of Race, Nation, and Culture* 14, no. 4 (July 2008).

4 토비 밀러는 '문화 노동의 새로운 국제 분업new international division of cultural labor' 이라는 개념으로 이동성이 강한 중산층 문화의 새로운 노동 요건을 이해하려고 했다. 시간 노동temporal labor은 밀러가 말한 '새로운 국제 노동 분업'의 한 예라고 할 수 있다. Toby Miller et al., *Global Hollywood* (London: British Film Institute; Berkeley: University of California Press, 2001).

5 Michel Foucault, *The History of Sexuality*, trans. Robert Hurley (New York: Pantheon, 1978).

6 Michael Hardt, "Prison Time," *Yale French Review*, no. 91 (1997): 64-79.

7 Hardt, "Prison Time," 67.

8 Hardt, "Prison Time," 66.

9 Pico Iyer, *Global Soul: Jet-Lag, Shopping Malls, and the Search for Home* (New York: Vintage, 2001), 112.

10 Michael Hardt and Antonio Negri, *Commonwealth* (Cambridge: Harvard University Press, 2009); Michael Hardt and Antonio Negri, *Empire* (Cambridge: Harvard

University Press, 2000); Michael Hardt and Antonio Negri, *Multitude* (Cambridge: Harvard University Press, 2004); and Jason Read, *Micropolitics of Capital* (New York: suny Press, 2003).

11 Read, *Micropolitics of Capital*, 133.

12 Pierre Bourdieu, *Pascalian Meditations*, trans. Richard Nice (Stanford: Stanford University Press, 2000), 228.

13 Bourdieu, *Pascalian Meditations*, 255.

14 *Designing the Taxi* (New York: Design Trust for Public Space, 2005), accessed April 22, 2013. http://designtrust.org/publications/publication_05destaxi.html.

15 웨스틴호텔의 시차 적응 컨셉 룸이나 힐튼호텔의 사회적 시차 적응을 위한 세레니티룸은 노동의 외적 조건과 밀접한 관계가 있다. 세레니티룸에 도입된 새 매트리스의 무게는 113 파운드이고, 새 고급 시트는 예전보다 16파운드가 더 무겁다. 캐나다 직업건강안전센터 의 한 보고서에 따르면, "호텔 청소부는 방을 청소하는 동안 3초마다 몸의 위치를 바꾼다. 만약 각 방의 평균 청소 시간을 25분이라고 가정한다면, 청소부는 교대하기 전까지 8,000 번 자세를 바꾼다고 추정할 수 있다." Hotel Workers Rising, *Creating Luxury, Enduring Pain: How Hotel Work Is Hurting Housekeep ers*, A Unite Here Publication, April 2006. Accessed April 15, 2007. http://www.google.com/search?client=safari&rls=en&q=Creati ng+Luxury,+Enduring+Pain:+How+ Hotel+Work+Is+Hurting+Housekeepers&ie=utf-8&oe=utf-8, "청소부가 하루에 15개의 방을 치운다고 가정하면, 방마다 하나씩 있는 세레 니티 침대를 관리하면서 총 무게 500파운드 이상의 시트를 빼내고 역시 500파운드 이상의 깨끗한 시트로 교체해야 한다. 게다가 침대 시트나 담요는 매트리스 밑에 끼워 넣기 때문 에 싱글 침대를 정리하려면 무거운 매트리스를 최소한 8번 들어 올려야 한다." 평균 업무량 은 하루에 15개의 방 이상일 때가 많다. 힐튼 하와이안 빌리지에서 18년 동안 일한 한 청소 부에 따르면, "새 침대를 정리하려면 할 일이 너무 많아서 계속 서둘러야 한다. 아주 무거 운 매트리스를 급히 들어 올리거나 베개를 계속 배갯잎에 쑤셔 넣다가 다치게 된다. 허리 와 어깨가 아프고 무릎도 부어 있다. 피로와 통증 때문에 밤에 잠을 잘 수가 없다. 침대에 서 나와 뻣뻣한 몸을 풀어 줘야 할 때도 많다."

16 외주 콜센터는 시간적 조정과 표준화가 명백하게 드러나는 예시다. 시간대, 시계, 비행기, 기차, 선박이 아닌 차별적 신체에 대한 시간 표준화다. 공간의 제국은 새로운 질서와 규모 를 지닌 시간의 제국에게 자리를 내준다. 콜센터 직원은 제자리에 앉아, 계속 이동하는 택 시 운전사와 마찬가지로, 다른 인구의 시간적 요구에 종속되어 다른 장소의 업무 시간이 나 템포에 맞추면서 재보정을 진행한다. 이 두 시간대의 교차, 즉 시간 경로의 교차는 한쪽 이 다른 쪽의 시간에 맞춰 재보정하고 동기화할 때만 가능하다. 콜센터 직원들도 다른 택 시 시차 부적응자들과 마찬가지로 익스피디어, 휴렛팩커드, 버라이즌으로 구성된 시간 아 키텍처 속에서 소모되는, 점점 그 수가 늘어난 시간적 예비 노동력이다. 당뇨, 우울증, 만성 피로, 요통, 어지럼증, 소화 장애, 두통, 근육 부상에 시달리는 델리 콜센터 직원들의 업무 리듬은 영국을 위해서는 5시간, 미국을 위해서는 12시간 뒤로 동기화되어야 한다. 《오스

미주 277

트레일리안》의 보도에서 보듯이, 예비 노동 인력이 있을 때에는 직원들의 건강 문제가 무시된다. 예를 들어, 해당 기사에서 한 기업의 웰빙 매니저는 이렇게 주장했다. "인도 기업들은 모든 것을 돈으로 환산하기 때문에 직원의 건강에는 신경 쓰지 않는다." "Call Center Youth Face Burn Out," *The Australian*, October 2, 2007. Accessed March 12, 2011. http://www.theaustralian.com.au/australian-it-old/call-centre-youth-faces-burn-out/story-e6frgano-1111114546442. 이 상황은 1장에서 "현장 노동자들은 돈을 벌려고 일하는 것이니 감성지능을 필요로 하지 않는다"고 주장한 클레어의 말을 떠올리게 한다. 예비 노동력은 항상 투자 중단의 현장이고, 따라서 노동자들은 자기 테크놀로지에 호소할 수밖에 없다. 업계 내 규제 가능성은 희박하고, 20대 중반의 근로자들 사이에 심장마비가 증가하고, 이직이 늘어나는 상황에서 요가나 샐러드 바, 고충 처리 핫라인과 같은 기업 웰빙 예방책이 등장했다. 이 시간적 대응은 직원들의 물질적 웰빙을 증가시키거나 업무에 소요되는 시간을 줄이도록 돕지는 못한다. 건강한 선택을 유도하여 시간 바깥에 있다는 감각을 정상화하려는 방식일 뿐이다. 미국이나 영국의 사무실에서 요가를 하는 노동자들이 재보정하는 9~5시의 시간은 그들 자신의 것이다. 그러나 인도에서는 시간노동이 진행된다. 노동자들은 해외의 9~5시와 동기화하면서 전 세계적인 정상적 시간을 다시 정당화한다. 콜센터 직원들은 미국과 동기화된 시간적 노동자들이면서, 자신들이 사는 곳의 시간 구조적 정치에 속해 있다.

3장 사무실의 요가

1 TV와 관련된 기다림의 리듬에 대한 흥미로운 논의는 아래의 책을 참고할 것. Anna McCarthy, *Ambient Television: Visual Culture and Public Space* (Durham, NC: Duke University Press, 2001).

2 앉아서 보내는 삶의 구조적 문화적 변수에 초점을 맞추는 경우는 드물다. 이 인구의 대부분은 여성이다. 질병통제센터에 따르면, 특히 빈곤하게 살아가는 아프리카계 미국인 여성들이 위험에 처해 있다. Cynthia L. Ogden, Molly M. Lamb, et al. Obesity and Socioeconomic Status in Adults: United States, 2005-2008. Accessed March 10, 2012. http://www.cdc.gov/nchs/data/databriefs/db50.pdf. 그러나 이 여성들은 이미 자본주의 하에서 고통을 겪고 있다. 질병은 결국 노동에 적합한지 여부로 결정된다. 자본주의 아래에서는 일하지 못하는 것이 질병이다. 이 여성들은 투자나 개입의 대상이 아니다. 가치의 대상이 아니라, 그 스펙트럼의 끝에 위치한다. 대신에, 관심이 집중되는 앉아 있는 삶은 책상에 앉아 시간을 보내는 사무실 노동자들이다.

3 Oliver Ryan, "How To Succeed in Business: Meditate," *Fortune Magazine* online edition, July 23 2007. Accessed March 15, 2012. http://money.cnn.com/magazines/fortune/fortune_archive/2007/07/23/100135590/.

4 Susi Hately Aldous, *Yoga for the Desk Jockey* (sha-press, 2005).

5 Karl Marx, *Capital: Volume 1; A Critique of Political Economy* (London: Penguin, 1867/1992).

6 Slavoj Žižek, *On Belief* (New York: Routledge, 2001), 13. 새로운 시대의 산업에서 경쟁적 자본주의의 등장은 아래의 책 참고. Kimberly Lau, *New Age Capitalism: Making Money East of Eden* (Philadelphia: University of Pennsylvania Press, 2000). 나는 사무실 요가의 실제적이거나 잠재적인 효과 ─ 실제로 피고용자의 스트레스를 완화시키고 고용주의 생산량을 증가시키는지 ─ 에는 관심이 없다. 니콜라스 로즈와 피터 밀러가 영국의 '노동하는 삶의 질' 개혁과 관련하여 주장하듯이, "그런 과정을 분석하는 것은 그것이 본질적으로 인간적인 것인지 비인간적인 것인지, 해방인지 억압인지를 따지자는 것이 아니다. 그렇게 되면 특정 장치나 주장 자체가 '좋은' 것이나 '나쁜' 것이라고 가정하게 된다." Peter Miller and Nikolas Rose, *Governing the Present: Administering Economic, Social and Personal Life* (Malden, MA: Polity, 2008), 197.

7 요가 강사들은 지친 노동자들의 재활을 이끄는 통치성governmentality 전문가들이다. 낸시 프레이저에 따르면, "그 결과는 새로운, 포스트포드주의적인 주체화다. 개별적 정상화라는 빅토리아 시대의 주체도, 집단 복지의 포드주의적 주체도 아닌, 통치성의 새로운 주체는 능동적으로 책임지는 행위 주체다. 시장 선택의 주체이자 서비스의 소비자인 이 개인은 자기의 결정으로 자기의 질적 향상을 꾀해야 할 의무가 있다." Nancy Fraser, "Rethinking the Public Sphere: A Contribution to the Critique of Actually Existing Democracy," in *Habermas and the Public Sphere*, ed. C. Calhoun (Cambridge: mit Press, 1992), 127.

8 Nikolas Rose, Governing the Soul: The Shaping of the Private Self, 2nd ed. (New York: Free Association Books, 1999), 103-4. 통치성 논의 이외의 관점에 관해서는 아래의 책을 참고할 것. Fleming, *Authenticity and the Cultural Politics of Work: New Forms of Informal Control* (Oxford: Oxford University Press, 2009); and Andrew Ross, *No-Collar: The Humane Workplace and Its Hidden Costs* (Philadelphia, PA: Temple University Press, 2003).

9 Gilles Deleuze, Postscript on the Societies of Control *October. Vol. 59*, (Winter, 1992), 3-7.

10 Fred Alan Wolf, *The Yoga of Time Travel: How the Mind Can Defeat Time* (Wheaton, IL: Quest Books, 2004), 12.

11 Carol Greenhouse, *A Moment's Notice: Time Politics across Cultures* (Ithaca, NY: Cornell University Press, 1996). 캐롤 그린하우스는 선형적 시간 개념이 서구 문화가 미래를 전망하고 시간 구조의 현실 속에 있다는 감각을 기르게 해 주었다고 본다. 역사가 진보한다는 개념은 시간의 지정학적 대안적 구성에 큰 영향을 끼쳤다. 시간적 구조 속에서 행위 주체가 되고자 하는 욕망은 타자들의 시간 개념을 주변화하는 진보 개념을 낳았다. 근대성이 미신과 마술에서 발견되는 대안적인 시간 지평을 거부했다는 연구들이 많이 이루어졌다. Maureen Perkins, in *The Reform of Time: Magic and Modernity* (London: Pluto, 2001). 대안적 시간 구성이 일탈적이고 위험한 것으로 담론적으로 구성되었다는 주장이다.

12 Wolf, *The Yoga of Time Travel*, 12.

13 Wolf, *The Yoga of Time Travel*, 18.

14 아래의 웹사이트에서 인용. Accessed June 19, 2013. http://www.take5moment.com/
mhtml/about.html.

15 Mark Coté and Jennifer Pybus, "Learning to Immaterial Labour 2.0: MySpace and
Social Networks," *Ephemera* 7, no. 1 (2007); Fleming, *Authenticity and the Cultural
Politics of Work*; Melissa Gregg, *Work's Intimacy* (Cambridge: Polity, 2011); Michael
Hardt and Antonio Negri, *Empire* (Cambridge: Harvard University Press, 2000); Ross,
No-Collar; Tiziana Terranova, *Network Culture: Politics for the Information Age* (Ann
Arbor, MI: Pluto Press, 2004). 전문적이고 창의적인 유형의 새로운 노동 배치 외에도,
세계화 및 노동에 대한 연구들은 타인들의 과도한 라이프스타일 요구나 사람들이 이동
하게 만드는 의존 체제로 인한, 물리적으로 불안정한 이동 인구의 정치적·물질적 투쟁
을 겨냥했다. 예를 들어, 세계화의 이면에 비판적으로 접근하는 연구들은 제트기 이용객
의 필요에 따른 착취적 노동 수요의 부산물인 다양한 모빌리티들에 초점을 둔다. 가사
노동자, 쇼핑 대리인, 개 산책 대리인, 그리고 외국인 직접투자의 결과로 발생한 새로운
이주 흐름 등이다. Zygmunt Bauman, *Globalization: The Human Consequences* (New
York: Columbia University Press, 1998); Doreen Massey, *Space, Place, and Gender*
(Minneapolis: University of Minnesota Press, 1994); and Saskia Sassen, *Globalization
and Its Discontents* (New York: New Press, 1998).

16 폴 비릴리오의 속도이론은 공간 감각의 전치displacement에 관한 것이다. 그가 말한 3-T
혁명은 세계의 척도를 바꾸는 교통transport, 전송transmission, 이식transplant이다. 세계
의 척도가 축소되면 사람들은 기준점을 잃는다. 교통혁명은 자동차라는 매체가 이끌었다.
도시 재건축, 고속도로라는 의사소통 경로의 생성, 얼마나 멀리 있느냐가 아닌 "얼마나 더
오래 걸릴까?"라는 질문이 실현시킨 공간 손실 등이 자동차의 메시지였다. 전송혁명은 원
거리 존재, 원거리 현실, 텔레비전의 시대를 가리킨다. 정보의 속도가 정보의 내용을 지배
하는 시청각 혁명이다. 이식혁명은 제2차 세계대전의 사회 다원주의가 뒤늦게 실현된 것
이다. 우생학, 복제, 그리고 인체에 이식될 나노기술을 비롯한 생명공학 연구 및 실험 등이
다. 이 마지막 혁명은 동물적 신체의 종말과 고유한 세계의 상실을 알린다. Paul Virilio,
Crepuscular Dawn (New York: Semiotext(e), 2002), 93.

17 사무실 요가로 인적자원 범위가 확대되는 것은 삶의 생산과 주체가 자본주의적 생산양식
의 중심으로 이동하고 있음을 보여 준다. 이것이 바로 하트와 네그리, 제이슨 리드가 "실질
적 포섭real subsumption"이라고 부른 현상이다. Hardt and Negri, *Empire*; and Michael
Hardt and Antonio Negri, *Multitude* (Cambridge: Harvard University Press, 2004); and
Jason Read, *Micro politics of Capital* (New York: suny Press, 2003). 이는 자유로운 시간,
여가 시간이 가능하다는 마르크스의 생각에서 출발한다. 사실, 노동자 반란의 조건은 이
자유로운 시간이 만든다. 마르크스는 노동자가 이 자유 시간을 획득한다고 보았다. "노동
자가 일하는 시간은, 구입한 노동력을 자본가들이 소비하는 시간이다. 노동자가 자기 자
신을 위해 이용 가능한 시간을 소비하면, 자본가를 강탈하는 것이다"(*Capital*, 342). 그러
나 이용 가능한 시간은 노동시간의 명확한 분리가 가능하다는 허구를 유지한다. David

Harvey, *Spaces of Hope* (Berkeley: University of California Press, 2000). 데이비드 하비
는 마르크스와 자율주의자들의 논의를 받아들여, 가변적인 자본 순환과 같은 사회적 과정
에 내재된 신체들은 유순하고 수동적이라고 간주되어서는 안된다고 주장한다. "노동자의
형성하고 창조하는 능력은 (현 상황에서는 상상할 수 없더라도) 언제나 대안적인 생산, 교
환, 소비의 잠재력을 지닌다"(117). 그러나 사무실 요가는 노동자들의 저항이라는 측면에
서 보면 암울하다. 사무실 요가는 생산, 교환, 소비의 대안적인 양식임을 자임한다. 일하는
동안 얻을 수 있는, 그러나 궁극적으로는 업무를 위한 새로운 질적 시간을 약속하며, 직장
은 존재의 절대적인 중심으로 유지된다.

18   Marx, *Capital*, Volume 1, 223.

19   Frederick Winslow Taylor, *Principles of Scientific Management* (London: Harpers
     and Brothers, 1911). Frank B. Gilbreth and Lillian M. Gilbreth, *Fatigue Study: The
     Elimination of Humanity's Greatest Waste; A First Step in Motion Study* (Easton, PA: Hive,
     1973). 테일러와 길브레스를 중심으로 한 모빌리티와 시간 규율 문제는 아래의 책을 참고
     할 것. Tim Cresswell's chapter "Workplace and the Home" in his *On the Move: Mobility
     in the Modern Western World* (New York: Routledge, 2006).

20   Michel Foucault, *Discipline and Punish* (New York: Vintage, 1977), 152.

21   아래의 링크는 기업 요가 사업에 관심이 있는 모든 사람을 위해 슬라이드셰어 사이트에 업
     로드된 광고다. 이 담론이 널리 퍼져 있음을 보여 준다. Accessed March 10 2012, http://
     www.slideshare.net/kanchansiriah/yoga-in-business.

22   Foucault, *Discipline and Punish*, 161.

23   Henry Braverman, *Labor and Monopoly Capital: The Degradation of Work in the
     Twentieth Century* (New York: Monthly Review Press, 1974), 310.

24   Braverman, *Labor and Monopoly Capital*, 310.

25   As advertised on their website. Accessed June 19, 2013. http://www.lotus-exchange.
     com/on-site-massage.shtml.

26   Pierre Bourdieu, *In Other Words: Essays Towards a Reflexive Sociology* (Stanford:
     Stanford University Press, 1990), 190.

27   Jean-Luc Nancy, *Corpus*, trans. Richard A. Rand (New York: Fordham University
     Press, 2008), 110.

28   "'사회적 공장' 개념은 가치 생산, 그리고 가치 생산에 대한 저항이 확정되고 인정된 직장에
     서만, 임금근로자의 활동에서만 발생하는 것이 아니라는 것이다. 사회적 공장 개념은 작업
     장과 임금노동을 중심으로 하는 정치적·조직적 모델에 의문을 제기한다." Nate Holdren,
     "Glossary," in *Constituent Imagination: Militant Investigations, Collective Theorization*, ed.
     Stevphen Shukaitis, David Graeber, and Erika Biddle (Oakland, CA: AK Press, 2007), 318.

29   Lawrence Pintak, "Balancing Business with Buddha," Belief.net (December 2011),
     http://www.beliefnet.com/Faiths/Buddhism/2001/06/Balancing-Business-With-
     Buddha.aspx?p=4#. Accessed March 10, 2012.

30 Ken Hillis, *Digital Sensations: Space, Identity, and Embodiment* (Minneapolis: University of Minnesota Press, 1999), 102.

31 As quoted on their website http://www.lotus-exchange.com/funk.shtml. Accessed March 27, 2010.

32 http://www.lotus-exchange.com/corporate-yoga-classes.shtml. Accessed March 27, 2010.

33 Michael Carroll, *Awake at Work: 35 Practical Buddhist Principles for Discovering Clarity and Balance in the Midst of Work's Chaos* (Boston: Shambhala, 2004), 205.

34 Carroll, *Awake at Work*, 205.

35 Marx, *Capital*, 376.

4장 느린 공간

1 Pico Iyer, "The Joy of Quiet," New York Times, December 29, 2011. Accessed January 1, 2012. http://www.nytimes.com/2012/01/01/opinion/sunday/the-joy-of-quiet.html?pagewanted=all&_r=0.

2 Penelope Green, "The Slow Life Picks up Speed," New York Times, January 31, 2008. Accessed April 25, 2013. http://www.nytimes.com/2008/01/31/garden/31slow.html?pagewanted=all; and Michael Kimmelman, "Pleasures of Life in the Slow Lane," *New York Times*, November 7, 2011. Accessed April 25, 2013. http://www.nytimes.com/2011/11/08/arts/design/a-bike-lane-perch-for-the-urban-show.html?pagewanted=all.

3 Wendy Parkins and Geoffrey Craig, *Slow Living* (Sydney: unsw Press, 2006), 55.

4 Marshall McLuhan, *Understanding Media* (New York: McGraw Hill, 1964), 150.

5 McLuhan, *Understanding Media*, 150.

6 Stewart Brand, *The Clock of the Long Now: Time and Responsibility and the Idea Behind the World's Slowest Computer* (New York: Basic Books, 1995).

7 the foundation's website, http://longnow.org/about/. Accessed January 5, 2008.

8 Brand, *The Clock of the Long Now*, 2.

9 Brand, *The Clock of the Long Now*, 27.

10 http://www.sloth.gr.jp/E-index.htm.

11 Sharon Otterman, "Haste, Scorned: Blogging at a Snail's Pace," *New York Times*, November 23, 2008, ST10.

12 Carl Honore, *In Praise of Slow: How a Worldwide Movement Is Challenging the Cult of Speed* (New York: Harper, 2004); Carlo Petrini, *Slow Food: The Case for Taste*, trans. W. McCuaig (New York: Columbia University Press, 2001).

13 John Tomlinson, *The Culture of Speed: The Coming of Immediacy* (Thousand Oaks, CA: Sage, 2007) and William E. Connolly, *Neuropolitics: Thinking, Culture, and Speed* (Minneapolis: University of Minnesota Press, 2002). 이들은 현대적인 삶의 체제에 제동을 걸고 슬로 존을 제도화해야 한다고 주장한다. 코놀리는 속도의 비대칭성이 존재하지만, 속도가 다원주의적 조건을 만들 수 있다고도 본다(179). 따라서 느림은 또 다른 속도이며, 빠른 속도의 삶으로부터 정기적으로 탈출하고 후퇴할 수 있는 구조적 기회가 다양한 계층의 시민들에게 주어져야 한다는 것이다(144). 톰린슨은 "일률적인 감속을 거부하면서도, 개인적 실존과 제도적 형식에서 숙고의 시공간을 보존할 수 있을까?"라고 질문한다(157). 그는 삶을 통제하는 방법이 균형이라고 주장한다. "균형은 퇴행적이거나 노스탤지아에 사로잡힌 느린 가치가 아니다. 전통적이고 고정된 가르침에 따르는 자기비판이나 자기통제도 아니다. 균형은 삶의 공식을 찾거나 내면의 조화가 이룩된 상태를 이루려고 노력하지 않는다. 통제로서의 균형은 휴식이 아니라, 오히려 그 반대다. 어떤 사태에 직면하여 끊임없이 반사적으로 균형을 재조정하는 과정이다"(158). "빠르게 변화하는 환경에 충분히 민감하게 적응하는 우리 자신을, 그래서 존재론적으로 유연하고, 적절하게 반응하며, 탄력적인 자기를 경험하는 것이다"(159). "어떤 사태에 직면하여 균형을 재조정"한다는 개념에는 사회관계의 불균등한 리듬에 대한 인식이 더해져야 한다. 더 많은 공간과 더 많은 시간은 물질적 불평등에 대한 해결책도 아니고, 공간 및 시간과 맺는 더 나은 관계라고도 할 수 없다. 균형은 느린 속도나 공간이나 시간을 더 확보하는 문제가 아니다. 대신에 시간의 정치에 대한 더 깊은 인식이 필요하다.

14 매클루언은 그의 이론이 시장과 기업에 쉽게 이용당한다는 비판을 받았다. 느림도 마찬가지의 운명을 겪을 수 있다. 그러나 어설픈 담론과 모순적인 표현으로 느림을 상품화하는 것은 그 자체가 문제적인 것도 아니고, 놀라운 일이라고도 할 수 없다. 오히려 느림이라는 단일한 속도에 매달리는 정치야말로, 물질적 투쟁 속에 존재하는 시간정치에 대한 인식을 방해하고 탈선시키는 주범이다.

15 "About Us," *Ruddy Potato*. Accessed March 15, 2012. http://www.ruddypotato.com/about.html (quote no longer available).

16 Cathy N. Davidson's 36 *Views of Mt Fuji: On Finding Myself in Japan* (Durham, NC: Duke University Press, 2006).

17 "Facilities," Caretta Shiodome. Accessed May 5, 2009. http://www.caretta.jp/english/floorguide/index.html.

18 Original article appeared in the daily metro magazine *Metropolis Tokyo*, April 4, 2003. Accessed June 19, 2013. http://jerde.com/news/202.html.

19 "What Is Slow Food," Slow Food USA. Accessed March 15, 2011. http://www.slowfoodusa.org/index.php/slow_food/.

20 Slow Food USA website. *Slow Food International Manifesto*. Accessed March 1, 2008. www.slowfoodusa.org/about/manifesto.html.

21 Slow Food USA website. *Slow Food International Manifesto*. Accessed March 1, 2008.

www.slowfoodusa.org/about/manifesto.html.

22 Slow Food USA website. *Slow Food International Manifesto.* Accessed March 1, 2008. www.slowfoodusa.org/about/manifesto.html.

23 The Restaurant Opportunities Center of New York's website, http://www.rocny.org/. The organization is responsible for organizing workers for better working conditions.

24 Toby Miller, *Cultural Citizenship: Cosmopolitanism, Consumerism, and Television in a Neoliberal Age* (Philadelphia: Temple University Press, 2007), 111.

25 Slow Food USA website. *Slow Food International Manifesto.* Accessed March 1, 2008. www.slowfoodusa.org/about/manifesto.html.

26 Citta Slow website, *Citta Slow Charter.* Accessed March 27, 2008, http://www .cittaslow.org/section/association/philosophy.

27 Paul L. Knox, "Creating Ordinary Places: Slow Cities in a Fast World," *Journal of Urban Design* 10, no. (2005): 7.

28 Slow Food USA website. Accessed April 15, 2008. www.slowfoodusa.org.

29 Richard Wilk, ed., *Fast Food/Slow Food: The Cultural Economy of the Global Food System* (Lanham, MD: AltaMira Press, 2006).

30 Miller, *Cultural Citizenship,* 114.

31 Miller, *Cultural Citizenship,* 114.

32 Connolly, *Neuropolitics,* 162.

33 CNN은 스테이케이션을 *Weekend Report*의 첫 번째 이슈로 보도했다. Debra Alan "Staycations: Alternative to pricey, stressful travel," cnn.com, June 12, 2008. Accessed June 30, 2008. http://www.cnn.com/2008/living/worklife/06/12/balance.staycation/ index.html?iref=allsearch.

34 "Plan a Backyard Staycation," The Early Show, CBS News, July 3, 2008, 1:30 pm. http://www.cbsnews.com/video/watch/?id=4230174n.

35 Lynn Spigel, *Make Room for tv: Television and the Family Ideal in Postwar America* (Chicago: University of Chicago Press, 1992); and Lynn Spigel, *Welcome to the Dream house: Popular Media and Postwar Suburbs* (Durham, NC: Duke University Press, 2001).

36 Spigel, *Welcome to the Dreamhouse,* 60-61.

37 "Staycation! Many Opting to Stay Home," abclocal, May 24, 2008. Accessed June 1, 2008. http://abclocal.go.com/wtvd/story?section=resources/lifestyle_commu nity&id=6161484.

38 Rebecca Ray and John Schmidt, *No-Vacation Nation* (Washington, D.C.: Center for Economic and Policy Research, May 2007), 3.

39 "Staycation" *Merriam-Webster's Collegiate Dictionary,* Eleventh Edition, 2009.

40 Debra Alban, "Staycations: Alternative to Pricey, Stressful Travel," cnn.com, June

12, 2008. Accessed June 30, 2008. http://www.cnn.com/2008/living/worklife /06/12/
balance.staycation/index.html?iref=allsearch.

41 Paul Virilio, *Polar Inertia* (Thousand Oaks, CA: Sage, 2000).

42 Paul Virilio, *The Politics of the Very Worst* (New York: Semiotext(e), 1999), 43.

43 Parkins and Craig, *Slow Living*, 4.

44 Wendy Parkins, "Out of Time: Fast Subjects and Slow Living," *Time and Society* 13, no.
2-3 (2004): 64, my emphasis.

45 Parkins and Craig, *Slow Living*, 51.

결론 시간적 공공영역을 향하여

1 반복하자면, 시간성이 불분명하게 느껴지는 이유 중 하나는 공간이 권력을 사유할 때의 특
권적 장소이기 때문이다. 사실, 속도 비판은 시간정치인 것처럼 가장하지만 시간이 공간에
미치는 효과를 염려하는 것일 뿐이다. 이는 속도이론에서 세 가지 방식으로 나타난다. (1)
지정학이 시간정치로 대체되는 글로벌한 실시간 속에서 역사의 선형적 시간이 가속화되는
현상을 우려한다. (2) 숙고하지 않고, 빠르고, 성급한 주체를 생산하는 현대적 삶의 템포로
서의 속도를 비판한다. 이 주체는 노동, 가정, 여가처럼 정상화된 사회적 영역의 신성함을,
그리고 공공공간의 정치적 가능성을 위협한다. (3) 빠르거나 느린 계급으로 간주되는 시간
적 거주자를 생산한다. 이 두 계급은 정반대의 시간을 경험하고 공간적 관계가 없다고 여겨
진다.

2 Anisha Hingorani, "Cheap Food for Diners, but at What Cost?," Institute for Food and
Development Policy/Food First, February 5, 2012. Accessed April 5, 2012. http://www.
foodfirst.org/en/labor+in+the+food+system.

3 Julie Guthman, "Fast Food/Organic Food: Reflexive Tastes and the Making of 'Yuppie
Chow,'" *Social and Cultural Geography* 4, no. 1 (2003).

4 2011년, 《뉴욕타임스》와 《뉴욕타임스 매거진》은 지하철에서의 수면과 관련된 두 편의 기
사를 실었다. 첫 번째는 지하철, 기차, 역에서 이동 중에 잠이 든 사람들의 일상에 주목했
다. "얼마나 적게 잠을 잘 수 있습니까?"라는 제목의 이 기사는 밝은 빛, 소음, 커피, 업무
요구 등으로 인해 일상에서 겪는 수면 부족과 그 대책을 다루었다. Maggie Jones, "How
Little Sleep Can You Get Away With?" *Sunday Magazine, New York Times*, April 15 2011,
MM41. Accessed April 22, 2011. http://www.nytimes.com/2011/04/17/magazine/mag-
17Sleep-t.html?_r=0. 8개월 후 "지하철에서 잠들기. 꿈꿀 수 있는 기회일까?"라는 기사가
실렸다. 지하철을 탈 때 얼마나 많은 수면을 취할 수 있는지를 연구하기 위해 A 노선에서
잠든 한 신경학자의 이야기가 중심이었다. 그가 지하철에 타고 있는 동안 호흡, 뇌 기능, 심
박수가 모니터링되었다. 독자들에게 지하철에서 잠자는 경험을 공유해 달라는 말로 기사
는 마무리된다. Christine Haughney, "To Sleep on the Subway, Maybe? Poor Chance to

Dream," *New York Times*, December 7, 2011. Accessed December 15, 2011. http://www. nytimes.com/2011/12/08/nyregion/to-sleep-on-the-subway-maybe-but-to-dream-poor-chance.html.

5   Trevor Kapp, "Homeless Advocates Rally at Penn Station for City to Back off Sleeping in Public Places," *New York Daily News*, July 26, 2011. Accessed July 30, 2011. http://articles.nydailynews.com/2011-07-26/local/29834378_1_penn-station-public-places-homeless-activists.

6   Fernanda Santos, "In the Shadows, Day Laborers Left Homeless as Work Vanishes," *New York Times*, January 1, 2010. Accessed April 26, 2013. http://www.nytimes.com/2010/01/02/nyregion/02laborers.html.

7   Gillian Fuller and Ross Harley, in *Aviopolis: A Book about Airports* (London: Black dog, 2004). 이들은 공항이 가장 다양하고 다채로운 사회적 공간 중 하나라고 본다. "공항에서는 다양한 삶, 물질, 정보 형태들이 신체와 하늘 사이, 지역 풍경과 글로벌 자본 사이의 새롭고 계속 변화하는 관계들 속에서 뒤섞인다. 공항은 서로 다른 시스템들이 교차하는 일이 가능하다. 공항에서는 상대적으로 느리고 개별적인 지상 교통 시스템이 더 빠르고 거대한 항공 시스템과 만난다. 이 교차점에서 지역 도시 생태계는 세계와 얽히기 시작한다. 공항은 인프라이기도 하다. 연결을 위해 설계된 구조다"(104). Marc Augé, *In the Metro*, trans. Tom Conley (Minneapolis: University of Minnesota Press, 2002). 마르크 오제는 이 정서를 간결하게 포착한다. "신도, 열정도, 전투도 없는 교차로의 존재는 오늘날 사회의 가장 진보된 단계이자 모든 민주주의의 이상이다"(66). 실제로 비행기는 다양한 승객이 탑승한다는 이유로 공중 위의 민주주의라고 불리기도 하지만, 사회경제적 계급 차원에서 보면 비행기 승객들은 지하철 승객들보다는 동질적이다. William Connolly, *Neuropolitics: Thinking, Culture, Speed* (Minneapolis: University of Minnesota Press, 2002). 코넬리는 연결의 시간적 측면을 고려하면서, "다원주의의 긍정적 분위기를 촉진하기 위해 이전보다 더 빠르게 움직이는 세계와 함께, 혹은 이에 반하여" 어떻게 행동해야 할지를 생각해야 한다고 주장한다. "이 영역에는 어떠한 보장도 없다. 그러나 다양한 속도들을 경험하는 것은 사람들이 자신이 아닌 것과의 관계 속에서의 자기 자신에 대해 겸손해지도록 만든다"(143). 코넬리는 관계성이란 정치체 내에서의 상호인정이라고 생각한다. 서로 다른 사람들이, 비록 짧은 순간일지라도 함께 공간을 공유하는 것은 모빌리티 연구에서 잘 알려진 출발점이다. John Urry, *Mobilities* (Polity: London, 2007). 존 어리는 "비행과 그 가시적인 불평등은 네트워크 자본의 거대한 변동에서 비롯된 불평등의 세계적 패턴에 대한 일종의 비유"라고 했다(152).

8   Iris Marion Young, *Justice and the Politics of Difference* (Princeton: Princeton University Press, 1990).

9   Iris Marion Young, "Communication and the Other: Beyond Deliberative Democracy," in *Democracy and Difference, ed. Seyla Benhabib* (Princeton: Princeton University Press, 1996), 126.

10   이 다원주의적 설명은 정치적 공간의 속성인 길과 경로가 갖는 중요성을 강조한다. 시간

지리학에서처럼, 공공영역에 대한 이 관점은 서로 다른 노동 관행과 일상 중에서 어떤 경로들은 타자와 더 많이 교차하거나 공유된다는 것을 인식한다. 이러한 교차점들은 자기와 타자에 대한 특정한 지식을 생산하는 경험으로 이끈다. 타운홀, 마을 광장, 그리고 공론장에 대한 '전통적인' 이론이 다루는 장소들에서는 만나지 못할 유형의 사람들 사이에 교차와 충돌이 일어난다는 점이 중요하다.

11 토비 밀러가 주장한 문화노동의 새로운 국제 분업 개념은 이동성이 강한 중산층 문화의 새로운 노동 요구 사항을 이해하게 한다. Toby Miller, Nitin Govil, John McMurria, and R. Maxwell, (*Global Hollywood*, London: British Film Institute; Berkeley: University of California Press, 2001). 문화노동의 새로운 국제 분업과 시간적 노동은 깔끔하고 빠른 테크놀로지가 신화화된 세계에서 지속되는 노동의 관계적 형태를 의미한다.

12 Sarah Sharma, "Baring Life and Lifestyle in the Non-place," *Cultural Studies* 23 (2009). 통과 공간은 역사적으로 볼 때 지식 및 권력의 생산과 밀접한 장소였다. 이 공간은 특정한 접합과 시대 속에서 경제적 · 문화적 · 정치적 힘에 의해 구성되었기 때문이다.

13 Doreen Massey, *For Space* (Thousand Oaks, CA: Sage, 2005), 70. Johannes Fabian, *Time and the Other* (New York: Columbia University Press, 1983). 파비안에 따르면, "공재성은 현재성을 진정한 변증법적 대결 조건으로 인식하는 것을 목표로 삼는다"(154).

14 Martin Heidegger, "Building, Dwelling, Thinking," in *Poetry, Language, and Thought*, trans. *Albert Hofstadter* (New York: Harper, 1971).

15 Martin Heidegger, *Being and Time* (New York: Harper, 1962).

16 Heidegger, "Building, Dwelling, Thinking," 143.

Abram, David. *Spell of the Sensuous: Perception and Language in a More-than-Human World.* New York: Vintage 1997.

Adam, Barbara. *Time.* London: Blackwell, 2004.

_____. *Time and Social Theory.* Cambridge, U.K.: Polity, 1990.

_____. *Timewatch: The Social Analysis of Time.* Cambridge, UK: Polity, 1995.

Agamben, Giorgio. *Homo Sacer: Sovereign Power and Bare Life.* Trans. Daniel Heller-Roazen. Stanford: Stanford University Press, 1998.

Aldous, Susi Hately. *Yoga for the Desk Jockey.* sha-press, www.sha-press.com, 2005.

Ameche, Kathleen. *The Woman Road Warrior: A Woman's Guide to Domestic and International Business Travel.* 2nd ed. Chicago: Agate, 2007.

Appadurai, Arjun. *Modernity at Large: Cultural Dimensions of Globalization.* Minneapolis: University of Minnesota Press, 1996.

Armitage, John, and Joanne Roberts. *Living with Cyberspace: Technology and Society in the 21st Century.* New York: Continuum, 2003.

Arterburn, Stephen and Sam Gallucci. *Road Warrior: How to Keep Your Faith, Relationships, and Integrity When Away from Home.* Colorado Springs: WaterBrook Press, 2008.

Augé, Marc. *In the Metro.* Trans. Tom Conley. Minneapolis: University of Minnesota Press, 2002.

_____. *Non-places: Introduction to an Anthropology of Supermodernity.* London: Verso, 1995.

Bastian, Michelle. "Fatally Confused: Telling the Time in the Midst of Ecological Crises." *Journal of Environmental Philosophy* 9, no. 1 (2012): 23-48.

Bauman, Zygmunt. *Globalization: The Human Consequences.* New York: Columbia University Press, 1998.

———. *Liquid Modernity.* London: Blackwell, 2000.

Bell, Shannon. *Fast Feminism.* New York: Autonomedia, 2010.

Benhabib, Seyla. "Models of Public Space: Hannah Arendt, The Liberal Tradition and Jürgen Habermas." In *Habermas and the Public Sphere*, ed. C. Calhoun, 421-61. Cambridge: mit Press, 1992.

Berland, Jody. *North of Empire: Essays on the Cultural Technologies of Space.* Durham, NC: Duke University Press, 2009.

Berlant, Lauren. "Slow Death (Sovereignty, Obesity, Lateral Agency)." *Critical Inquiry* 33, no. 4 (2007): 754-80.

Bourdieu, Pierre. "The Attitude of the Algerian Peasant Toward Time." In *Mediterranean Country Men*, ed. J. Pitt-Rivers, Paris: Mouton and Co. 1963, 55-72.

_____. *In Other Words: Essays Towards a Reflexive Sociology.* Stanford: Stanford University Press, 1990.

_____. *Pascalian Meditations.* Trans. Richard Nice. Stanford: Stanford University Press, 2000.

Brand, Stewart. *The Clock of the Long Now: Time and Responsibility and the Idea behind the World's Lowest Computer.* New York: Basic Books, 1995.

Braverman, Henry. *Labor and Monopoly Capital: The Degradation of Work in the Twentieth Century.* New York: Monthly Review Press, 1974.

Calhoun, Craig, ed. *Habermas and the Public Sphere.* Cambridge: mit Press, 1992.

Canning, Megan, Savannah Gorton and Deborah Marton. *Designing the Taxi.* New York: Design Trust for Public Space, 2005.

Carey, James W. *Communication as Culture: Essays on Media and Society.* New York: Routledge, 1989.

Carroll, Michael. *Awake at Work: 35 Practical Buddhist Principles for Discovering Clarity and Balance in the Midst of Work's Chaos.* Boston: Shambhala, 2004.

Castells, Manuel. *The Rise of the Network Society.* Malden, MA: Blackwell, 1996.

Clark-Flory, Tracy. "The End of Menstruation." Salon.com, February 4, 2008. Accessed June 10 2008 http://www.salon.com/2008/02/04/menstruation_2/.

Clough, Patricia Ticineto, and Jean Halley, eds. *The Affective Turn: Theorizing the Social.* Durham, NC: Duke University Press, 2007.

Connolly, William E. *Neuropolitics: Thinking, Culture, Speed.* Minneapolis: University of Minnesota Press, 2002.

Coté, Mark, and Jennifer Pybus. "Learning to Immaterial Labour 2.0: MySpace and Social Networks." *Ephemera* 7, no. 1 (2007): 88-106.

Crang, Mike. "Rhythms of the City: Temporalized Space and Motion." In *TimeSpace: Geographies of Temporality*, ed. Jon May and Nigel Thrift. London: Routledge, 2001: 187-207.

Crang, Mike, T. Crosbie, and S. D. N. Graham. "Technology, Timespace and the Remediation of Neighbourhood Life." *Environment and Planning A* 39 (10) (2007): 2405-22.

Crary, Jonathan. *24/7: Late Capitalism and the Ends of Sleep*. London: Verso, 2013.

Cresswell, Tim. *On the Move: Mobility in the Modern Western World*. New York: Routledge, 2006.

Davidson, Cathy N. *36 Views of Mt Fuji: On Finding Myself in Japan*. Durham, NC: Duke University Press, 2006.

Decron, Chris. "Speed-Space." In *Virilio Live: Selected Interviews*, ed. John Armitage. London: Sage, 2001. 69-81.

Delueze, Gilles "Postscript on the Societies of Control" *October. Vol. 59*. (Winter, 1992), 3-7.

Duffy, Enda. *The Speed Handbook: Velocity, Pleasure, Modernism*. Durham, NC: Duke University Press, 2009.

Edelman, Lee. *No Future: Queer Theory and the Death Drive*. Durham. NC: Duke University Press, 2004.

Ekirch, A. Rogers. *At Day's Close: A History of Nighttime*. New York: Norton and Co. 2005.

Estrada, Arthur, Amanda M. Kelley, Catherine M. Webb, Jeremy R. Athy, and John S. Crowley. "Modafinil as a Replacement for Dextroamphetamine for Sustaining Alertness in Military Helicopter Pilots." *Aviation, Space, and Environmental Medicine* (Vol. 83, No. 6 June 2012) 556-564.

Fabian, Johannes. *Time and the Other*. New York: Columbia University Press, 1983.

Ferris, Timothy. *The 4-Hour Workweek: Escape 9–5, Live Anywhere, and Join the New Rich*. New York: Crown Publishers, 2007.

Fleming, Peter. *Authenticity and the Cultural Politics of Work: New Forms of Informal Control.* Oxford: Oxford University Press, 2009.

Foucault, Michel. *Care of the Self.* New York: Vintage, 1988.

_____. *Discipline and Punish.* New York: Vintage, 1977.

_____. *The History of Sexuality.* Trans. Robert Hurley. New York: Pantheon, 1978.

_____. "Chapter 11" of *Society must be defended: lectures at the Collège de France, 1975–76,* ed Mauro Bertani and Alessandro Fontana; translated by David Macey. London: Penguin, 2004, 239-264.

Franklin, Ursula. *The Real World of Technology.* Toronto: Anansi, 1999.

Fraser, Nancy. "Rethinking the Public Sphere: A Contribution to the Critique of Actually Existing Democracy." In *Habermas and the Public Sphere,* ed. C. Calhoun, 108-42. Cambridge: mit Press, 1992.

Freeman, Elizabeth. *Time Binds: Queer Temporalities, Queer Histories.* Durham NC: Duke University Press, 2010.

Fuller, Gillian, and Ross Harley. *Aviopolis: A Book about Airports.* London: Blackdog, 2004.

Galison, Peter. *Einstein's Clocks, Poincare's Maps: Empires of Time.* New York: W. W. Norton & Company, 2003.

Garnham, Nicholas. *Emancipation, the Media, and Modernity: Arguments about the Media and Social Theory.* New York: Oxford University Press, 2000.

Garreau, Joel. "The Great Awakening: With a Pill Called Modafinil, You Can Go 40 Hours Without Sleep—and See into the Future." *Washington Post,* June 17, 2002, c1.

Gilbreth, Frank B, and Lillian M. Gilbreth. *Fatigue Study: The Elimination of Humanity's Greatest Waste; A First Step in Motion Study.* Easton, PA: Hive, 1973.

Gill, Alexandra. "Sleep No More." *Globe and Mail,* April 1, 2006, F9.

Gleick, James. *Faster.* New York: Vintage, 1999.

Glennie, P., and Nigel Thrift. *Shaping the Day: A History of Timekeeping in England and Wales 1300–1800.* Oxford: Oxford University Press, 2009.

Gordon, Alastair. *Naked Airport: A Cultural History of the World's Most Revolutionary Structure.* New York: Metropolitan Books, 2004.

Gottdiener, Mark. *Life in the Air: Surviving the New Culture of Air Travel.* Lanham, MD: Rowman and Littlefield, 2000.

Gregg, Melissa. *Work's Intimacy.* Cambridge: Polity, 2011.

Greene, Ronald Walter. "Spatial Materialism: Labor, Location, and Transnational Literacy." *Critical Studies in Media Communication* 27, no. 1 (2010): 105-10.

Greenhouse, Carol. *A Moment's Notice: Time Politics across Cultures.* Ithaca, NY: Cornell University Press, 1996.

Griffiths, Jay. *A Sideways Look at Time.* New York: Putnam, 1999.

Guthman, Julie. "Fast Food/Organic Food: Reflexive Tastes and the Making of 'Yuppie Chow.'" *Social and Cultural Geography* 4, no. 1 (2003). 45-58.

Habermas, Jürgen. *Structural Transformations of the Public Sphere.* Cambridge: MIT Press, 1999.

Hägerstrand, Torsten. *Innovation Diffusion as a Spatial Process.* Trans. A. Pred. Chicago: University of Chicago Press, 1967.

Halberstam, Judith. *In a Queer Time and Place: Transgender Bodies, Subcultural Lives.* New York: New York University Press, 2005.

Hall, Edward T. *The Dance of Life: The Other Dimension of Time.* New York: Anchor, 1983.

Hardt, Michael. "Prison Time." *Yale French Studies*, no. 91 (1997): 64-79.

Hardt, Michael, and Antonio Negri. *Commonwealth.* Cambridge: Harvard University Press, 2009.

_____. *Empire.* Cambridge: Harvard University Press, 2000.

_____. *Multitude.* Cambridge: Harvard University Press, 2004.

Harvey, David. *The Condition of Postmodernity: An Enquiry into the Origins of Cultural Change.* Malden, MA: Blackwell, 1989.

_____. *Spaces of Hope.* Berkeley: University of California Press, 2000.

Hassan, Robert. *The Chronoscopic Society: Globalization, Time, and Knowledge in the Network Economy.* New York: Peter Lang, 2003.

Hassan, Robert, and Ronald E. Purser, eds. *24/7: Time and Temporality in the Network Society.* Stanford: Stanford University Press, 2007.

Haughney, Christine. "To Sleep on the Subway, Maybe? Poor Chance to Dream," *New York Times*, December 7, 2011. Accessed December 15 2011.

http://www.nytimes.com/2011/12/08/nyregion/to-sleep-on-the-subway-maybe-but-to-dream-poor-chance.html.

Heidegger, Martin. *Being and Time*. New York: Harper, 1962.

_____. *Poetry, Language, and Thought*. Trans. Albert Hofstadter. New York: Harper, 1971.

Hillis, Ken. *Digital Sensations: Space, Identity, and Embodiment*. Minneapolis: University of Minnesota Press, 1999.

Hochschild, Arlie. *The Outsourced Self: Intimate Life in Market Times*. New York: Metropolitan Books, 2012.

Holdren, Nate. "Glossary" in *Constituent Imagination: Militant Investigations, Collective Theorization*, ed. Stevphen Shukaitis, David Graeber, and Erika Biddle (Oakland, CA: AK Press, 2007), 38.

Honore, Carl. *In Praise of Slow: How a Worldwide Movement Is Challenging the Cult of Speed*. New York: Harper, 2004.

Hotel Workers Rising. *Creating Luxury, Enduring Pain: How Hotel Work Is Hurting Housekeepers*. A Unite Here Publication, April 2006. Accessed April 15, 2007 http://www.google.com/search?client=safari&rls=en&q=Creating+Luxury,+Enduring+Pain: +How+Hotel+Work+Is+Hurting+Housekeepers&ie=utf-8&oe=utf-8.

Innis, Harold A. *The Bias of Communication*. Toronto: University of Toronto Press, 1951.

_____. *Empire and Communication*. Toronto: University of Toronto Press, 1972.

_____. *A History of the Canadian Pacific Railway*. Toronto: University of Toronto Press, 1971.

Iyer, Pico. "The Joy of Quiet." *New York Times*, December 29, 2011. Accessed January 1, 2012. http://www.nytimes.com/2012/01/01/opinion/sunday/the-joy-of-quiet.html?pagewanted=all&_r=0.

_____. *Global Soul: Jet-Lag, Shopping Malls, and the Search for Home*. New York: Vintage, 2001.

Jameson, Fredric. *Postmodernism, or, The Cultural Logic of Late Capitalism*. Durham, NC: Duke University Press, 1991.

Jolles, Robert. *The Way of the Road Warrior: Lessons in Business and Life from the*

Road Most Traveled. San Francisco: John Wiley, 2005.

Jones, Maggie. "How Little Sleep Can You Get Away With?" *Sunday Magazine, New York Times*, April 15, 2011, mm4, accessed April 22, 2011. http://www. nytimes.com/2011/04/17/magazine/mag-17Sleep-t.html?_r=0.

Kapp, Trevor. "Homeless Advocates Rally at Penn Station for City to Back off Sleeping in Public Places," *New York Daily News*, July 26, 2011. Accessed July 30 2011. http://articles.nydailynews.com/2011-07-26/local/29834378_1_penn-station-public-places-homeless-activists.

Kasanda, John D., and Greg Lindsay. *Aerotropolis: The Way We'll Live Next.* New York: fsg, 2011.

Kern, Stephen. *The Culture of Time and Space, 1880–1918.* Cambridge: Harvard University Press, 1983.

Knox, P. L. "Creating Ordinary Places: Slow Cities in a Fast World." *Journal of Urban Design* 10, no. 1 (2005): 1-11.

Kurlantzick, Joshua. "Project Runway." *New York Times*, March 29, 2007. Accessed March 29, 2010. http://www.nytimes.com/interactive/2007/03/29/travel/escapes/20070330_airport_slideshow .html.

Lau, Kimberly. *New Age Capitalism: Making Money East of Eden.* Philadelphia: University of Pennsylvania Press, 2000.

Lawton, Graham. "Get Ready for 24-Hour Living." *New Scientist*, February 18, 2006.

Lefebvre, Henri. *Rhythmanalysis: Space, Time and Everyday Life.* Trans. S. Elden and G. Moore. London: Continuum, 2004.

Leidner, R. *Fast Food, Fast Talk: Service Work and the Routinization of Everyday Life.* Berkeley: University of California Press, 1993.

Lipovetsky, Gilles. *Hypermodern Times.* Trans. Andrew Brown. Malden, MA: Polity, 2005.

Livingstone, Sonia and Peter Lunt. *Talk on Television: Audience Participation and Public Debate.* London: Routledge, 1993.

Lloyd, Justine. "Dwelltime: Airport Technology, Travel, and Consumption." *Space and Culture* 6, no. 2 (2003): 93-109.

Lowe, Donald. *The Body in Late-Capitalist USA.* Durham, NC: Duke University Press, 1995.

Mackenzie, Adrian. *Transductions: Bodies and Machines at Speed*. New York: Continuum, 2002.

Marx, Karl. *Capital: Volume 1; A Critique of Political Economy* (1867). London: Penguin, 1992.

Massey, Doreen. *For Space*. Thousand Oaks, CA: Sage, 2005.

_____. *Space, Place, and Gender*. Minneapolis: University of Minnesota Press, 1994.

McCarthy, Anna. *Ambient Television: Visual Culture and Public Space*. Durham, NC: Duke University Press, 2001.

McLuhan, Marshall. *Understanding Media: The Extensions of Man*. Cambridge: MIT press: 1964/1994.

Menzies, Heather. *No Time: Stress and the Crisis of Modern Life*. Vancouver: Douglas and McIntyre, 2005.

Miller, Peter, and Nikolas Rose. *Governing the Present: Administering Economic, Social and Personal Life*. Malden, MA: Polity, 2008.

Miller, Toby. *Cultural Citizenship: Cosmopolitanism, Consumerism, and Television in a Neoliberal Age*. Philadelphia: Temple University Press, 2007.

Miller, Toby, J. McLurria, N. Govil and R. Maxwell. *Global Hollywood*. London: British Film Institute; Berkeley: University of California Press, 2001.

Mosco, Vincent. *The Digital Sublime: Myth, Power, and Cyberspace*. Cambridge: MIT Press, 2005.

Moore-Ede, Martin. *The Twenty-Four-Hour Society: Understanding Human Limits in a World That Never Stops*. Reading, Mass.: Addison Wesley, 1993.

Naisbit, John. *High-Tech/High-Touch: Technology and our Accelerated Search for Meaning*. Boston: Nicholas Brealey, 2001.

Nancy, Jean-Luc. *Corpus*. Trans. Richard A. Rand. New York: Fordham University Press, 2008.

Neilson, Brett. "The World Seen from a Taxi: Students-Migrants-Workers in the Global Multiplication of Labour." *Subjectivity* 29 (2009): 425-44.

Otterman, Sharon. "Haste, Scorned: Blogging at a Snail's Pace." *New York Times*, November 23, 2008, S10.

Ouellette, Laurie, and James Hay. *Better Living through Reality tv: Television and Post-welfare Citizenship*. Malden, MA: Blackwell, 2008.

Parkes, Don, and Nigel Thrift. *Times, Spaces, and Places.* New York: John Wiley, 1980.

Parkins, Wendy. "Out of Time: Fast Subjects and Slow Living." *Time and Society* 13, no. 2-3 (2004): 363-82.

Parkins, Wendy, and Geoffrey Craig. *Slow Living.* Sydney: UNSW Press, 2006.

Parks, Lisa. "Kinetic Screens: Epistemologies of Movement at the Interface." In *Media/ Space: Place, Scale and Culture in a Media Age* ed. Nick Couldry and Anna McCarthy, London: Routledge, 2004. 37-57.

Parnes, Francine. "Constant Travelers Wear Their All-Nighters as a Badge of Pride," *New York Times*, December 6, 2005. Accessed September 10, 2010. http://www.nytimes.com/2005/12/06/business/06sleep.html?_r=1.

Perkins, Maureen. *The Reform of Time: Magic and Modernity.* London: Pluto, 2001.

Petrini, Carlo. *Slow Food: The Case for Taste.* Trans. W. McCuaig. New York: Columbia University Press, 2001.

Poster, Mark. *Information Please: Culture and Politics in the Age of Digital Machines.* Durham, NC: Duke University Press, 2006.

Postone, Moishe. *Time, Labor, and Social Domination: A Reinterpretation of Marx's Critical Theory.* New York: Cambridge University Press, 1993.

Pred, Alan., ed. *Space and Time in Geography: Essays Dedicated to Torsten Hägerstrand.* Lund, Sweden: cwk Gleerup, 1981.

Ray, Rebecca, and John Schmitt. *No-Vacation Nation.* Washington, DC: Center for Economic and Policy Research, May 2007.

Read, Jason. *Micropolitics of Capital.* New York: suny Press, 2003.

Rheingold, Howard. *Smart Mobs: The Next Social Revolution: Transforming Cultures and Communities in the Age of Instant Access.* Cambridge: Basic Books, 2002.

Richmond, Lewis. *Work as Spiritual Practice" A Practical Buddhist Approach to Inner Growth and Satisfaction on the Job.* New York: Three Rivers Press, 2000.

Rifkin, Jeremy. *Time Wars: The Primary Conflict in Human History.* New York: Simon and Schuster, 1987.

Rose, Nikolas, ed. *Foucault and Political Reason: Liberalism, Neo-liberalism and*

Rationalities of Government. Chicago: University of Chicago Press, 1996.

_____. "Governing 'Advanced' Liberal Democracies." In *Foucault and Political Reason: Liberalism, Neo-liberalism and Rationalities of Government*, ed. Andrew Barry, Thomas Osborne, and Nikolas Rose, Chicago: University of Chicago Press, 1996. 27-64.

_____. *Governing the Soul: The Shaping of the Private Self*. 2nd ed. New York: Free Association Books, 1999.

Ross, Andrew. *No-Collar: The Human Workplace and Its Hidden Costs*. Philadelphia: Temple University Press, 2003.

Sassen, Saskia. *Globalization and Its Discontents*. New York: New Press, 1998.

_____. "Spatialities and Temporalities of the Global: Elements for a Theorization." *Public Culture* 12, no. 1 (Winter 2000): 215-32.

Scheuerman, William. *Liberal Democracy and the Social Acceleration of Time*. Baltimore: The Johns Hopkins University Press, 2004.

Schiller, Dan. *How to Think about Information*. Urbana: University of Illinois Press, 2010.

Schivelbusch, Wolfgang. *The Railway Journey: The Industrialization and Perception of Time and Space*. Berkeley: University of California Press, 1987.

Sharma, Sarah. "Baring Life and Lifestyle in the Non-place." *Cultural Studies* 23, no. 1 (2009): 129-48.

_____. "Taxicab Publics and the Production of Brown Space after 9/11." *Cultural Studies* 24, no. 2 (March 2010) 183-199.

_____. "Taxis as Media: A Temporal Materialist Reading of the Taxi-Cab." *Social Identities: Journal of Race, Nation, and Culture* 14, no. 4 (July 2008): 457-464.

Sherman, Rachel. *Class Acts: Service and Inequality in Luxury Hotels*. Berkeley: University of California Press, 2007.

Smith, Neal. *Uneven Development: Nature, Capital, and the Production of Space*. Athens: University of Georgia Press, 2008.

Soja, Edward. "Taking Space Personally." In *The Spatial Turn: Interdisciplinary Perspectives*, ed. B. Warf and S. Arias, 11-35. New York: Routledge, 2009.

Sorkin, S., ed. *Variations on a Theme Park: The New American City and the End of Public Space*. New York: Hill and Wang, 1992.

Spigel, Lynn. *Make Room for tv: Television and the Family Ideal in Postwar America.* Chicago: University of Chicago Press, 1992.

_____. *Welcome to the Dreamhouse: Popular Media and Postwar Suburbs.* Durham, NC: Duke University Press, 2001.

Stiegler, Bernard. *Technics and Time, 2: Disorientation.* Trans. Stephen Barker. Stanford: Stanford University Press, 2009.

Taylor, Frederick Winslow. *The Principles of Scientific Management,* London: Harper & Brothers, 1911.

Terranova, Tiziana. *Network Culture: Politics for the Information Age.* Ann Arbor, MI: Pluto Press, 2004.

Thomas, Geoffrey. "New Jets to Combat Jet Lag." *Australian,* May 30, 2008, accessed March 25, 2010, http://www.news.com.au/new-jets-to-combat-jet-lag/story-e6frfrg9-1111116487356.

Thompson, E. P. "Time, Work, Discipline and Industrial Capitalism." *Past and Present* 38 no 1 (1967): 56–97.

Thrift, Nigel. "Owners' Time and Own Time: The Making of Capitalist Time Consciousness, 1300–1880." In *Space and Time in Geography: Essays Dedicated to Torsten Hägerstrand,* ed. Allan Pred, Lund, Sweden: cwk Gleerup, 1981. 56-84.

_____. "Time and Theory in Human Geography: Part I." Vol 1 no 1 *Progress in Human Geography* (1977). 65–101.

Tomlinson, John. *The Culture of Speed: The Coming of Immediacy.* Thousand Oaks, Calif.: Sage, 2007.

Urry, John. *Mobilities.* Polity: London, 2007.

Virilio, Paul. *Crepuscular Dawn.* New York: Semiotext(e), 2002.

_____. *Desert Screen: War at the Speed of Light.* London: Continuum, 2002.

_____. "The overexposed city," in *Lost Dimension,* trans. Daniel Moshenberg, New York: Semiotext(e) 9–27.

_____. *Polar Inertia.* Thousand Oaks, CA: Sage, 2000.

_____. *Politics of the Very Worst.* New York: Semiotext(e), 1999.

_____. *Pure War.* New York: Semiotext(e), 1997.

_____. *Speed and Politics.* Trans. Mark Polizzotti. New York: Semiotext(e), 1986.

Warner, Michael. "Publics and Counterpublics." In *Habermas and the Public Sphere*, ed. C. Calhoun, 22-63. Cambridge: mit Press, 1992.

Weston, Kath. *Gender in Real Time: Power and Transience in a Visual Age*. New York: Routledge, 2002.

Wilk, Richard, ed. *Fast Food/Slow Food: The Cultural Economy of the Global Food System*. Lanham, MD: AltaMira Press, 2006.

Wolf, Fred Alan. *The Yoga of Time Travel: How the Mind Can Defeat Time*. Wheaton, IL: Quest Books, 2004.

Wolin, Sheldon. "What Time It It?" in *Theory and Event* Vol. 1. Issue 1, 1997.

Young, Iris Marion. "Communication and the Other: Beyond Deliberative Democracy." In *Democracy and Difference*, ed. Seyla Benhabib, 120-135. Princeton: Princeton University Press, 1996.

_____. *Justice and the Politics of Difference*. Princeton: Princeton University Press, 1990.

Žižek, Slavoj. *On Belief*. New York: Routledge, 2001.

틈새시간

2022년 2월 28일 초판 1쇄 발행

지은이 | 사라 샤르마
옮긴이 | 최영석
펴낸이 | 노경인 · 김주영

펴낸곳 | 도서출판 앨피
출판등록 | 2004년 11월 23일 제2011-000087호
주소 | 우)07275 서울시 영등포구 영등포로 5길 19(37-1 동아프라임밸리) 1202-1호
전화 | 02-336-2776   팩스 | 0505-115-0525
전자우편 | lpbook12@naver.com
블로그 | blog.naver.com/lpbook12

ISBN 979-11-90901-75-8